Hans Wilhelm

Wendun

V

Salzwasser

Hans Wilhelm Kirchhof

Wendunmuth
V

1. Auflage | ISBN: 978-3-84605-414-7

Erscheinungsort: Frankfurt, Deutschland

Erscheinungsjahr: 2020

Salzwasser Verlag GmbH

Reprint of the original, first published in 1869.

BIBLIOTHEK

DES

ITTERARISCHEN VEREINS

IN STUTTGART.

IC.

1869.

PROTECTOR

DES LITTERARISCHEN VEREINS IN STUTTGART:

SEINE MAJESTÄT DER KÖNIG.

*

VERWALTUNG:

Präsident:

Dr A. v. Keller, ordentlicher professor an der k. universität in Tübingen.

Kassier:

Professor Dr Kommerell, vorstand der realschule in Tübingen.

Agent:

Fues, buchhändler in Tübingen.

*

GESELLSCHAFTSAUSSCHUSS:

Dr K. freiherr v. Cotta in Stuttgart.

Oberstudienrath Dr Haßler, conservator der vaterländischen kunst- und alterthumsdenkmäler in Ulm.

Dr Holland, außerordentlicher professor an der k. universität in Tübingen.

Dr G. v. Karajan, präsident der k. akademie in Wien.

Dr E. v. Kausler, vicedirector des k. haus- und staatsarchivs in Stuttgart.

Dr Klüpfel, bibliothekar an der k. universität in Tübingen.

Dr O. v. Klumpp, director der k. privatbibliothek in Stuttgart.

Dr Maurer, ordentlicher professor an der k. universität in München.

Dr Menzel in Stuttgart.

Dr Simrock, ordentlicher professor an der k. universität in Bonn.

Dr Wackernagel, ordentlicher professor an der universität in Basel.

Dr Waitz, ordentlicher professor an der k. universität in Göttingen.

WENDUNMUTH

VON

ANS WILHELM KIRCHHOF

HERAUSGEGEBEN

VON

HERMANN ÖSTERLEY.

V.

1869,

BEILAGEN

DES HERAUSGEBERS.

Hans Wilhelm Kirchhof [1]), der erzähler der in den vorhergehenden bänden abgedruckten schwänke und geschichten, war bis in die neueste zeit hinein fast nur dem namen nach bekannt; über sein leben fand sich kaum etwas anderes aufgezeichnet, als daß er burggraf zu Spangenberg gewesen sei, und von seinen schriften wurde wenig mehr erwähnt, als der erste theil des Wendunmuth, dessen bedeutender einfluß auf seine zeit, und dessen wichtigkeit für die kenntnis des 16 jahrhunderts allerdings bereitwillige anerkennung fand. Erst Carl Gödeke hat sich der mühevollen arbeit unterzogen, die schriften Kirchhofs nach eigner kenntnisnahme oder nach gleichzeitigen hülfsmitteln, namentlich den messcatalogen, zu verzeichnen [2]), und vor kurzem ist auch ein versuch gemacht, die schriften unseres verfaßers zu einer darstellung seiner lebensverhältnisse zu benutzen [3]). Beides aber hat unvollständig sein müßen, dort, weil das zu gebote stehende material nicht ganz vollständig war, und hier, weil das unvollständige nicht einmal vollständig ausgebeutet wurde. Dithmars notizen aus dem leben Kirchhofs sind meistens dem Wendunmuth entnommen, in dessen späteren theilen häufig eigne erlebniße erzählt werden, aber der zweite, manches wichtige enthaltende theil ist bisher unbekannt geblieben, und die mittheilungen Dithmars beschränken sich fast ausschließlich auf das äußere leben Kirchhofs, während seine litterarische thätigkeit nur geringe berücksichtigung findet. Was Kirchhof über sich selbst

*

1) Er selbst schreibt seinen namen auch Kirchoff, Kirchof und Kirchhoff. 2) Grundriß, § 160, 9; vgl. § 147, 179; § 157, 9. 3) G. Th. Dithmar, Aus und über H. W. Kirchhoff, Osterprogramm des Gymnasiums zu Marburg 1867.

sagt oder an eignen erlebnissen erzählt — und seine schriften sind die einzigen quellen für die kenntnis seines lebens — ist nichts als einzelne steinchen zu einem mosaikbilde, das immer lückenhaft bleiben wird, das aber doch in allgemeinen zügen den lebensgang erkennen läßt; ich deute daher das selbsterzählte, so weit es die äußeren lebensumstände betrifft, unter dem texte an [1]), und be-

*

1) Kirchhofs vater, Peter Kirchhof, war amtsverwalter in Cassel, W. 1, 376, 3, 149.

Kirchhof als knabe, ohne jahr 5, 16.

Um 1535 in Cassel, 3, 61. In und außer lands auf schulen, Militaris discipl. Vorr.

1540 in der schule zu Eschwege, W. 2, 159.

1543 als landsknecht in Dresden, 1, 173; 4, 128; Milit. discipl. Vorr.

1545 drei monate in Nürnberg, W. 7, 191. Wirbt in Bamberg landsknechte für den landgrafen, 1, 93.

1546 im felde auf seiten der protestirenden, 1, 116; im August bei Donauwerth, 4, 259; am 28 August auf Ingolstadt, 3, 62.

1547 unter Philipp magnan. bei Warburg und im stift Corvey, 3, 94; begegnis mit seinem fechtmeister, 3, 96.

1548—49 als landsknecht unter Ludwig von Deben in Frankreich, 1, 53. 2, 46; 3, 143; Milit. discipl. 171; vertritt pathenstelle zu Blanges, W. 2, 104; in Troyes, 3, 115; besuch bei Heinrich II, 2, 43; in Murten und Nancy 4, 65; 47; sturm und execution an einem Franzosen, Milit. disc. 27; 227.

1550 landsknecht im dienste der stadt Braunschweig, W. 1, 92; dort schwer verwundet und an der pest erkrankt ende September, 3, 98. Dann unter Georg von Meckelnburg vor Magdeburg, am 29 December in gefahr, 1, 71; am folgenden tage bei einem adligen zu gaste, 3, 73. Bei einer späteren belagerung Magdeburg wider seinen willen anwesend, 3, 80.

1551 in der fastnacht auf dem wege von Halberstadt nach Braunschweig für einen straßenräuber gehalten, 3, 100; 101; wirbt zu Steinheim im Paderbornschen, 1, 94.

1552 im Februar zu Cassel; unter Georg von Reckenrod in französischen diensten, bei Cronweißenburg, 3, 102; vor Elsaßzabern, 4, 261; anfang September an der Lothringischen grenze, wo er zu der rotte der gefreiten edelleute gehört, 3, 103; vor Chateau Comte in Flandern, 1, 96; in Amiens, 1, 206.

1553 im Januar zu Amiens, 5, 130; dient dann unter den bischöfen gegen Albrecht von Brandenburg; in Iphofen, 1, 97; in Würzburg, 1, 207; 4, 261; 1553—54 im lager bei Tornauw und bei der belagerung von Blassenburg, 1, 98.

1554 ein kloster in Franken besucht, 1, 2, 40; dann beurlaubt, lebt und studirt Kirchhoff in Marburg, 3, 104; Vorrede, buch 5.

1555 noch in Marburg, Vorrede, buch 1; geht am 22 Mai mit seiner

ränke mich hier, neben einem flüchtigen abriße seines lebens, das, was für die beurtheilung Kirchhofs als schriftstellers von eutung ist.

Kirchhofs geburtsjahr ist unbekannt. Er giebt 2, 126 zwar an liche über siebentzig» jahr alt zu sein, aber die zeit, in welcher ies capitel geschrieben wurde, ist nicht mit sicherheit zu ermit-, da er alles selbsterlebte oder ihm mündlich erzählte offenbar h tagebuchartigen aufzeichnungen mittheilt, deren abfaßungszeit t auseinander liegen kann, so ist 3, 93 im jahre 1592, 3, 124 jahre 1597 niedergeschrieben, anderes noch später. Durch die abe 7, 195 indessen, daß sein lehrer in Cassel Petrus Nigidius

*

nach Cassel, um seine kranken eltern zu besuchen; erlebnis unterwegs, 05; lebt in Cassel und unterstützt seinen vater fünf jahre lang in dessen geschäften; in der fastenmesse mit seiner frau nach Frankfurt, 3, 104; Milit. disc. Vorrede 2.

1557 in geschäften nach Hildesheim, W. 1, 166, und im Juni nach inschweig, 3, 107.

1558 vom landgrafen mit einer botschaft an dessen sohn nach Frank- geschickt, wird ergriffen, im Juni und Juli zu Lützelburg gefangen lten, 3, 108; im September wieder in Marburg, 3, 109; dann in Alfeld, 03. Im October auf der reise nach Paris, 3, 110; wieder in Troyes und cy, 1, 2, 61; vgl. 2, 121; 3, 116; ferner in St. Goar, 1, 185, und in beck und Uslar. 4, 283.

1559 im Januar über Worms und Speier nach Paris, wo er am 10 Fe- r anlangt, 1, 133; 134; 3, 112; 7, 192; 4, 131; am 28 October in ifried.

1561 in Cassel ansässig, 1, 2, 122.

1562, 18 September die vorrede des Wendunmuth, th. 1 beendet; der r ist bereits verstorben.

1564 bei Ad. Wilh. von Dornberg auf schloß Hirtzberg, 2, 207.

1567 bürger zu Cassel, Warhafftige beschreibung.

Ungefähr 1571 im stift Obern Kauffungen, 5, 37.

1573 ende December beim durchzuge könig Heinrichs III von Polen, 3, 7.

1581 bürger zu Cassel, Epicedion.

1583, jedenfalls 1584 burggraf in Spangenberg, 3, 122; 125; vgl. 3, 120; 99.

1592 Wendunmuth, 3, 93 geschrieben.

1597 Wendunmuth 3, 124 geschrieben.

1601 die vorreden des Wendunmuth, buch 2—5, unterzeichnet.

1602 19 Mai, vorrede der Militaris disciplina beendigt.

Eigne erlebnisse ohne angabe der zeit werden häufiger mitgetheilt, z. b. einem aufenthalte in der Schweiz, 4, 174—176; einzelnes in den zueig- geschriften und vorreden, namentlich militaris disciplina.

gewesen sei, welcher im jahre 1539 nach Cassel übersiedelte, und 2, 159, daß Kirchhof 1540 die schule in Eschwege besucht habe, während er 1543 schon der elterlichen zucht sich entzogen hatte und in Dresden lebte, gewinnt die bereits von Dithmar ausgesprochene vermuthung die höchste wahrscheinlichkeit, daß Kirchhofs geburt um das jahr 1525 zu setzen sei. Demgemäß würde die 2, 126 gemachte angabe etwa im jahre 1598 niedergeschrieben sein, und das steht mit der abfaßungszeit des Wendunmuth in völliger übereinstimmung, da der entschluß zur bearbeitung und herausgabe der späteren theile dieses werkes, der vorrede des dritten buches zufolge, frühestens im jahre 1598 gefaßt sein kann.

Kirchhof verließ wider wißen und willen seiner eltern vor 1543 die schule und diente als landsknecht den verschiedensten herren in und außer landes, bis er im jahre 1554 mit seiner frau nach Marburg zog, wo er den wißenschaften oblag. Er wohnte dort eine zeit lang bei einem freunde, Georg von Otterler, der ihm Bebels facetien schenkte und ihm dadurch die erste anregung zur abfaßung des Wendunmuth gab. Im Mai 1555 zog Kirchhof zu seinen kranken eltern nach Cassel. Auf den wunsch seines vaters unterstützte er diesen in seinen amtsgeschäften, wurde aber zugleich vom landgrafen mehrfach zu besorgungen außer landes geschickt; auch nach dem vor 1562 erfolgten tode seines vaters blieb er in Cassel ansässig und war gelegentlich im auftrage seines fürsten auf reisen. Um 1582 erhielt er die stelle eines burggrafen zu Spangenberg, und als die früchte seiner dortigen einsamkeit (seine frau war bereits 1580 todt) sind die späteren theile des Wendunmuth zu betrachten.

Über das jahr 1602 hinaus reicht keine durch Kirchhofs unterschrift beglaubigte nachricht von seinem leben; die im jahre 1603 erschienenen bücher des Wendunmuth tragen keine unterschrift mehr, buch VI absichtlich, buch VII aber offenbar unabsichtlich, und vielleicht liegt darin eine andeutung über das todesjahr Kirchhofs: er mag während des druckes gestorben sein, ehe er die fertig geschriebene vorrede datiren und unterzeichnen konnte — eine andere angabe über die zeit seines todes ist nicht vorhanden.

Kirchhofs litterarische thätigkeit ist eine sehr vielseitige gewesen, er selbst schlägt die zahl seiner gedruckten und ungedruckten schriften auf ungefähr sechzig an. Seine handschriftlichen arbeiten sind bis auf die letzten spuren verloren und diese finden sich in einzelnen notizen des Wendunmuth. Zunächst erwähnt er 4, 40 die übersetzung einer von Christian Weigerstraß «in flammischer sprach» gedichteten beschreibung der belagerung von Neuß im jahre 1474, dann 4, 150 eine sammlung von etwa 2718 namen, die er zu sprachvergleichenden zwecken angelegt und zum drucke vorbereitet hat; 6, 40 ist eine übersetzung des Cominæus genannt, und 6, 1 werden gegen achtzehn komödien erwähnt, die im auftrage des landgrafen Wilhelm angefertigt und meistens auch zur aufführung gelangt sind; dort giebt er auch mehrere epithalamia und epicedia an, «und sonsten tractätlein de variis rebus, klein und große»; vgl. auch Wend. 2, 22. Als sein hauptwerk scheint er indessen «ein sehr groß buch, Schatztruhen intitulieret», betrachtet zu haben, welches, in funfzig hauptpunkte der christlichen lehre eingetheilt und mit bibelstellen belegt, die widersacher des Wendunmuth zum schweigen bringen sollte. Die umstände, unter denen dieses letzte werk erwähnt wird, geben der vermuthung raum, daß es zur veröffentlichung gelangt sei; es ist mir indessen nicht gelungen, auch nur die geringste spur eines druckes aufzufinden.

Unter den gedruckten wercken Kirchhofs erscheint zuerst der Wendunmuth; da dieser aber eine eingehendere betrachtung verlangt, so gebe ich vorher ein verzeichnis der übrigen druckwerke. Zunächst erschien: Warhafftige vnd doch summarie beschreibung, der vielfaltigen vnd mit gottes hülff mannlich ausbestandenen gefährlichkeiten, gefurten Kriegen, vnd Geschichten: Des Durchleuchtigen vnd Hochgebornen, Christlichen vnd weit berühmten Fürsten und herrn, herrn Philipsen des Eltern, weiland von gottes gnaden Landgrauen zu Hessen, etc. 1567. (Am ende der zueigaungsschrift:) Datum Cassel a. 21 Julii, a. 1567. Haus Wilhelm Kirchof, Burger zu Cassel. (Am ende:) Gedruckt zu Marpurg durch Andres Kolben Erben, im jar 1567. Signat. A—Fiiij. 4°. (Wien, London Brit. Mus.; auch im privatbesitz, s. Dithmar, S. 6.)

Eine gereimte lebensbeschreibung, mit welcher Wendunmuth, 1, 79 zu vergleichen ist. Ferner:

Epicedion vom Leben und Sterben der Fürstin Sabinen etc. Marpurg, durch Augustin Colben, 1581. (Cassel.)

Weiter:

Von dem Christlichen Heurath vnd vermahlschafft des Wolgebornen Grauen vnd Herrn, Herrn Lvdowigen, Grauen zu Nassaw

... Mit der Durchleuchtigen und Hochgebornen Fürstin vnd Frewlein, Frewlein Anna Marie ... zu Hessen ... Beschrieben durch Hans Wilhelm Kirchof, Jetzt burggraven zu Spangenbergk. 1589. (Am ende:) Geschrieben den 1. Juni 1589. Gedruckt zu Schmalkalden, bey Michel Schmück, 1589. Signat. A—Eiij. 4°. (Göttingen; bisher nicht angeführt.)

Symbolische beschreibung des hochzeitzuges, angabe des herkommens von bräutigam und braut nebst kurzer aufzählung der thaten Philipps des großmüthigen in der form eines an Adelgier gerichteten schreibens.

Dann:

Epicedia vber den seligen Abschied Auch Bestattung ... Wilhelmen Landgrauen zu Hessen. Durch Hans Wilhelm Kirchhof, Burggraven zu Spangenberg. Gedruckt zu Schmalkalden bey Michel Schmuck, 1592. 64 bl. 4°. (Hannover.)

Endlich:

Militaris disciplina, d. i. Kriegsregiments historische und außführliche Beschreibung ... In drey underschiedlich Discurß oder Bücher eingetheilet. Gedruckt zu Frankfurt am Mayn, durch Joachim Brathering, 1602. (Cassel.)

Kirchhofs Wendunmuth erschien zuerst im jahre 1563, 8°, bei Georg Raben und Weygand Hans erben (Wien, Berlin) und wurde 1565, 8° in demselben verlage neu aufgelegt, nur nennen die drucker sich hier «Georg Raben und Weygand Hanen erben» (Wien, Hannover, Celle). Andere auflagen erschienen: Frankfurt, Kilian Han 1573 (Göttingen), Frankfurt, 1581, 8° (Cless, 2, 226), Frankfurt, 1589, 8° (Cless, 2, 257); Frankfurt, Feyerabend, 1598 (Wendunmuth, 3, 6), Frankfurt, Wolf Richter, in Verlegung Peter Fischers Erben. 1602, 8° (Wien, Wolfenbüttel). Gödeke (und nach ihm Graesse) giebt ohne nähere beschreibung noch eine spätere, Kosmopoli, s. a. in 12° gedruckte ausgabe an, welche in Wolfenbüttel und Wien vorhanden ist; Gödeke setzt den druck derselben um das jahr 1670, während die titelcopie der Wiener hofbibliothek ihn als c. 1610 in Wolfenbüttel erschienen bezeichnet. Das buch trägt den titel: «Wend-Vnmuth Oder Erneuerter Fünff-facher Hanns gukk in die Welt Oder Merks Matths das ist: Fünff lustige ... Büchlein ... Gedruckt zu Kosmopoli, da die gebratne Dauben einem ins Maul fliegen». Es ist eine sammlung von apophthegmen, räthseln

u. s. w., die mit Kirchhofs werke nichts gemein hat, als das wort «Wendunmuth». Die 1598 in Frankfurt erschienene auflage ist von dem verleger, Johannes Feyerabend, mit einer neuen vorrede versehen, welche an die stelle der früheren zueignungsschrift Kirchhofs getreten ist, und in dem von Peter Fischers erben 1602 veranstalteten drucke wiederholt wird.

Sie lautet, da von Feierabends ausgabe ein exemplar bisher nicht nachgewiesen ist:

Dem achtbaren und fürnemen herren Peter Fischer, bürger zu Franckfort am Main, etc. Meinem insonders günstigen herrn und guten freund.

Es hat vorzeiten ein alter und verständiger philosophus, da er von einem seiner freunde ermahnet, daß er die werck und bücher, so er geschrieben, dem menschen zu gutem, an das liecht geben wolte, demselben also geantwortet: Zoilorum et Momorum omnia esse plena, die ganze welt ist mit Zoilis und Momis, das ist, mit neidischen verächtern, naßweisern straffern erfüllet; mit welcher antwort er zu verstehen geben wolt, daß es wol gut, bücher an tag zu geben, were, wann nicht so viel derer leut gefunden würden, die alles, was inen zu sehen vorkäme, zu carpiren und zu straffen wüsten. Diese klage, so der alte zu seiner zeit, da die welt noch nicht so böß, nicht so rochloß und verkehrt gewesen, geführet hat, lieber gott, was solt einer von dieser zeit, von welcher Christus gesagt, daß geringe trew und glaub bey ir sol gefunden werden, urtheilen und halten? Es were kein wunder, daß sich ein weiser und verständiger mann von ir sich gantz und gar enthielt, auch nichts an das liecht gebe, damit er also von der lästerer und Zoilorum mäuler sicher, ungebißen und gescholten bleibe. Aber auff solche weiß were den frommen, ehrbarn und auffrichtigen gemüthern nicht auffgeholffen, sie würden nicht in ihrer tugendt und fromkeyt gestärckt und bekräfftiget, deren zehen mehr bey uns gelten, uns auch mehr bewegen sollen, dann jener, der Zoilorum, viel tausendt. So haben sie nun fromme leuth, indem sie etwan dem menschlichen geschlecht durch schrifft nütz und fürderlich wöllen seyn, darmit zu trösten, daß gott noch etliche guthertzige behalten habe, so die gutthat erkennen und mit großer danckbarkeit auff- und annemmen. Der andern aristarchen sollen sie nicht achten, sondern getröstlich und unerschrocken, wie ein reysiges roß einen bellenden hundt, fürüber gehen laßen. Auß dieser ursach betrachtung, da mir dieses buch (vor etlichen jahren auch getruckt) zu handen kame, und mich dasselbig dem menschlichen geschlecht nützlich und gut seyn daucht, hab ich bey mir beschloßen, diß ietzt auffs new auffzulegen und in den druck zu verfertigen. Es zancken sich nun darüber die Momi, die intempestivi censores, wie lang sie immer wöllen, sie bellen es, so lang es ihnen gefällt, an, sol mich doch meines vorhabens und unkostens, so ich darauff wende, nicht gereuwen, hoffende, es werde mir bey den auffrichtigen, frommen leuthen (die ich dem authori und mir, der ichs drucke, zu censores und judices allhie begere) nichts benommen, und diese seine und meine mühe mit ehrerbietung und dancksagung auffgenommen werden. Dann warumb wolte einer diß straffen, verachten oder verwerffen, das uns in diesem leben sehr nützlich ist? Wer wolte tadeln, das alle könige, fürsten und regenten alle geistliche herrn, edel und unedel, ihres ampts ermahnet, underrichet und underweiset? Wer wolte schelten, das den weg der gerechtigkeit gleich als mit den fingern zeyget und weyset? Daß aber diß buch, wie liederlich es auch scheinet, das alles leiste, kan leichtlich bewiesen und ohn sonderliche mühe dargethan werden. Dann erstlich (auff daß ich an dem höchsten grad und stamm, der oberkeit, anhebe) werden die oberherren und regenten ermahnet, daß sie sich ihrer ehren, ihres hohen standts und ansehens nicht zu hoch überheben, sondern in der demuth vor gott und den menschen wandlen. Dann sie haben noch viel ein höhern herren, der allen hoffertigen und hochtrabenden geistern widerstrebet, und sie endlich stürtzet; diß sihest du auß dem sechsten blat dieses buchs. Dann als Crœsus, der reichste könig, sich seiner reichthumb, seiner macht und gewalts überhaben, und sich für den glückseligsten, so in der welt lebte, gehalten, ward er deßhalben von gott durch Cyrum seines königreichs beraubet und endlich zum fewer, darin zu verbrennen, verurtheilet, welcher allen königen und herren zum exempel und zum beyspiel für die augen gestellet, daß sie die schändliche hoffart, die nichts, dann das verderben mit sich bringet, auß ihrem hertzen schlagen. Siehe, das lehret das buch, welches unsere Zoili mit fleiß betrachten und bedencken solten!

Zum andern, so werden auch die oberkeiten hie ermahnet, daß sie klug und fürsichtig seyen in den rechten und gerichten, daß sie nicht einem jeglichen ohrenträger gläuben, sondern (wie Alexander drunden in dem 16 blat saget) auch den beklagten ein ohr vorhalten, darmit nicht der unschüldige verdampt und also der zorn gottes auff ein gantz land geladen werde. Dann wie der weise mann in seinen sprüchen saget: Wer den gerechten verdampt und den ungerechten loß spricht, der ist ein greuwel vor gottes angesicht. Daher der Cambyses, welches sonst nicht zum besten in diesem buch gedacht, höflich deßwegen gelobt wirdt, daß er einem unrechten richter, der einen unschuldigen verurtheilet, seine haut hat abziehen laßen.

Es dünckt mich aber, es habe der author dieses buchs fürnemlich die hurerey, die mißbräuch und lästerung göttliches namens nicht unbillich gehaßet, dann er hin und her durch exempel die oberkeit vermahnet, daß sie einen ernst in solchen lastern sollen erzeygen. Daher er dann eynführet den Alexandrum, der die unzüchtigen Perser durch etliche männer unter weiber gestalt hat laßen erstechen und umbbringen, auch den Scipionem, welcher als ein exempel der keuschheit allen nachzufolgen fürgestellet wirdt.

Wie sehr nun der author gehaßet habe die gottslästerung, ist fürnemlich auß dem 45 und 46 blat zu sehen. Hierneben aber ist wol zu mercken, daß er die regenten erinnert, daß sie dasjenige, so andern zu halten fürgeschrieben und gebotten wirdt, in eygner person selbst auch leysten, auff daß nicht durch ihr exempel den underthanen anlaß zu dem bösen und argen gegeben werde. Dann es ist ie wahr: Regis ad exemplum totus componitur orbis.

ein gantze landtschafft richtet sich nach dem könig. Darumb werden in obangezogenem ort billich gestrafft, die ihren underthanen ernstlich auffgelegt, des schwerens und fluchens sich zu enthalten, sich aber auch under der verkündigung des decrets desselben nit kondten verhüten.

Ferrners so underrichtet auch diß buch die herren, wie sie in kriegsläufften sich verhalten sollen, auff daß sie ihr ehr und lob, und nicht ewige schande und schmach ihnen selbst auffladen. Dann in sonderheit wirdt an ihnen gelobet ein auffrichtiges, unbetriegliches und gerechtigkeit liebendes gemüth, das trew und glauben haltet. Diß alles wirdt uns in unserm buch angezeigt durch das exempel Camilli, welcher, als er wol die stadt Falliscum, die er belägerte, durch verrähterey, durch übergebung etlicher fürnehmen edelknaben, hette überkommen können, hat er doch solcher gelegenheit nicht wöllen gebrauchen. O, des herrlichen, auffrichtigen gemüts! soltest du, o Camille, zu unsern zeiten leben, wie würdest du verspottet und verlacht werden. sie würden mit dem Virgilianischen Choræbo sagen: Dolus an virtus quis requirat in hoste? Ietzunder achtet man keiner trew, keines glaubens oder auffrichtigkeit; dann eydbrechen in kriegen ist ein kleine sünde. O, des verfluchten wandels und lebens! wie warhafftig ist Christus, da er sagt: Meynestu, daß des menschen sohn trew und glauben werde finden zu diesen letzten zeiten? Wehe aber uns allen, die das thun und darein verwilligen! Dann es werden an dem jüngsten tag wider diß geschlecht aufftretten die heyden und werden es helffen verdammen. Dann diese, wie steiff sie den eyd gehalten, ist auß dem 35 blat zu sehen, an welchem ort Marcus Attilius Regulus, da er den Carthaginensern einen eyd geschworen hatte, nach verrichter sachen zu Rom, sich wider zu stellen, hat er den also gehalten, daß er auch seinen leib viel lieber in die gröste pein hat wöllen geben, dann wider einen gethanen eyd handlen.

Auß diesem allem siehestu nun, was das für ein buch sey, das wir ietzt in druck verfertigen, wie nützliche und heylsame lehre es in sich begreiffe, die unsern regenten offt und dick eynzubilden seyn, auff daß durch versäumnuß und verachtung derselbigen wir nicht sampt ihnen in den zorn gottes fallen und gerahten.

Es werden aber in diesem buch nicht allein die regenten, sondern auch ihre underthanen, der gemeine mann, welches standts er immer sey, ihres ampts und beruffs erinnert und vermahnet; dann hie werden durch exempel die allenthalben regierende laster und schandt gestrafft. Dann, auff daß ichs nur ein wenig anrüre, besiehe nur das 285 blat biß auff das 300, so wirst du sehen, wie auri sacra fames, der verfluchte geitz, der ein wurtzel alles bösen, gestrafft wirdt. Auß dem geitz entspringt betriegerey und schinderey, von welcher edlen frucht in dem 288, 290 blat viel meldung geschicht. Und dieweil sichs offt befindet, daß in wirtshäusern diß gar gemein ist, hat auch der author solches mit vielen exempeln für die augen gemahlet. Dann er bringt drey gantzer bögen darmit zu, von dem 161 blat an biß auff das 196, auff daß doch möchten einmal solche laster auffgehaben und an ihre statt löbliche tugendten in die hertzen der menschen gepflantzt werden.

Letztlich im andern theil siehet man auch, wie sich alles im geistlichen standt verkehret und geärgert habe. Es stehet so übel, daß einer billich sagen köndte, die welt hette zusammen geschworen, böß und übles zu thun. Hie siehestu den, der von gott verordnet ist, die sünde der welt zu straffen, fornen am reyen gehen, als alle laster zu vollbringen. Sie sollen lehren das volck, daß sie sich hüten vor unzucht und hurerey, und sie sind selbst die ersten, so solches thun. Sie sollen die leut warnen vor dem geitz, und wer ist geitziger, dann sie? Wann man von der gnade gottes und gerechtigkeit predigen soll, siehe, da hört man fabeln und menschen träume. O, wie fein hat sanct Paulus in der epistel an die Römer gesagt: Du lehrest andere und lehrest dich selber nit; du predigest, man sol nicht stelen, und du bist selbst ein dieb? du sprichst: Man soll nit ehebrechen, und du bist selber ein ehebrecher? derwegen so spricht der Heyd recht: Turpe est doctori, cum culpa redarguit ipsum.

In sonderheit aber ist höchlich darüber zu klagen, daß man solche ungeschickte leute, die selber die schrifft nicht verstehen, andern dieselbige zu erklären, auff die cantzel stellet. Dann weil gott seine gaben ietzunder anders nicht, als durch mittel gibet, wie soll der, so die mittel verachtet, die gaben gottes empfahen? Die erkänntnuß der sprachen, wie hoch sie einem prediger von nöthen seye, laß ich alle verständige urtheilen. Einmal ist es gewiß, daß das newe testament (geschweyge ietzt des alten, so in hebraischer gegeben) zum mehrer theil in griechischer sprach anfänglich beschrieben ist. Wann nun einer solcher sprach unerfahrner in seiner gemeine einen hette mit einer ketzerey verhafft, der ihm ein ort der bibel als unrecht verteutschet vorwürffe, lieber, was wolt er doch anfangen? wie wolt er sein ampt vertretten und dem widersacher nach Pauli lehr und befelch das maul stopffen? Aber was sag ich doch hievon viel? es were noch wohl zu dulden die unwißenheit der griechischen sprach an etlichen; aber das ist zu erbarmen, daß sie auch der lateinischen gantz unerfahren seyn. Dann so sie die verstünden, so köndten sie anderer gelehrter leuth schrifft, so gemeiniglich in dieser sprach an das liecht gegeben, lesen. Nun aber, weil sie die nicht wißen, was soll man mit ihnen außrichten? Ja, man findet ihrer viel, die auch ihre eygne kirchenordnung nicht recht verstehen, wie darunden zu sehen, da einer nicht verstanden hat, was da sey salta per tria, item, merge intus; der ein meinete, tria hieße so viel, als altaria, der ander, merge intus so viel, als merda intus. Des herrlichen lateins wirst du noch mehr in der 109, 112, 113 historien des andern theils finden, also, daß es ein schand ist, solches von jungen knaben in den schulen, wil geschweygen von alten, so der kirchen gottes fürgesetzt, zu hören. Paulus in der epistel an Titum und Timotheum wil viel einen andern prediger haben, nach welchem formular, so wir unsere werden halten, so wirdt sich befinden, was wir etwan für erbar gesinde haben. Darumb thut billich unser author solcher eselsköpffe kunst an den tag, andern zum exempel, daß sie nicht nach einem ding trachten, das sie nicht können, wie es sich gebürt, versehen. Und es soll hie niemand meynen, daß der author ein boßhafftiger, spöttischer mann sey gewesen, der zur andere verlachet habe; dann daß ers gut gemeynt, kan auß seinen eygnen worten dargethan werden. Dann in der 69 historien des andern theils schreibet er also: Niemandt soll es darfür halten, als daß ich mutwillig mit dem namen gottes und seinem wort schertzerey treiben, oder andere darzu reitzen wölle, sondern schreib es allein derhalben, daß, wer sich in solchen standt eines predigers zu begeben vorhat, zusehe, daß er das wort anderst an den tag, dann diese und andere thun und gethan haben, mit frucht wiße zu bringen.

So dann nun diß buch allen fürsten und regenten, item, allen menschen geistliches und weltliches standts, edlen und unedlen nutz und gut ist, wie mit vielen worten bißher dargethan, wolte ich doch gern sehen, was die Zoili daran würden zu tadeln wißen.

Dieweil aber ie und allwege der brauch ist gewesen, daß auch die hochgelehrtesten ihren büchern, unangesehen mit was großer authorität und fürtrefflichkeit dieselben vorhin scheinbar, einen tapffern ansehenlichen mann zu einem patron erwehlen, hab ich auch diesem meinem buch, das ohne zweiffel viel ledige garruli oder häher, welche nichts anders, dann plaudern und schnattern können, anfechten werden, einen vornemen schirmherrn zu suchen, hoch von nöthen geschätzt. So wil ich es derwegen euch, darumb, daß ir mir sonderlich geneygt und zu vielem gutem beförderlich gewesen, auch viel und große gutthaten gegen mir erzeyget, mit höchster glückwünschung zu eim newen jahr zugeschrieben haben, mit angeheffter bitte, ihr wöllet hieran, daß es under ewerm namen außgehe, kein ungefallens tragen, sondern günstiglichen auffnemen, sein beschirmer seyn und hierinnen mehr den willen als das werck an ihm selbst ansehen. Gott, der vatter unsers lieben herrn und heylands Jesu Christi, wölle euch und die eweren in langwiriger gesundheit, in seinem ewigen schutz und schirm gnädiglich erhalten! amen.

E. A. W.

JOHANNES FEYERABENDT,
bürger und buchhändler in Franckfort am Mayn.

Bei der Frankfurter ausgabe von 1573 ist der titel leise geändert und gekürzt, während der druck vom jahre 1602 einen völlig umgeschriebenen titel trägt; er lautet: Wend Unmuth, darinn allerhand höfliche vnd lustige Historien, Schimpffreden, beyspielen und gleichnuß begriffen, nun mehr auffs new widerumb vbersehen, und in vier underschiedene theil auß alten vnd newen probierten Scribenten abgetheilet, vnd trewlichen zusammen gezogen, durch Hanß Wilhelm Kirchhof, der erste Theil. In welchem alles, was darinn begrieffen, mit einem gründtlichen vnd richtigen Register zum besten angedeutet wirdt.

Im übrigen sind die verschiedenen drucke, so weit ich habe sehen können, bis auf unbedeutende abweichungen in der schreibung völlig übereinstimmend. Alle sind in zwei theile getheilt, von denen der erste 426, der zweite 124 [1]) capitel enthält, und die einzelnen stücke haben weder ihrem inhalte, noch ihrer anordnung nach eine änderung erlitten. So ist der Wendunmuth bis zum jahre 1602 ein völlig selbstständiges ganzes geblieben, hat trotz mancher anfeindungen einen weiten leserkreis gefunden und dadurch einen bedeutenden einfluß auf die litteratur erlangt.

Nach dem erscheinen der 1598 von Johann Feierabend veranstalteten ausgabe entschloß sich Kirchhof, seine aufzeichnungen und lesefrüchte zu einer fortsetzung des Wendunmuth zu verwerthen. sein plan ging zunächst nur auf die bearbeitung von drei neuen büchern, die in der vorrede zu buch III als «das ander, dritt und vierdt büchlein Wendunmuth» bezeichnet werden, und daraus erklärt sich die umschreibung des titels in der ausgabe von 1602, namentlich die angabe «in vier unterschiedene theil abgetheilet»: das alte, ursprünglich zweitheilige werk sollte mit den drei neu gesammelten büchern zu einem ganzen verschmolzen werden. Das im besitze der ministerialbibliothek zu Celle befindliche exemplar der fortsetzung, welches Carl Gödeke, als das bis dahin allein bekannte, benutzt hat, enthält aber das zweite buch nicht, und die vermuthung lag daher nahe, daß Kirchhof den zweiten theil des ursprünglichen Wendunmuth (vom geistlichen stande) als das zweite buch gezählt habe, eine vermuthung, die Gödeke allerdings nur in der anordnung des stoffes ahnen läßt; Grässe hat (trésor de livres rares), wie so vieles andere, auch den artikel über Kirchhof von Gödeke einfach abgeschrieben, und erst Dithmar, dem ebenfalls nur das Celler exemplar zu gebote stand, hat die obige auffassung als feststehende thatsache hingestellt, obgleich Kirchhof die in der vorrede des dritten buches gemachte angabe über die bearbeitung eines besonderen zweiten theiles in der vorrede zum fünften buche unter ausdrücklicher erwähnung der capitelzahl (214) wiederholt. Durch die ausschließliche benutzung des Celler exemplars erklären sich auch die übrigen irrthümer in der darstellung Dithmars seite 38.

1) Abweichungen in den zahlenangaben des Marburger osterprogramms und den meinigen sind überall als irrthümer des ersteren zu betrachten.

absatz 2; es ist indessen, einzelne defecte abgerechnet, ein vollständiges exemplar der ausgabe von 1602 bis 1603 sowohl in Wien wie in Wolfenbüttel vorhanden. Im verlaufe der arbeit erweiterte Kirchhof seinen plan in betreff des umfanges, fügte den drei neuen büchern (2—4) noch weitere drei theile hinzu (5—7) und schloß damit das gantze werk ab; buch 2—5 erschien 1602, buch 6 und 7 im folgenden jahre, nicht aber, wie man vermuthen sollte, bei Peter Fischers erben, den verlegern des älteren Wendunmuth in der ausgabe des jahres 1602, sondern gedruckt zu Frankfurt am Main durch Romani Beati erben, in verlegung Jonæ Rosen.

Was die vorliegende ausgabe anlangt, so ist das erste buch, theil 1 und 2, nach dem ältesten texte, Frankfurt 1563, abgedruckt; von der fortsetzung liegt, wie bereits erwähnt, nur ein einziger druck vor. Der abdruck ist so treu, wie die bestimmungen des litterarischen vereines es zulaßen, welche, um eine wünschenswerthe gleichmäßigkeit der publicationen herzustellen und die lesbarkeit derselben zu erhöhen, gewiße änderungen in schreibung und interpungierung verlangen. Der text indessen ist vollständig unberührt geblieben, selbst offenbare satzfehler sind angemerkt, wo die conservierung derselben nach irgend einer seite hin von bedeutung sein konnte; eine durchgehende ausnahme davon macht nur das zeichen ☞ im ersten bande, durch welches der vorrede zufolge die den facetien Bebels entnommenen stücke hervorgehoben werden sollten: ich habe es aus dem text entfernt, weil es völlig unzuverläßig und deshalb überflüßig war. Die späteren bücher enthalten einzelne fehler in der zählung der capitel, über welche ich hier rechenschaft ablege, da es mir wichtig erschien, die zählung des originals möglichst unverändert beizubehalten. Im zweiten buche ist die zahl 159 übersprungen, und diese nummer steht nur durch einen druckfehler im neuen texte in welchem dadurch scheinbar nr. 160 fehlt. Das dritte buch hat die nummer 111 ausgelaßen. Im sechsten buche erscheint die zahl 14 und 244 zweimal; im siebenten buche sind zwei capitel mit der nummer 65 versehen; endlich ist die zahl 90 desselben buches übersprungen. Wo die zahlen nicht stimmen, da liegt nicht ein wirklicher irrthum in der zählung, sondern nur ein satzfehler des originals vor, aber die differenz geht in keinem falle über eine stelle hinaus.

In beziehung auf die folgenden nachweisungen und vergleichungen habe ich kaum etwas anderes zu sagen, als was ich über dieselbe sache in Paulis Schimpf und ernst gesagt habe; der kreis der herangezogenen wercke hat sich bedeutend erweitert, das ist das hauptsächlichste. Für die stücke, die der Wendunmuth mit Schimpf und ernst gemeinschaftlich enthält, habe ich nur auf Pauli verwiesen, ohne die dort nachgewiesenen parallelen zu wiederholen. Bei den rein historischen stücken, namentlich aus dem classischen alterthume, habe ich mich damit begnügt, die ältesten quellen nachzuweisen, von der späteren verbreitung aber nur das notirt, was mir gelegentlich begegnete, weil diese dinge für meine zwecke völlig gleichgültig waren; die nicht einmal historische thatsachen, sondern nur betrachtungen enthaltenden nummern, und die irgend einer chronik des 16 jahrhunderts entnommenen summarischen darstellungen habe ich fast ganz unberücksichtigt gelaßen. Für die fabeln bin ich Theodor Benfey besonders verpflichtet, da Kirchhof das buch der alten weisen fast vollständig ausgezogen hat, am meisten habe ich aber immer wieder der güte Carl Gödekes zu danken.

Zum schluße noch eine bitte. Der werth der nachweisungen beruht zum großen theile auf ihrer zuverläßigkeit, und wenn da wo die citate nicht nach hunderten, sondern nach tausenden oder vielleicht zehntausenden zählen, irrthümer leider auch kaum zu vermeiden sind, so ist es doch ärgerlich, dem scheine der unzuverläßigkeit ausgesetzt zu werden, wo man überzeugt ist, alles gethan zu haben, um zuverläßig zu citieren. Die citate können aber nicht stimmen, wenn man z. B. statt der von mir verglichenen ausgabe des Conde Lucanor in der Biblioteca de autores españoles die ausgabe von Argote oder Keller, oder die übersetzung von Eichendorf nachschlägt. Ich habe zur vermeidung solcher verwechslungen schon bei Pauli den nachweisungen ein verzeichnis der speciellen von mir benutzten ausgaben vorangestellt, und bitte recht dringend, nicht eher über falsche citate zu klagen, als bis man gewiss ist, daß man den von mir citierten druck in händen hat.

ALPHABETISCHES VERZEICHNIS

der häufiger und abgekürzt citierten werke und ausgaben.

·aham a sancta Clara, Bescheid-Essen, Wien u. Brünn 1717, 8°.
:twas für alle, Th. 1, Würzburg 1699, Th. 2, ib. 1711, 8°.
lehab dich wohl! Nürnberg 1792, 4°.
[eilsames Gemisch-Gemasch, Würzburg 1704, 4°.
[uy! und Pfuy! der Welt. Würtzburg 1707, fol.
udas, der Erz-Schelm, 1—4, 1687—1695, 4°.
auber-Hütt, 1—3. Wien und Nürnberg 1721—23, 4°.
[ercurialis oder Wintergrün, Augsburg 1766, 4°.
eimb dich etc. Luzern 1687, 4°.

temius, Laur. Fabulae. In mythologia aesopica Neveleti. Francof. 1810. S. 531—618.

rra philologica, Neue und vermehrte, (P. Lauremberg) Frankf. und Leipz. 1708, 8°.

ipus Korai, Μυθων Αισωπειων συναγωγη. Παρισ. αωι. (1810) 8°.

'uria, Fabulae aesopicae ex vet. cod. abbat. Florentinae cur. Fr. de Furia, 1. 2. Florent. 1809, 8°.

eveleti, Mythologia Aesopica ed. Nevelet. Francof. 1610, 8°.

.auptmanni, Μυθων Αισωπειων συναγωγη, emend. J. G. Hauptmann. Lips. 1741, 8°.

)orpii, Fabularum quae hoc libro continentur interpretes atque authores sunt hi etc. Argent. 1519, 4°.

nus Insul. Parabolae. Daventr. 1492, 4°.

ertinus, Aegid., der Teutschen recreation oder Lusthauß. Rottweil 1619, 4°.

erus, Er., 49 Fabeln, Frankf. 1590, 8°.

atus, Andr., Emblemata, ed. Joa. Thuilius. Patav. 1661. 4°.

inder de Hales, Destructorium vitiorum. Nuremb. 1496. fol.

Alphonsus, Petr., Disciplina clericalis, ed. Val. Schmidt, Berl. 1827, 4°.

Alsop, Fabular. aesopicar. delectus Oxon. 1698, 8°.

Anonymus Neveleti. S. Aesop. Neveleti.

— Roberti. S. Robert, fabl. inédites.

Anwar-i-Suhaili. S. Eastwick.

Aphthonius. S. Aesop. Neveleti.

Arnoldus, Gnotosolitus sive speculum conscientiae. Brux. 1476, fol.

Avadânas, Les, trad. par. Stan. Julien. 1—3. Paris 1859, 8°.

Aventures, Les joyeuses, ... Lyon 1556. Diese von Kirchhof mehrfach, namentlich 2, 71 citirte und sehr reichlich ausgezogene sammlung ist mir leider nicht zugänglich geworden; sie wird aber auch von Barbazan und Le Roux (C nouv. nouv.) häufig angezogen.

Avianus, Aesop. fabul. ed. Th. Paulmann, Antverp. 1582, 8°.

Ayâr-danish, versio persica libri Kalilân et Dimnah, Garcin de Tassy, 1, 41.

Baïf, J. A. de, Mimes, Toulouse 1612, 12°.

Baldo, alter Aesopus, in Edél. Du Méril poes. inéd. S. 213.

Bandello-Belleforest, Histoires tragiques, 1—7, Lyon 1581—96, 12°.

Barbazan et Méon, fabliaux, Par. 1808, 8°.

Barca, La rinconoscinta, di Padova 1. 2. Venet. 1658, 8.

Bareleta, Gabr. Sermones tam quadragesimales quam de sanctis Lugdun. 1505, 8°.

Baring-Gould, Curious myths of the midde ages. Boston 1867, 8°.

Barland, Adr. Jocorum veterum libri III. Antwerp. 1519, 8°.

Barthius, Casp., Fabular. aesopicar. libri V. Francof. 1623, 8°.

Bebelius, Henr. Facetiae, 1—3, s. l. & a; 1506—1512; opuscula s. l. 1514, 4°.

Belleforest, Franc. de, Heures de récréations et après-dinées de Guiccardin. Anvers 1605, 8°.

Benserade, fables d'Esope, Oeuvres, Paris 1698, 8°.

Bernardinus de Bustis, Rosarium sermonum, 1. 2. Hagen 1503, fol.

Bidermann, Utopia. Dilingae 1691, 8°.

Bidpai, fables, trad. par Galland et Cardonne, 1—3, Paris 1788, 12°.

Boccaccio, de casibus illustrium virorum. Paris, Joh. Petit, s. a. fol.

— De mulieribus claris. Bern. 1539, fol.

Bodinus, Joh., De magarum dæmonomania, deutsch von Joh. Fischart. Straßburg 1591, fol.

Boner, Ulr., der Edelstein. Hg. von Fr. Pfeiffer. Leipz. 1844, 8°.

Bouchet, Guill., Sérées. 1—3. Rouen 1635, 8°.

Boursault, Théatre 1—3. Paris 1725, 8°.

Brant, Sebast., Fabulae. Basil. 1501, fol.
— deutsch: Esopus Leben und Fabeln. Freib. 1535, 4°.
Bromyard, Joh. de, Summa praedicantium. s. l. et a. fol.
Bruscabille, Oeuvres. Rouen 1629, 8°.
Brusonius, Facetiarium exemplorumque libri VII. Rom. 1518, fol.
Burmann. S. Phaedrus.
Caesarius Heisterbacens. Dialogi, in Biblioth. patrum Cisterciens. ed. Tissier, 1662, Tom. 2.
Cabinet des fées, Tome XVII, XVIII. Geneve, = Bidpai.
Calila et Dimna ou fables de Bidpai ed. Silvestre de Sacy. Paris 1816, 4°.
Calila é Dymna, ed. Gayangos in Bibliotheca de autores Españoles. Tom. 51. S. 1—78.
Camerarius, Joach., Fabulae aesopicae. Lips. 1570, 8°.
Candidus, Pantal., Fabulae, in Deliciae poet. german. Francof. 1612, und J. Schultze, Mythol. metr. Francof. 1604.
Capaccio, G. C., Apologhi. Napol. 1602, 8°.
Cardonne, Melanges de la litterature orientale. 1. 2. Paris 1770, 8°.
Carion, Chronicon. Francof. 1546, 8°.
— -Melanthon, Chronica. Wittenberg 1578, fol.
Castiglione, Baldassar, Il cortegiano, publ. C. Baudi di Vesme. Firenz. 1854, 8°.
Castoiement, Le, ou l'instruction utile, ed. Barbazan, Paris 1760; Méon, ib. 1808, 8°.
Castritius, Matth., De heroicis virtutibus principum Germaniae. Basil. 1565, 8°.
Chrythraeus, Nath., Hundert Fabeln Aesopi, 1571, 8°.
Claus-Narr. S. Historia.
Chronicon Urspergense. S. Hedio.
Cognatus, Gilb., Narrationum silva. Basil. 1567, 8°.
Commynes, Philippe de, Mémoires, ed. Dupont. 1—3. Paris 1840—47, 8°.
Corrozet, G., Les fables et la vie d'Ésope. Paris 1548.
Courrier-facétieux, Le, Lyon 1650, 8°.
Damianus, Petr., Opera 1—4. Paris 1663, fol.
Democritus ridens, Amstelod. 1649, 8°.
Desbillons, Fr. Joh., Fabulae aesopicae, 1. 2. Mannh. 1768—80, 8°.
Deschamps, Eust., Poesies morales et historiques publ. par Crapelet. Paris 1832, 8.
Des Periers, Contes, 1—3. Amsterd. 1735. 8°.
Desprez, Pierre, Théatre des animaux. Paris 1620, 8°.
Destructorium. S. Alexander de Hales.
Dialogus creaturarum. S. Nicolaus Pergam.

Disciplina clericalis. S. Alphonsus, Petr.
Dithmar, H. W. Kirchhoff, Osterprogramm des Gymnasiums zu Marburg 1867, 4°.
Divertissement curieux de ce temps. Lyon 1650, 12°.
Doni, A. F., La filosofia morale, Venet. 1553, 4°.
Dorpius. S. Aesopus.
Doritheus, Interpretamenta ed. E. Böcking. Bonn. 1832, 8°.
Dressler. S. Phaedrus.
Du Méril, Edél., Poésies inédites du moyen age. Paris 1854, 8°.
Dyocletian. S. Keller.
Eastwick, E. B., The Anvar-i-Suhaili. Hersford 1854, 8°.
Egenolf, Chronick von an- und abgang aller Welt wesenn. Franckf. 1533, 4°.
— Sprichwörter. Franckf. 1555, 8°.
Egnatius, J. B., De exemplis illustrium virorum. Paris 1554, 8.
Ellis, specimens of early English metric rom. 1—3. Lond. 1811, 8°.
Ens, Casp. L'Hore di Recreatione oder Erquickstunden des Herrn L. Guicciardini. Cöln 1650, 8°.
— Epidorpismatum reliquiae. Colon. 1616, 12°.
Enxemplos. S. Libro.
Erasmus, Desider., Roterod. Apophthegmata. Magdeb. 1533, 8°.
— Adagia, Roterod. 1558, fol.
Estienne, Henri, Apologie pour Hérodote, éd. par Le Duchat. 1—2 La Haye 1733, 8°.
Esopus (holländisch), Delft 1498, fol.
Eutrapeliae. S. Gerlach.
Exilium melancoliae, das ist, Unlust Vertreiber. Straßb. 1643, 8°.
Eyring, Euch., Proverbiorum Copia 1—3. Eisleb. 1601—1604, 8°.
Facéties et mots subtils (Domenichi), Lyon 1597, 8°.
Faernus, Fabr., Fabulae centum. Rom. 1564, 4°.
Federmann, Dan., Erquickstunden. Erstlich durch L. Guicciardin beschrieben. Basel 1574, 8°.
Fincelius, Job, Wunderzeichen, Nürnb. 1556, Th. 2. 3. Frankf. 1566, 8°.
Francisci, Erasm., Neu-erbauter Schau-Platz durch Chr. Minsicht Nürnb. 1663, 8°.
Franck, Seb., Germaniae chronicon, s. l. 1538, fol.
— Chronicon, zeytbuch und geschicht. Straßb. 1531, 4°.
— Sprichwörter, 1. 2. s. l. 1541, 4°.
Freitag, Arn., Philosophia ethica, Antverp. 1579.
Frischlinus, Nicod., Facetiae selectiores. Lips. 1600, 8°.
Fuggilozio, Il piacevole, di Tom. Costa. Venez. 1663, 8°.

Fulgosus, B., De dictis factisque memorabilibus collect. Mediolan. 1509, fol.

Furia. S. Aesopus.

Gabrias, in Aesop. Nevelet.

Galfredus, Anonymi vet. fabulae. Bipont. 1784, 8°.

Galland, Contes et fables indiennes. 1—3. Paris 1778, 8°.

Gallensis, Joh., Communiloquium sive summa collationum. Argent. 1489, fol.

Garon, L., Chasse-ennuy. Paris 1641, 8°.

Gast, Convivalium sermonum tom. 1—2. Basil. 1549, 8°.

Gatos. S. Libro.

Geiler, Joh., von Keisersberg, Das buch granatapfel etc. Augsp. 1516, fol.

— das Schiff der penitentz etc. Straßb. 1512, fol.

— Passion. Straßb. 1514, fol.

— das Irrig schaf etc. Straßb. 1514, fol.

— Pater noster. Straßb. 1515, fol.

— das Evangeli buch. Straßb. 1515, fol.

— die Emeis. Straßb. 1516, fol.

— die Brösamlin. Straßb. 1517, fol.

— das buch der sünden des munds, nebst alphabet. Straßb. 1518, fol.

— Narrenschiff. Straßb. 1520, fol.

— das buch Arbore humana. Straßb. 1521, fol.

— Postill, 1—4. Straßb. 1522, fol.

— Evangelia. Straßb. 1522, fol.

Gellert, Fabeln und Erzählungen, 1. 2. Leipz. 1763, 8°.

Gerlach, Sam., Eutrapeliarum libri III. Leipz. 1656, 8°.

Gesammtabenteuer, hg. von v. d. Hagen, 1—3. Stuttg. und Tüb. 1850, 8°.

Gesta Romanorum lat., ed. Keller. Stuttg. 1842, 8°.

— deutsch. Augsb. 1498, fol.

— engl. bei Swan. London 1824, 8°.

Goltwurm, Casp.. Wunderzeichen. Frankf. 1567, fol.

Gran, Enr., Gran specchio d'essempi, trad. da Astolfi. Ven. 1613, 4°.

Gritsch, Joh., Quadragesimale, s. l. 1484, fol.

Guicciardini, Franc. Detti e fatti. Venez. 1566, 4°.

— Hore di recreatione. Antverp. 1583, 8°; vgl. Belleforest, Ens, Federmann.

Hagedorn, F. v., Versuch in poetischen Fabeln und Erzehlungen. Hamb. 1738, 8°.

Hammer, Matth., Historischer Rosengarten. Zwickau 1654, 8°.

Handbüchlein, Historisches, s. l. 1672, 8°.

Happel, E. G., Größte Denckwürdigkeiten der Welt oder Relationes Curiosae, Th. 1—5. Hamb. 1683—91, 4°.

Haudent, Guill., 366 apologues d'Esope. Rouen 1547, 16°.

Hauptmann. S. Aesopus.

Hebel, Erzählungen des rheinischen Hausfreunds; sämmtl. Werke 1838, Bd. 3.

Hedio, C., Ein Außerleßne Chronik. Straßb. 1548, fol. (Chron. Ursp.)

Heinrich Julius von Braunschweig Schauspiele, hg. v. W. L. Holland. Stuttg. 1855, 8°.

Helmhack, D. E, Der neuvermehrte, lustige und Curiose Fabelhanß. Hall 1729, 8°.

Hemmerlin, Fel., Opuscula s. l. et a. fol.

— De nobilitate et rusticitate s. l. et a. fol.

Herolt, Joh., Sermones discipuli de tempore, et Promtuarium exemplorum. Nuremb. 1486, fol.

Hieronymus, Vitae patrum. Ulm, Zainer, s. a. fol.

Historia von Clauß Narren. Frankf. 1592, 8°.

Historia septem sapientum Romae. s. l. et a. 4°.

Hitopadesa deutsch von M. Müller, Leipz. 1844, französisch von E. Lancereau. Paris 1855, 8°.

Holkot, Rob., Moralitates, s. l. 1580, fol.

— Super libros sapientie. Reutl. 1489, fol.

Holland, Das buch der beispiele der alten weisen. Stuttg. 1860, 8°.

Hollen, Gotscald., Preceptorium. Colon. 1489, fol.

Hondorff, Promtuarium exemplorum. Lips. 1572, fol.

Hubertus de Romanis, Liber de abundantia exemplorum, s. l. et a. fol.

Hulsbusch, J., Sylva sermonum. Basil. 1568, 8.

Jacob von Cessolis, Das büch menschlicher sitten, s. l. 1477, fol.

Jacobus de Voragine, Legenda aurea, ed. Graesse. Dresd. et Lips. 1856, 8°.

Jasander, der teutsche Historienschreiber. Frankf. u. Leipz. 1730, 8°.

Jest- Books, Shakespeare 1—3. Lond. 1864, 8°. Enthält die meisten der hier citierten englischen Schwankbücher.

Johannes de Capua, Directorium vitae humanae, s. l. et a. 4°.

Juan Manuel. S. Lucanor.

Katziporus. S. Lindener.

Keller, Adelb. von, Erzählungen aus altd. handschr. ges. Stuttg. 1855, 8°.

— Altd. gedichte. Tüb. 1846, 8°.

— Dyocletians leben. Quedlinb. 1841, 8°.
— Fastnachtspiele 1—3. Stuttg. 1853. Nachlese, das. 1858, 8°.
— Li romans des sept sages. Tüb. 1836, 8°.
Knatchbull, Kalila and Dimna. Oxford 1819, 8°.
Lafontaine, fables, in Robert, fabl. inéd.
Lancereau. S. Hitopadesa.
Lando, Ort., Vari componimenti. Venet. 1582, 8°.
Lange, Joh. Petr., Deliciae academicae. 1—4. Heilbr. 1665, 8°.
Lauterbeck, G., Regentenbuch. Leipz. 1557, fol.
Lavacrum conscientiae. Aug. Vind. 1489, 4°.
Legenda aurea. S. Jac. de Voragine.
Le Grand d'Aussy. Fabliaux, 1—4. Paris 1779—81, 8°. (Die Ausgabe von 1829 und die deutsche Übersetzung ist ausdrücklich angemerkt.)
Le Noble, Contes et fables. 1. 2. Amsterd. 1699, 8°.
Lewenklaw, Newe Chronica Türckischer Nation. Franckf. 1595, fol.
Leyser, Polyc., Historia poetar. med. aev. Halae 1721, 8°.
Liber apum. S. Thomas Cantipratanus.
Libro de los Enxemplos, in Bibliot. de autor. Españoles. Tom. 51. S. 443.
Libro de los Gatos, in Bibliot. de autor. Español. Tom. 51. S. 543; deutsch im Jahrb. der roman. litteratur 1864.
Lindener, Mich., Katziporus, s. l. 1558, 8°.
— Rastbüchlein. s. l. 1578, 8°.
Litera A des Neugeflickten altens etc. durch C. Stillenfried. Bresl. 1726, 8°.
Livre des lumières, ou la conduite des rois par David Sahid d'Ispahan. Paris 1644, 8°.
Lossius, Luc, Fabulae. Argent. 1575, 8°.
Lucanor, El conde, in Bibliot. de autor. Español. Tom. 51. S. 367. (Die übrigen ausgaben und übersetzungen weichen ab.)
Luscinius, Ottomar., Joci ac sales. Aug. Vind. 1524, 8°.
Lustigmacher, der allzeit fertige, s. l. 1762, 8°.
Luther, Mart., Tischreden. Eißl. 1566, fol.
— Fabeln, Werke, Jena 1588. Bd. 5.
Lyrum larum lyrissimum, 550 kurtzweilige Geschichten, s. l. et a, 8°. (defect. 1—366.)
Magica, das ist, Wunderbarliche Historien von Gespenstern. 1. 2. Eißl. 1600, 8°.
Manlius, Locorum communium collectanea. s. l. 1590, 8°.

Margarita facetiarum, Alfonsi Aragon. regis vafredicta etc. Argent. 1508, 4°.
Marie de France, Poesies et fables, ed. Roquefort. 1. 2. Paris 1820, 8°.
Martinus Polonus, Sermones cum promtuar. exempl. Arg. 1484. fol.
Meidinger, Joh. Val., Pract. franz. Grammatik. 23 Aufl. Lpz. 1808, 8°.
Meistergesänge, A. Cod. Berol. 23, olim Arnim.
— U. Cod. Gotting. phil. 194.
Melander, Otho, Joco-seria. 1—3. Francof. 1617, 8°.
Memel, Joh. Petr. de, Neuvermehrte Lustige Gesellschaft. Zippelzerbst 1695, 8°.
Méon. S. Barbazan.
Metzger, Ambr., Geistliche und Weltliche Historien. Cod. Gotting. phil. 196 fol. (1625.)
Microcosme, Le, contenant divers emblèmes. Amsterd. s. a. 4°.
Montanus, Mart., Der Wegkürzer, das dritte theil des Rollwagens. Frankf. 1590, 8°.
— das ander theil der Gartengesellschaft. Straßb. s. l. 8°.
Morlino, Hier., Parthenopei novellae, fabulae etc. Ed. 3. Paris 1855. (Bibl. Elzévir.)
Müller, M. S. Hitopadesa.
Münster, Sebast., Cosmographey oder beschreibung aller Länder. Bas. 1564, fol.
Narrenbuch, hg. von v. d. Hagen. Halle 1841, 8°.
Nasr-Allah, in Silv. de Sacy, Notices et extraits X, 94.
Neckam, Alex., Novus Aesopus, bei Du Méril.
Nevelet. S. Aesopus.
Nicolaus Pergaminus, Dialogus creaturarum. Goudae 1480, fol.
Nider, Joh., Formicarius, ed. Hardt, 1692, 4°.
Nilant, Phaedri fabularum auctuarium. Lugd. Batav. 1709, 8°.
Nouveaux contes à rire et aventures plaisantes. Colog. 1702, 8°.
Nouvelles, Les cent nouv. ed. Le Roux de Lincy. 1. 2. Paris 1841, 8°.
Novelle, Cento, antiche. Milano 1825, 8°.
Nugae doctae et inauditae Gaudentii Jocosi. Ed. nova. Solisbac. 1725, 8°.
Nugae Venales, sive thesaurus ridendi et jocandi. s. l. 1720, 8°.
Ochinus, Ber., Apologen 1—5. Deutsch von Ch. Wirsing. s. l. 1559, 4°.
Odo de Ceringtonia, Narrationes; im Jahrb. f. roman. Liter. 1868. Heft 2. 3; ferner Ms. Douce no. 88 und 169.
Ogilby, The fables of Esope. London 1668, fol.
d'Ouville, Ant. de Metel, Les contes etc. 1—4. Paris 1643—44.
— Élite des contes s. l. et a.

Pantschatantra, Le, trad. par J. A. Dubois. Paris 1826, 8°.
— Übersetzt von Th. Benfey. 1. 2. Leipz. 1859, 8°.
Pauli, Joh., Schimpf und Ernst, Stuttg. 1866, 8°. (Andere Ausgaben sind ausdrücklich angemerkt.)
Pavesio, Ces., 150 fable tratti da diversi autori. Venet. 1587, 8°.
Pelbartus de Themesvar, Pomerium sermonum de sanctis, 1. 2. Hagenow 1562, fol.
— Stellarium coronae b. virg. Argent. 1493, fol.
Peraldus, Guil., Summa virtutum ac vitiorum. 1. 2. Colon. 1629, 4°.
Peregrination oder Reyse-Spiegel aus Anangkylomitens Reise-Beschreibung. Leipz. 1631, 8°.
Perret, Est., 25 fables des animaux. Anvers 1618, fol.
Petrarcha, Franc., Opera. Basil. 1581, fol.
Phaedrus, ed. Berger de Xivrey. Paris 1830, 8°.
— cur. Burmann, Hag. Comit. 1718, 8.
— Dressler, Budiss. 1838, 8°.
Philelphus, Franc., Fabulae. Venet. 1480, 4°.
Pithsanus, Fr., Tractatus de oculo morali s. l. et a. (Rom. 1475) fol.
Plenarium oder Evangeli-bûch. Basel 1514, fol.
Poggius, Franc., Facetiae; opera Basil. 1538, fol.
Pontanus, Jac., Attica Bellaria, Francof. 1644, 8°.
Possinus, Specimen sapientiae Indor. vet. hinter seiner ausgabe des Pachymeres. Rom. 1660, fol.
Posthius, J., in Del. poet. german.
Promtuarium exemplorum. S. Herolt.
Rabelais, Oeuvres 1732, 8°.
Rastbüchlein. S. Lindener.
Recueil, Nouv., de bons mots. Plaisance 1711, 8°.
Regentenbuch. S. Lauterbeck.
Renner, Der. Frankf. 1549, fol.
Rimicius, in Aesopi Phrygis et vita et fabellae. Antv. 1550, 8°.
Robert, A. C. M., Fables inédites et fables de Lafontaine. 1. 2. Paris 1825, 8°.
Roger Bontems en belle humeur (Duc de Roquelaure). Cologne 1731, 8°.
Rollwagen. S. Wickram.
Romulus, Fabulae aesopicae ed. J. F. Nilant. Lugd. Bat. 1709, 8°.
— Esopi fabeln, die etwan Romulus in latein gebracht. Stainhöwel bl. 1.
— Roberti. S. Robert.
Rosarium. S. Bernardinus de Bustis.
Sarisberiensis, Joh., Opera coll. J. R. Giles. 1. 2. Oxon. 1848, 8°.

Scala celi (Joh. Junior). Ulm 1480, fol.
Scelta di facetie s. l. 1579, 8°.
Scherz mit der Warheyt. Frankf. 1563, fol.
Schiebel, Joh. G., Neu-erbautes Historisches Lusthaus. 1. 2. Leipz. 1681—85, 8°.
Schmidt, F. W. Val., Beiträge zur Gesch. der rom. Poesie. Berl.
Schock, Ein, Phantasten in einem Kasten. Nürnb. s. a. fol.
Schoppfer, Hartm., Vulpecula, in Del. poetar. german.
Schola curiositatis, sive Antidotum Melancholiae. Francof. 1670, 8°.
Schreger, Lustig- und Nutzlicher Zeit-Vertreiber. Stadt am Hof 1753, 8°.
Schultze, Joh., Mythologia metrica et moralis. Hamb. 1698, 8°.
Schumann, Val., Nachtbüchlein. 1. 2. Nürnb. s. a. 8°.
Schupp, Balth., Schriften. 1. 2. Frank. 1701, 8°.
Scott, J., Tales, anecdotes etc. Shrewsbury 1800, 8°.
Selentroist, den. Collen 1484, fol.
Sengelmann, Das Buch von den sieben weisen Meistern. Halle 1842, 8°.
Sermones convivales. S. Gast.
Seth, Simeon, Specim. sapientiae Indor. veter. ed. S. G. Starck. Berol. 1697. Wiederabgedruckt, Athen 1851, 8°. Prolegomena ad libr. *Στεφανιτης και Ιχνηλατης* ed. Aurivillius. Upsal. 1784, 4°.
Seyfried, Medulla mirabilium naturae. Sultzbach 1679, 8°.
Sinnersberg, K. v., Belustigung vor Frauenzimmer und Junggeselles Rothenburg 1747, 8°.
Sousnor, Jean, Dialogues de trois vignerons s. l. 1627, 12°.
Spangenberg, Cyr., Adels Spiegel. Th. 1. 2. Schmalk. 1591, fol.
Speculum exemplorum, Daventr. 1481, fol.; ed. Major, Duaci 1611, 8°.
Stainhöwel, H., Vita Esopi fabulatoris clarissimi e greco latina per Rimicium facta etc. Ulm, Zainer, s. a. 278 bl. fol.
Stellarium. S. Pelbartus.
Stumpffius, Gemeiner löblichen Eydgenoßenschafft Chronick. 1. 2. Zürich 1548, fol.
Syntipas, De Syntipa et Cyri filio Andreopuli narratio, ed. J. F. Boissonade. Paris 1828, 8°.
Talitz, J. L., von Liechtensee, Kurtzweiliger Reyßgespahn. Wien und Luzern 1645, 8°.
Tales, A C. Merry, ed. H. Oesterley. Lond. 1866, 8°.
Tardif, Guill., Facéties du Page, s. l. et a. 4°.

Theatrum de veneficis. Francof. 1586, fol.

Thomas Cantipratanus, Liber apum, s. l. et a. fol.

Tragica, seu tristium historiarum libri II. Isleb. 1597, 4°.

Tuppo, Franc., Le favole d'Isopo. Neap. 1482, fol.

Tuti-nameh, (pers.) übers. von Iken. Stuttg. 1822, 8°.

— (türk.) übers. von G. Rosen. 1. 2. Leipz. 1857, 8°.

Uebersetzung, Spanische, Libro llamado exemplario. Sevilla 1546, fol. (Übers. d. Direct. vis. hum.)

Ulm, 1483, Das Buch der Weisheit der Alten Weisen. (Übers. des Direct. vit. hum.)

Ulenspiegel, herausgeg. von Lappenberg. Leipz. 1854, 8°.

Ursinus, J. H., Acerra philologica. Francof. 1670, 8°.

Uylen-Spiegel, den Roomschen. Amsterd. 1671, 8°.

Valla, Laur., In: Aesopi Phrygis et vita et fabulae. Antv. 1530, 8°. S. 107.

Verdizzotti, Cento favole morali. Venez. 1577, 4°.

Veziere, die XL, übers. v. W. T. A. Behrnauer. Leipz. 1851, 8°.

Vincentius Bellovacensis, Bibliotheca mundi. Duaci 1624, fol.

Vitae patrum, op. H. Rosweydi Ultraject. S. J. Antv. 1628, fol.

Vorrath, Ein reicher, Artlicher Ergötzlichkeiten. s. l. 1702.

Waldis, B., herausgeg. von H. Kurtz, deutsche Bibliothek, 1. 2.

Walch, J., Decas fabularum. Argent. 1609, 4°.

Wegkürzer. S. Montanus.

Weidner. S. Zincgref.

Welthändel, List- und lustige (exemplar der Göttinger bibliothek ohne titel.)

Wickram, J., Das Rollwagenbüchlein. s. l. 1557, 8°.

Wolff, Ph., Das buch der Weisen, 1. 2. Stuttg. 1859, 8°.

Wolgemuth, 500 frische und ergötzliche Haupt-Pillen, s. l. 1669, 8°.

Wright, St., Selections of Latin stories. Lond. 1842, 8°. (Percy society, VIII.)

Ysopet I und II, in Robert, fabl. inéd.

Ysopo, Madrid 1644, 8°.

Zuccho, Accio, Aesopi fabulae. Veron. 1479, 4°.

Zeißeler, Chr., Neu-eröffneter Historischer Schau-Platz. Wittenb. 1700, 8°.

Zeitverkürzer, der ganz neu ausgeheckte, von Philander. s. l. 1702, 8°.

Zincgref, J. W., Teutsche Apophthegmata, Th. 1. 2., Th. 3 von J. H. Weidner. Amsterd. 1653, Th. 4—5 Frankf. u. Leipz. 1683, 8°.

NACHWEISUNGEN.

Erstes buch.

1, 1. Von Cyri, der Persier monarchen, geburt und aufferziehung. (Astyagis traum.) Herodot 1, 107—130. Valer. Maxim. 1, 7, extr. 5. Justin. 1, 4. Carion 40[b]. Carion-Melanth. 185. Hondorff 216[b]. Albertinus 232. Dahlmann, Forschungen auf dem gebiete der geschichte, 2, 1, S. 142. H. Sachs, 1, 2, 133; 136[b]; 3, 2, 166. Acerra 1, 39.

1, 2. Astyagis tyranney, und was die zuwegen bracht. (Läßt Harpagus kind kochen.) Herodot 1, 119 ff. (Hase, 1, 123.) Seneca, de ira, 3, 18. Carion 42. Carion-Melanth. 136. H. Estienne 1, 462. Convival. sermon. 1, 306. Acerra 1, 39. Albertinus 233.

1, 3. Von Cyri überwindung und gütigkeit. (Crösus begnadigt.) Herodot 1, 87 ff. Justin. 1, 7. Ctesias ap. Phot. S. 36, b, 16, ed. Bekk. Mythogr. Vatic. ed. Bode 1, § 196; 2, § 190. Carion 43. Carion-Melanth. 136. Regentenbuch 3, 3. Fugillozio, S. 159. Hondorff 424. Hans Sachs 1, 2, 135. Münchener bilderbogen, no. 450.

1, 4. Was Crœsum zum krieg wider Cyrum bewegt hab. (Orakel.) Herodot 1, 50 ff. Diodor. 16, 56. Carion 34[b]. Melanchth. 136. Albertinus 235. Böckh, Staatshaushalt, 1, 10; 11.

1, 5. Von Cyri krieg gegen die Scythen. a. (Tod im bette.) Xenophon, Cyrop. Ctesias ap. Phot. S. 36, b, 36. ed. Bekk. b. (Wein im lager zurücklaßen.) Repet. 4, 4. Herodot 1, 207; 211. Pauli 662; cf. 661. c. (Grausamkeit der Thamyris.) Herodot 1, 214. Valer. Max. 9, 10, extr. 1. Justin. 1, 8. Amm. Marc. 23, 67. Ambros. contr. Symm. 2. Diodor. 2, 44. Baccacc. mulier. clar. 47, bl. 33. Carion 46. Carion-Melanth. 187. Spangenberg 1, 445. Hedio, S. 182. Zincgref 1, S. 300, 1. Acerra 1, 68. Hammer, S. 446. Albertinus 233; 239.

1, 6. Von Cambyse, Cyri son, und seinen sitten. (Sohn 'raexaspes.) Herodot 3, 34. Seneca, de ira, 3, 12. Gallensis 1, 3, 11. n 48. Carion-Melanth. 144. Regentenbuch 2, 12, 67ᵇ. Hondorff Ursinus 3, 139. H. Sachs 1, 2, 139. Acerra 2, 33.

l, 7. Von Cambyse und seinem heurath. (Heirathet die schwester.) Herodot 3, 31. Carion 49ᵇ; Carion-Melanth. 144. Exil. 4, no. 7. Acerra 4, 56. Hammer, S. 256.

l, 8. Von einer ehrlichen that Cambysis. a. (Richter den.) Pauli 118. Carion 49ᵇ. Carion Melanth. 144. Histor. Handlein. Hondorff 352. Regentenbuch 2, 15, bl. 79ᵇ. Exil. S. 284, . Albertinus 258. b. (Sein tod.) Herodot 3, 64. Ctesias ap. Phot. , a, 9 ed. Bekk. (abweichend.) Exil. S. 285, no. 7.

l, 9. Wie Darius Babylon mit list gewann. (Zopyrus.) lot 3, 152—160. Carion 52. Carion-Melanth. 145. Erasmus, adag. , 63. Regentenbuch 3, 9. Eutrapel. 2, 547; 576. Acerra 1, 47. r. Handbüchl. S. 376, 37. Albertinus 265, 278.

, 10. Unzucht der Persen. (Bei Amyntas.) Herodot 5, 21; 8, 136. Justin 7, 3. Carion 53. Carion-Melanth. 147. Tra- S. 100. Regentenbuch 1, 12, bl. 16. Spangenberg 2, 445ᵇ. Man- S. 324. Acerra 4, 94. Hammer, S. 152. Hondorff 202ᵇ.

, 11. Ein löblich stück Alexandri magni. (Wenn ende verklagt wurden.) Carion 75. Eutrapel. 2, 428. Hammer, 0.

, 12. Wie und von wem Rom zuerst gebaut. (Romulus, Repetirt 6, 55. Livius, 1, 8. H. Sachs 5, 2, 248.

, 13. Von dem kampf der Horatier und Curiatier. irt 6, 61. Livius 1, 26. Dionys. 3, 21, 22. Zonar. 7, 6. Plutarch. . min. 16. Valer. Max. 6, 3, 6. Flor. 1, 3. Cicero, pro Mil. 3, 7. t, Moralit. no. 12. Wolgemuth 2, 74. Albertinus 191. Acerra

, 14. Von Servio Tullio und seinem tod. (Lucius und .) Livius 1, 47, 48. Ovid. Fast. 6. Boccaccio, cas. illustr. 3, 3. orff 170ᵇ. H. Sachs, 1, 2, 180ᵇ. Albertinus 238.

. 15. König Porsenna belagert Rom. a. (Horatius Cocles.) 2, 10. Valerius Max. 3, 2, 1. Dionys. 5, 24. Plutarch, Publ. 16; . min. 8. Flor. 1, 10. Frontin. stratag. 2, 13, 5. Aurel. Vict. l. 11. Paulus diac. Hist. misc. 1. Cicero, Parad. 1, 2, 12. de 2, 4, 10. de offic. 1, 18, 61. Virgil Aen. 8, 650. Hondorff 195. chs 1, 2, 186. Acerra 1, 21. Petr. Andreæ, Horatius Cocles, eine e Comœdia. Alten Stettin 1600, 4. Albertinus 286. b. (Mucius Scæ- Livius 2, 12, 13. Plutarch. Public. 17. Valerius Max. 3, 3, 1.

Dionys. 5, 27—30. Aurel. Vict. vir. ill. 12. Cicero pro Sest. 21, 48. Or. Sil. 8, 384. Flor. 1, 10, 5. Martial. 1, 21. Orosius 2, 5. Augustin. de civ. dei 5, 18. Zonar. 7, 12. Dio Cassius 45, 31; 46, 19; 53, 8. H. Sachs 1, 2, 186; 2, 3, 39. Histor. Handbüchl. 36, S. 240. Acerra 1, 19. Albertinus 287.

1, 16. Einer keuschen römischen jungkfrawen, Clœlia genannt, mannliche that. (Geisel Porsennas.) Livius 1, 58; 2, 13. Dionys. 5, 33. Plutarch. Public. 19; illustr. fœm. Flor. 1, 10. Valer. Max. 3, 2, 2. Seneca, consol. ad Marc. 16. Aurel. Vict. de vir. ill. 13. Orosius 2, 5. Boccaccio, mulier. clar. 50, bl. 36. Hondorff 196ᵇ. Hedio, S. 19. Histor. Handbüchl. 42, S. 306. Acerra 3, 14. Albertinus 298.

1, 17. Von dem theuwren und löblichen ackermann Quintio Cincinnato. (Dictator.) Livius 3, 26; cf. 13, exter. Dionys. 10, 24. Plinius, hist. nat. 18, 4. Dio fr. 27. Zonar. fasti 7, 17. Cicero, Cato, 16, 56; de finib. 2, 4, 12. Flor. 1, 11, 12. Pers. 1, 73—75. Aurel. Vict. de vir. ill. 17, 1. Augustin. de civ. dei 5, 18.

1, 18. Von dem ritterlichen heerführer Camillo (und dem schulmeister). Livius 5, 26. Plutarch, Camillus, 10. Polyæn, strat. 8, 7. Dion. Hal. exc. Vat. 13, 1. Gellius 17, 24. Front. strat. 4, 4, 1. Valer. Max. 6, 5, 1. Aur. de vir. ill. 23. Zonar. 7, 32. Gallensis 1. 1, 11. Jac. von Cessolis 16. Enxemplos, 187. Hondorff 200ᵇ. H. Sachs 3, 2, 46. Histor. Handbüchl. 39, S. 275. Eutrapel. 3, 223. Hammer. S. 437. Acerra 1, 100. Albertinus 338.

1, 19. Von Marco Curtio, dem edlen Römer. (Sprengt in die grube.) Livius 7, 6. Valer. Max. 5, 6, 2. Varro § 148. Plinius hist. nat. 15, 18. Paul. Ep. Fest. s. v. Curtilacum, S. 49, M. Plutarch Parall. min. 5. Stat. Sylv. 1, 1, 65 ff. Augustinus, de civ. dei 5, 18. Orosius. Gesta Romanor. lat. 43, germ. 20. Hondorff 193ᵇ. Hedio, S. 22. Goltwurm 121ᵇ. Seb. Franck, Chron. 99. Lange 4, S. 7. Histor. Handbüchl. 36, S. 289. Acerra, 1, 20. Geiler, Narrenschiff 100, R 2. Sp. 2.

1, 20. Zwo mannliche thaten eines römischen jünglings. (T. Manlius Torquatus.) a. (Vertheidigt seinen vater.) Livius 7, 3—5. App. Samn. 2. Valer. Max. 5, 4, 3; 6, 9, 1. Cicero, de offic. 3, 31, 112. Hondorff 165ᵇ. Sabell. 3, 6. Hedio, S. 22. b. (Zweikampf mit Gallier.) Livius 7, 10; cf. 6, 42. Aur. Vict. vir. ill. 28. Suidas, s. v. Eutr. 2, 5. Gellius 9, 13. Cicero, de offic. 3, 31, 12; de finib. 1, 7. 22; 2, 22, 73. Orosius 3, 6.

1, 21. Von Marco Valerio Corvino. (Zweikampf mit Gallier.) Livius 7, 26. Gellius 9, 11. Plutarch, Brut. 53. Dionys. fr. 15.

1, 2. Zonar. 7, 25. App. Celt. 10. Aurel. Vict. de vir. ill. 29. Eutrop. 2, 6. Oros. 3, 6. Florus 1, 13. Zell, elog. rom. relig. S. 12. Paradini heroica 1563, 66ᵇ. Brant, A 8ᵇ, deutsch, 116. Meisterges. U, 150. Hondorff 257ᵇ. Hedio, S. 22.

1, 22. Ein historia des römischen hauptmanns Marci Attilii Reguli. a. (In gefangenschaft.) Livius 17, 18. Polybius 1, 31—34. Cicero, de off. 25, 99. Cato maj. 20, 75. Flor. 2, 2. Valer. Maxim. 1, 1, 14. Eutrop. 2, 21. Sil. Ital. 6, 455. Gellius, 6, 4. Aur. Vict. vir. 40. App. Carth. 3. Zonar. 8, 12, 13. Orosius 4, 8. Augustin. de civ. dei 1, 15; 24. Jac. v. Cessolis 16. Boccaccio, cas. illustr. 5, 2. H. Sachs 2, 3, 114ᵇ. Carion-Melanth. 214. Exilium, S. 354, no. 31. Albertinus 412. b. (Sein tod.) Livius 18. App. Sic. 2; Carth. 4. Dio, fragm. Maj. S. 541. Valer. Max. 1, 1, 11; 9, 2; exter. 1. Flor. 2, 2. Eutrop. 2, 25. Aurel. Vict. vir. ill. 40. Zonar. 8, 15. Cicero, de offic. 1, 13, 39; 3, 26, 99. pro Sest. 59, 127; in Pison. 19, 43; de finib. 14, 21, 65; 5, 27, 43. Gellius 6, 4. Horat. Carm. 3, 5. Sil. Ital. Pun. 6, 299. Orosius 4, 9. Arnoldus 1, 2, 2, 116. Carion 91. Enxempl. 321. Exilium, S. 354, no. 31. Eutrapel. 2, 130.

1, 23. Von einem holtzhawer und waldt. (Stiel zur Axt.) cf. 7, 103. Aesop. Kor. 179, S. 110, 364; Nevelet. 182; Hauptm. 308. Furia 174. Rimicius 89. Notic. et extr. 2, 722. Babr. 2, S. 370. Phaedrus, Burm. app. 5. Dressl. 1, 14; S. 42. Romulus 3, 14; Nil. 33, S. 114. Galfr. 54. Pant. Candid. 147. Desbillons 1, 25. Alsop 121. Vincent. Bellov. spec. hist. 20; spec. doctr. 4, 116. Camerar. 191. Wright 2, 16. Dorpius, B 5. Zucch. 54. Tuppo 54. Baldi 77. Ces. Pavesio 131, 143. Verdizz. 68. Mar. de France 23. Ysopet I, 50. Haudent 150, 247. Corrozet 39. Benser. 39. Le Noble 55. Lafont. 12, 16. Stainhöw. 54. Waldis 1, 39; 3, 77. Stricker, altd. wäld. 3, 224. Alberus 43; Wolgemuth 70. Zachariä 1. Ogilby 36. Esopus 54.

1, 24. Von großer tugend und keuschheit Scipionis. (Jungfrau in Neu-Carthago.) Livius 26, 40. Polyb. 10, 6. Plutarch. Apophth. App. 6, 19. Gellius 6, 8. Sil. Ital. 15, 268. Zonar. 9, 8. Valer. Max. 4, 3, 1. Vegetius 3, 1. Aur. de vir. ill. 49. Frontin, strat. 2, 11, 5; cf. 6; cf. Florus 2, 6, 40. Jac. v. Cessolis 6. Gallensis 1, 3, 3. Enxemplos 12 (bis). Vincent. Bellov. spec. doctr. 4, 100. Histor. Handb. 37, S. 252. Happel 5, 3. Albertinus 419.

1, 25. Ein männliche that einer frantzösischen frawen. (Des Orisgon von Gallien.) cf. 3, 177. Livius 38, 24. Polyb. 22, 21. Valer. Maxim. 6, 1, extr. 3. Plutarch. ill. fœm. 43; Alex. 12. Polyæn 8, 40. Flor. 2, 11, 6. Aur. de vir. ill. 53. Zonar. Ann. 4

S. 185. Boccaccio, mulier. clar. 71, bl. 50ᵇ. Hondorff 302ᵇ. Hammer, S. 147.

1, 26. Von Julio Cesare, dem ersten römischen keyser. (Gedächtniß und milde; bloße hinweisung.) Carion 99.

1, 27. Cajus Caligula ist ein verechter gottes. (Beim gewitter.) Theodoret. 3, 25. Histor. eccles. 6, 47.

1, 28. Von der leutsäligkeit des römischen keisers Titi. (Diem perdidi.) Sueton. 8, 11. Joh. Sarisber. 3, 14, S. 215. Dial. creaturar. 75. Enxempl. 308. Sancho, castigos, S. 120, 167. Jac. v Cessolis 19ᵇ. A. Panormita 2, 16. Erasmus Rot. B 5. Egenolf, Chron 62. Franck, Chron. S. 135. Seb. Münster, S. 299. Eutrapel. 2, 299. Histor. Handbüchl. S. 266. Zinkgref 99. Albertinus 547.

1, 29. Ein schöner spruch des keisers Trajani. (Bei übergabe des schwerts.) Regentenbuch 2, 9, 59. Eutrapel. 2, 465.

1, 30. Antonii Pii des keisers gedenckwirdiger spruch. (Beßer, ein bürger lebendig, als tausend feinde todt.) Guil. Zenocar. Carol. V, lib. 3. Castritius, S. 366. Capit. 9. Regentenbuch 2, 6, 49ᵇ.

1, 31. Warumb und wie lang die herren fried halten. (Eignes erlebniß, 1559.) Zincgref 1, 254, 3. Weidner, 5, 71.

1, 32. Von Juliano Apostata, dem abtrünnigen keyser. (Vicisti tandem, Galilee.) Sozomen. 5, 3; 15. Theodoret. 3, 25, extr. Philost. 7, 15. Boccaccio, cas. illustr. 8, 11. Franck, German. 47ᵇ. Carion 123. Carion-Melanth. 342. Abr. a. S. Cl. Weinkeller 504. Tragica, S. 41; 307.

1, 33. Was schadens es bringe, trewe diener tödten. (Valentinianus und Aëtius.) Sidon. Panegyr. Avit. 359. Carion 135. Carion-Melanth. 362. Gibbon 33—35. Schloßer, Univers. Übers. 3, 3. Luden 2, 389. Pfister 1, 232. Zeißeler, S. 398 (falsch 198).

1, 34. Von keyser Carolo magno und dem türckischen keyser ein historien. (Friedensconferenz.) Mündlich. Manlius, S, 360. Eutrapel. 3, 162.

1, 35. Keiser Rudolffs lehr von emptern. (Regieren die schwerste kunst.) cf. 6, 201.

1, 36. Keyser Sigmundt gibt einem schmeichler trinckgelt. (Ohrfeige; du beißt mich.) cf. Pauli 42. Margarita facet. C4. Zincgref 1, S. 46, 2. Peregrination, S. 107.

1, 37. Ein feiner spruch dieses keisers. (Wer am geschicktesten zum regieren.) Margarita facetiarum, sign. Dᵇ. Eutrapel. 2, 554.

1, 38. Aber von demselbigen. (Die beste obrigkeit.)

1, 39. Keiser Fridrich der dritt kompt gen Reutlingen. (Versinkt im straßenschmutz.) Bebel 69, sign. Cc[a] Alia (historia). Cleß 2, 656. Köhler, Tuttlingen, S. 6. Birlinger, volksthüml. a. Schwaben 1, no. 343. Weidner 5, 3.

1, 40. Welche diener ein oberkeit lieb haben sol. (Fridrich III; Gottes wort das höchste.) Castritius 558. Eutrapel. 2, 665. Hammer, S. 8. Helmhack, no. 196.

1, 41. Was einem menschen am nötigsten seye. (Friedr. III; ein seliger tod.) Eutrapel. 2, 559. Hammer, S. 219.

1, 42. Maximiliano sckencken die Jüden eyer. (Goldene.) Schola curiositatis, S. 69. Nugæ doctæ, S. 126. Memel, 226. Exilium, S. 195, no. 122. Helmhack, no. 182, S. 207. Wolgemuth 2, 18. cf. Pauli 53. Alberus 4. Zeitverkürzer 680.

1, 43. Wie sich gegen heimliche nachrede und schmehwort zu halten. (Sich gut betragen.) Bebel 350, sign. Vv7[a]. De Maximiliano Cæsare, quodam infamato ex Judæis. Jac. Pontanus, S. 201. Zincgref 1, S. 61, 3. Exilium, S. 331, no. 5. Eutrapel. 3, 378. Weidner 5, 71.

1, 44. Ein höfliche antwort dises keisers. (Laßet den landsknechten die kleider.) Mündlich. Zincgref 1, S. 63, 3. Weidner 5, 3.

1, 45. Einem graffen soll man ein jägermeß läsen. (Der pfaff findet keine.) Bebel 2, 127, sign. Ee5[a]: De domino Udalrico Wirtenbergensi.

1, 46. Ein churfürst zu Sachsen weiset ein fuchßschwentzer von im. («Schwarze herren» kein schimpfwort.) Zincgref 1, S. 99, 5. Weidner 5, 4.

1, 47. Landgraffen Philipsen zů Hessen antwort auff ein frage herzog Heinrichs zů Braunschweig. (Schwarzenborn; kleine stadt, aber treue unterthanen.) Zincgref 1, S. 120, 6. Rommel 6, 2, S. 179. Dithmar, S. 11.

1, 48. Was einen fürsten zier. (Philipp von Hessen; alte räthe.) Mündlich. Zincgref 1, S. 254, 4. Rommel 6, 2, S. 184. Dithmar, S. 10. Weidner 5, 96.

1, 49. Von hertzog Erich zů Braunschweig etc. und seinem diener. (Diener bittet gott, dem fürsten nicht gnädig zu sein.) Mündlich. Zincgref 1, 256, 4. Weidner 5, 71.

1, 50. In unfall, der nicht zů wenden stehet, ist nichts beßer, denn gedult. a. (Vergleichung des menschen mit einem rechenpfennig.) Ohne erzählung. Eutrapel. 2, 958. b. (Herzog von Braunschweig 1545 gefangen in Zigenhain.) Mündlich. Dithmar, S. 39.

1, 51. Von einem herrn, der am todtbeth lag. (Will nicht vergeben, weil das zu viel zeit koste.) Mündlich. Weidner 5, 4.

1, 52. Ein herr hat das gottslestern verbieten lassen. (Und thuts selbst.) cf. 1, 53. Bebel 2, 110, sign. Ee2[b]: De principe sua decreta dejerante. Wright 68. Cognatus 82. Convival. sermon. 1, 280. Frey, Gartenges. 49. Rollwagen 61. Memel 320. H. Estienne 1, 77; ibid. note a.

1, 53. Warnung vorm gottslestern. (Ludwig von Deben 1548 in Frankreich.) cf. 1, 52. Eignes erlebnis. Dithmar, S. 39.

1, 54. Der fürsten, herren und reichen beschönung und vortheil. (Ihnen ist alles erlaubt.) Ohne erzählung. Bebel 345, sign. Vv6: De principum prærogativis. Nugæ venales, S. 46.

1, 55. Von der fürsten prerogativen im himmel. (Kommen selten hinein. Ausspruch Conrads von Beimelburg; fürstenstühle bestäubt.) Mündlich. Spangenberg 2, 414. Eyring 2, S. 74. Weidner 5, 5.

1, 56. Vier eigenschafften der tyrannen. (Ohne geschichte.)

1, 57. Vom wolff und lamb. (Wasser trüben.) Repetirt 7, 37. Aesop. Korai 229, S. 150; cf. 6; 229[a]; 229, S. 378. Nevelet 233. Furia 101. Babrios 89. Gabrias 35. Camerar. 163. Phædrus 1, 1. Burmann, S. 7. Dressl., S. 83. Anonymus 2. Romulus 1, 2. Stainhöwel 1, 2. Nilant, no. 2, S. 67; no. 3, S. 2. Bromyard, A, 12, 45. Vincent. Bellov. spec. histor. 2, 3; spec. doctr. 4, 114. Pelbartus, quadrages. 22, S. Dorpius, A. Dialog. creaturar. 51. Gritsch 41, Q. Odo de Ceringtom, Ms. Douce 88, 67. Neckam 10. Pant. Candidus 83. Camerar. 163. Faernus 81. Acc. Zucc. 2. Ces. Pavesio 42, 113. Guicciard. 16[b]; Bellefor. 97; Federm. 163; Ens 134. Tuppo 2. Verdizz. 86. Ysopet II, 10; Rob. 1, 60. Guill. Haudent 113; Benserade 2. Boursault, fab. 5, 3. Le Noble 90, 94. Lafontaine 1, 10. Marie de France 2. Ysopet I, 2. Robert 1, 58, 162; 235. G. Corrozet 2, 10. P. Desprez 63, 70. Boner 5. Stricker, Altd. wäld. 3, 169. Keller, Erzähl. S. 495. Luther, Fabeln, 2, S. 270[b]. Waldis 1, 2. Barth 1, 11; 4, 15. Alberus 6. Wohlgemuth 2. Frommann, Lesebuch, 1, 48. H. Sachs 1, 5, 485. Morsheim 780—791. Geiler, Narrensch. 78 (Scheible). Eyring 1, 487; 3, 458. Eutrapel. 1, 880. Sinnersberg, no. 590. Lichtwer 4, 13. Shakespeare, Henry VI, 1, 8. Wright 1, 2. cf. Tuti-Nameh, Rosen. 1, 229.

1, 58. Gottes rach über ein tyrannen. (Ein eber tödtet ihn, ehe er trinkt.) Erasmus, chiliad. Tragica, S. 494.

1, 59. Ein fürst reitzet ein gefangnen löwen. (Ritter holt ein baret aus dem käfig.) Er. Francisci, S. 454, 456. Zeißeler, S. 27, 28. Schiebel 2, S. 51.

1, 60. Vergleichung des hofläbens. (Mit dem leben des hundes.) cf. 7, 75. Phaedrus 4, 39. Burm. 5, 10, S. 364. Dressl. 5, 10, S. 109. Romulus 2, 7. Anon. 27. Nilant, S. 57, no. 62. Dorpius, Bij. Bromyard, S, 5, 3. Galfr. 27. Le Noble 1, 96. Jac. Pontanus, S. 82. Ysopet I, 27; Rob. 2, 463. Boner 31. Waldis 1, 22; 2, 94. Eyring 2, 702. Hans Sachs 2, 4, 106. Wolgemuth 263. Alberus 15.

1, 61. Beschreibung des hoflebens an bösen sitten. a. (Ohne erzählung.) b. (Alphabetum aulicum.) H. Petreus Herdesianus, Aulica vita et opposita huic vita privata. Francof. 1577, S. 126. Ein griechisches, S. 125ᵇ; ein anderes lateinisches, S. 126. Alciati emblemata, S. 379. Luther, Tischr. 613ᵇ.

1, 62. Von der statt- und feldmauß. (Besuchen einander.) Pantschatantra Benf. 1, 188. Bidpai 1, 124. Aes. Furia no. 121. Kor. 301. Babrios 2, 236; 375, 876. Horat. sat. 2, 6, 77. Anon. 12. Nilant. S. 9, no. 13; S. 76, no. 10 Romulus 1, 12. Remicius 4. Phaedrus, Burm. app. 4, 9. Aphthon. 26. Bromyard, M, 8, 31. Wright 1, 11. Odo de Ceringtonia Ms. Douce 88, 15. Dialog. creatur. 112. Stainhöw. 12. Camerarius 176. Dorpius Aij. Stainhöw.-Remic. 4. Herm. Hugo 2, 7. Mar. de France 9. Renart le contref. Rob. 1, 48. Ysopet I, 12; Rob. 1, 53. Haudent 120. Corrozet 9. Desprez 10. Benser. 10. Boursault, fabl. 2, 6. Le Noble 43. Lafont. 1, 9. Gatos 11. Ysopo. 12. Acc. Zucch. 12. Pavesio 6. Tuppo 12. Verdizz. 57. Boner 15. Luther, Fabeln, 13, bl. 272ᵇ. Wolgemuth 5. Stricker, Altd. wäld. 3, 184. Renner 3485. Fischart, Flöhatz, 1920, 466³. Alberus 8. H. Sachs 2, 4, 27. Waldis 1, 9. Rollenhagen 1, 1, 9. Abr. a S. Cl., Lauberhütt 1, 44. Goedeke, Mittelalter, 635; deutsch. dicht. 104. Eyring 1, S. 114; 2, S. 382, Franck, Sprichw. 108ᵇ; 2, 70. Drollinger 445. Egenolf 64; 361ᵇ. Agricola 343. Abr. a S. Clara, Lauberhütt, 1, 10. Michaelis (1791) 2, 68. Münchener bilderbogen 456. Esopus 12.

1, 63. Von empter haben. (Habicht statt eule gewählt.) cf. 7, 146.

1, 64. Einer wirt deß schuldtheissen ampts entsetzt. (Bauer läßt ihn ins waßer fallen.) Pauli 582. Roger Bontems, S. 66. H. Sachs 4, 3, 83. Peregrination 121. Exilium, S. 328, no. 6; S. 407, no. 121. Schupp 1, S. 165. Abr. a S. Cl. Huy, H 2. Lyrum larum 188.

1, 65. Von einem edelmann, der beichtet. (Mit einem gulden in der hand.) Bebel 280, sign. Ss6ᵇ: De confessione cujusdam nobilis. Serm. convival. 1, 61. Room. Ulensp. S. 390. Weidner 4, 23.

1, 66. Ein fuchß verlobt hüner zů eßen. (Tödtet sie bei der beichte.) Abr. a S. Cl. Lauberhütt 2, 204.

1, 67. Ein edles staudenhünlein kompt umb in der

beicht. (Rechberger.) Spangenberg 2, 380ᵇ. Uhland, Junker Rechberger. cf. Graf Richard ohne furcht.

1, 68. Ein edelmann bekehret sich zu gott. (1560 in Hildesheim.) Wahrscheinlich mündlich.

1, 69. Ein juncker wil ein kauffmann verspotten. (Hübsche bürgerkinder und häßlicher adel.) Bebel 72, sign. C7ᵃ: De mercatore et nobili. Scherz m. d. warh. 42ᵇ. Frey, Gartenges. 41. Agricola 159.

1, 70. Einer verleßt sich auff sein silberen crucifix. (Als er einem teufelszug begegnet.) Hessische geschichte. cf. Fincelius, Z2ᵇ.

1, 71. Einer hat gelt von einem Juden entlehnet. (Bezahlt nicht, so lange sein bart nicht abgeschnitten ist.) Bebel 241, sign. Ii3ᵃ: De Nobili et Judæo. Welthändel, S. 418. Lyrum larum 172.

1, 72. Einem jungen edelmann traumet von seiner frawen. (Beim schwiegervater im bette.) Bebel 218, sign. Hhᵇ: De quodam nobili. Zincgref 1, S. 256, 3.

1, 73. Urtheil über einen gefangenen wolff. a. (Zwei frauen die schlimmste strafe.) Bebel 275, Ss6ᵃ: De rusticis et lupo. Convival. sermon. 1, 246. cf. Jasander, no. 73. b. (Qui semel etc.) Bebel 352, sign. Vv7ᵇ. Proverbium apud Germanos. Pauli 221ᵇ; ferner: Andr. Musculus eheteufel 1564, B8ᵃ. cf. Fischart, Garg. 4, 85. Eiselein. sprichw. 409, 414. Gödeke, Gengenbach, s. 592.

1, 74. Ein edelmann wil einem kriegsmann sein weyb nemmen. («Gut, daß ich nicht betruncken bin.») Hessische geschichte. Spangenberg 2, 446ᵇ.

1, 75. Zu füß reihtet ein edelmann. (Hatte kein pferd.) Pauli, anhang 13.

1, 76. Ein edelmann machet einen münch gesundt. (Setzt ihn gefangen.) Exilium, S. 301, no. 83.

1, 77. Hofzucht eines edelmanns. (Als der truchseß fällt, fällt er mit.)

1, 78. Ein edelmann hatte ein stein, der alle andere übertraff. (Mühlstein.) Pauli 164. Peregrination 29. Abr. a S. Cl. Huy, L. Zeiler 3, 73. Weidner 5, 19.

1, 79. Ein seltzam bekümmerniß eines jungen edelmanns. (Hatte seinem todten herrn die büchse nicht gespannt.) 1559 mündlich. Spangenberg 2, 414.

1, 80. Von eim menschen und löwen. (Wer stärker ist; bild.) Avian 24. Jac. Pontan. 804. Aesop. Kor. 219, S. 142, 374.

Nevelet 223; Camerar. 152; Furia 169. Plutarch, Apophth. Laced. 69. Aphthonius 34. Gabrias 1. Kor. 143. Schol. Eurip. Kor. 143. Hauptm. S. 313. Phaedrus, app. Burm. 20. Romul. 75; Nilant. 44. Anon. Nil. 53. Pant. Candid. 9. Ysopo 75. Ysop.—Avion. 24. Mar de France 69. Haudent 197. Corrozet 92. Desprez 21. Benser. 59. Le Noble 9. Lafontaine 3, 10. Stainhöw. 75. Wright 2, 28. Barth 3, 23. Locman. 7. Rimicius 84. Daum 105. Dorpius D8. Desbillons 3, 24. Geiler, Brösamlin 57ᵇ, sign. K3 verso; Irrig schaf 21, sign. D. Waldis 2, 8. Wolgemuth 135. Zachariä 9. Esop. 75.

1, 81. E i n r e i c h e r b a u w e r h e u r a h t z u m a d e l. (Macht allerlei dummheiten.) Bebel 25, sign. Bb3ᵃ: Fabula pulcherrima de fatuo rustico. 1001 tag 5, 119. Morlino no. 49. Basile, Pentamerone. g. 1, c. 4. Bertoldino. Scherz m. d. warh. 52. Bladé contes etc. en Armagnac no. 8. Frey. Gartenges. 1. Wegekörter A8. Pauli 1570, 126. Hans Sachs 1, 3, 430; 2, 4, 51ᵇ; 3, 3, 31. Abr. a S. Clara, Bescheideßen, S. 68. Zeitverkürzer 20. Grimm, Kindermärch. no. 32; 3, S. 60; cf. no. 34; 59. Vogl S. 93. Zingerle (Tiroler märch.) S. 10; 1, 255. Meier (schwäb. märch.) no. 52. Tales of the mad men of Gotham 15.

1, 82. E i n g l e i c h n i ß v o n z w e y e n m e u s e n. (Junge trotz der warnung in die falle.) Schupp 1, S. 779.

1, 83. V o n e i n e m w e i h e n u n d g u c k g u c k. (Zum fleischeßen verführt.) Abstemius 7. Camerar. 232. Desbillons 3, 38. Waldis 2, 38. Wolgemuth 266.

1, 84. E i n f u c h ß b e t r e u g e t e i n e s e l u n d l ö w e n. (Esel herz.) Cf. 7, 153. Pantschatantra 4, 2; Dubois S. 198; Benfey 2, 295; 1, 430. cf. 1, 16. Benfey 2, 103; 1, 250. Wolff 1, 242. Knatchbull 264. Seth 75. Joh. de Capua K2ᵇ. Ulm 1483, QVII. Holland S. 126. Span. Übers. 44ᵃ. Anvar-i-Suhaili 393. Doni 61. Cab. des fées 18, 26. Baldo 13 (S. 233). Mesnewi 5, 262. 1001 Nacht (Weil) 3, 917. Aesop. Fur. 356. Aesop. Kor. 358. Babrius 95. Avian 30. Non. Marcell. 4, 198. Gerlach. Fredegar, Chron. 3, 8; Canisius, ed. Basnage 2, 190. Aimoin, Chron. 1, 10; script. rer. Franc. 3, 35. Fromund, hist. fund. monast. Tegerns.; Pez thes. noviss. anecd. 3, 3, 194. Vartan 36.. cf. Gesta Rom. lat. 33. Pontanus 1, 2, 51, S. 93. Grimm, Rein. Fuchs XLVIII; CCLXI; CCLXXVI. Leibn. Script. rer. Brunsvic. 1, 636. Marie de France 61. Du Méril, poes. inéd. S. 135.

1, 85. W a r u m b d i e v ö g e l d e r e u l e n n a c h f l i e g e n. (Hatte vor leimruthen gewarnt.) Aesop. Kor. 331; Furia 385. Camerar. 457. Dorpius, Fijᵇ. Ang. Politian. Lamia, in Fine. Vinc. Bellov. spec. hist. 3, 5; spec. doctr. 3, 121. Dio Chrysostom. serm. 12. Odo de Ceringtonia 27. Cognatus 113. Rollenhagen, Bl. 3ᵇ. Waldis 2, 27. Wolgemuth 146.

1, 86. Von dreien fischen. (Vorsichtig, weise und leichtsinnig. Cf. 7, 36. Pantschatantra 1, 14; 5, 6; Benfey 2, 91; 137; 337; 1, 241; 2, 337; 1, 494. Mâhabhârata 12 (3, 598.) bei Benfey 1, 243. Wolff 1, 54. Knatchbull 121.. Seth, S. 20. Joh. de Capua c6b. Ulm 1483, EIIIa. Holland S. 29. Span. übers. 15b. Firenzuola 47. Doni 73. Anvar-i-Suhaili 130. Livre des lum. 105. Cab. des fées 17, 250. Hitopadesa 4, 3; M. Müller 183. Mesnewi 4, 250. Agricola 107.

1, 97. Von vermessenheit. a. (Krieger verspricht mit seiner beute zu bezahlen; wird selbst ausgeplündert.) b. (Gerber und jäger auf der bärenjagd.) Kürzer 4, 35. Comynes S. 330. Melander 3, 176. Abstemius 49. Camerar. 243. Pauli 422. Agricola 648. Egenolf 250. Luther, Tischr. Eutrapel. 1, 938.

1, 88. Wie die von Eimbeck geschlagen worden. (1478 mit eigenen stricken gebunden.)

1, 89. Von einem roß und schwein ein fabel. (Schelten einander.) Cf. 7, 54. Aesop. Kor. 176; 362; Furia 72. 131. Cf. Pantschatantra, Benf. 1, 223. Abstemius 48. Camerar. 213. Desbillons 5. 21. Waldis 2, 78. Wolgemuth 242. Abr. a S. Cl. Etwas für Alle 2, 204.

1, 90. Von vieren, so in der Türckey gefangen worden. (Deren einer seinen glauben abschwört und seinen herrn tödtet.) Mündlich von Melchior Peß von Rigersdorff.

1, 91. Landtsknecht schießen umbs hackengelt. (Schlechter schütze trifft wenigstens die neben dem ziele stehenden.) Wahrscheinlich mündlich.

1, 92. Von einem andern schützen. (1550 vor Braunschweig. Eigenes erlebnis. Weidner 5, 105.

1, 93. Ein bauwer wil ein landtsknecht werden. (Um plündern zu können.) Eigenes erlebnis, 1545 in Bamberg.

1, 94. Von eim andern. (Werbegeschichte.) Eigenes erlebnis 1551 in Steinheim.

1, 95. Von einem bauren und seinem pantzer. a. (Harnisch ist gut.) Taylors wit and mirth, 17. b. (Panzer vor dem hintern. Mündlich; 1546 vor Gengen. Schupp 1, S. 749.

1, 96. Ein nacketer nimpt ein gerüsten gefangen. (1552 in Flandern.) Eigenes erlebnis.

1, 97. Von grosser beute, so ein landtsknecht gewan. (Eine trompete.) Eigenes erlebnis; 1533 bei Windtsheim. Zincgref 1. 257, 1. Dithmar S. 41. Weidner 5, 72.

1, 98. Einer fengt krebs auff eim dach. (Die der bauer versteckt hatte.) Eigenes erlebnis.

1, 99. Einer zů fůß bringt ein reuter umb. (Beim beutemachen in Schweinfurt.) Eigenes erlebnis.

1, 100. Ein gehenckter wirdt wider ledig. (Strick durchgeschoßen.) Mündlich.

1, 101. Einer errettet sich selbst vom tod. (Flieht auf dem pferde des profosen; vor Schweinfurt.) Mündlich.

1, 102. Ein landsknecht wird nerrisch. (Th. von Lobbecke, 1558.) Mündlich.

1, 103. Von der landsknecht lumphosen. (Teufel in lumphosen; ohrfeige dem maler.) Mündlich; 1558 in Alfeld.

1, 104. Ein landsknecht bitt sanct Niclaus. (Um 100 fl., die ein pfaff in sein bild legt.) Aesop. Kor. 128; Furia 21. Babr. 119. 1001 Tag, Xailun, Bd. 5. Benfey, Pantschat. 1, 478. Robert 1, 145; 146. Vartan 41. Basile, Pentam. no. 4; 1, S. 63. Ges. Abent. 2, 525.

1, 105. Von fünff wunderbaren landsknechten. a. (Bei sonnenschein bezahlen) b. (Trinkt in zerlumpten kleidern wein.) c. (Geizig.) d. (Trinker.) e. (Lehnt lohnerhöhung ab.) b—e. bekannte Kirchhofs.

1, 106. Von einem niderlendischen kriegsmann. (Ieder an seinen platz; er in einem hohlen baume.) Mündlich?

1, 107. Warumb die landsknecht fromb heißen. (Ein betrunkenes weib gab den namen.)

1, 108. Warumb die landsknecht in himmel und nicht in die hell kommen, ein fabel. (Sie sagen sanct Peter die wahrheit.) Bebel 85, sign. Dd^{b}. Fabula de lancеariis. Uylen-Spiegel 1671, S. 357. Convival. sermon. 1, 140. Frey, Gartenges. no. 44. Grimm, Kinderm. 3, 143. Cf. Heineccius, Hans Pfriem. Neueste Kinderbiblioth. 1827, 2, 143. Grimm, Kinderm. 178, 3, S. 249.

1, 109. Von einem doctor und bauweren. (Ungebrannte asche gegen faulheit.) Katzipori 28, sign. E5. Melander 1, 503.

1, 110. Einer verstehet ein recept unrecht. a. (Pillulæ — pulli.) Waldis 4, 23. b. (Coriander — Calender.) Schill, Ehrenkranz 114. c. Käse, ein fl. schwer — ein fl. werth.) Cf. H. Stephanus 1, 323. Hist. litt. 23, 106. Le Grand 2, 347. Chasse-ennuy 364.

1, 111. Ein recept einer apotekerin. (Aphrodisiacum — kleid heben.)

1, 122. Von einem wurtzelkrämer, der ein doctor seyn wolt. (Verklebt der kranken die augen und stiehlt.) Merry tales and quicke answeres 89. Certayne conceyts 13.

1, 113. Von der ertzte freyheit. (Fürst will nicht der dreißigste todte sein.) Bebel 278, sign. Ss6^{b}. De medico. Weidner

S. 90, 5.

1, 114. Von eim Juden, der ein artzt war. (Podagra durch pferdediebstahl geheilt.) Bebel 302, sign. Tt3b. Facetia Christophori comitis Werdenbergensis. Schola curiositatis, S. 101. Eyring 3. S. 229. Exilium S. 144, no. 12. Hans Sachs 5, 3, 339. Eutrapel. 2, 696.

1, 115. Ein frau heilet ein mann mit einer zwybeln. (Zwiebel zieht das auge aus.) Bromyard P, 7, 21; C, 11, 42. Enxempl. 214. Gatos 31. Geiler, Narrenschiff 117, sign. V. Odo, Douce 88, 31.

1, 116. Warumb die trincker sterben. (Am durste.)

1, 117. Von eim vermummten doctor. (Bringt dem könig drei schachteln mit Bildern. Cf. Melander 1, 28.

1, 118. Ein doctor redet von der trunckenheit. (Wenig trinken — gut schlafen.)

1, 119. Von demselben doctor. (»Friß auf« statt »frisch auf«.) Wohl mündlich.

1, 120. Tischzucht eines doctors. (Bei der gräfin von Waldeck.) Casseler geschichte. Melander 1, 365. Pennalpossen C3b. Dithmar S. 41. Theilweise, Zeitverkürzer 126.

1, 121. Von einem gesandten der statt Ulm.) Der reihe nach!) Bebel 182, sign. Gg2b. De quodam consule Ulmiense. Dedekind, de morum simplic. c. 7. Melander 3, 300. Nugae venales S. 90. Roger Bontems S. 232. Scherz mit der warh. 58. Memel 173. Weidner 4, 33.

1, 122. Von eim gelehrten und seim beltz. (Gute kleider werden gegrüßt.) Lud. Milichius, orat. contra immoder. vestit. Melander 1, 264. Pauli 416. Nugae doctae S. 182. Memel 238. Zeitverkürzer 689; 690; 691. Weidner 4, 127.

1, 123. Von verachtung der armen freunde. (Die kein gelehrtes gespräch führen können.)

1, 124. Einer wird doctor zu Bononien. (Dr. in Germania.) Mündlich. Cf. Hemmerlin cc5b. Memel 975. Cf. Katzipori 7, sign. C3. Weidner 5, 107.

1, 125. Von einem doctor zu Ferrar in Italien. (Wollte unrechtes gut nicht zurückerstatten.) Mündlich.

1, 126. Von zweyen parteyen und einem procurator (Geschenk von beiden.) Pauli 125; 128. Eyring 2, 653; (zwei formen.) 3, 187. Egenolf, Sprichw. 46. Franck, Sprichw. 2, 53. Fuggilozio S. 75.

1, 127. Auß einem advocaten wird ein münch. (Will nicht mehr lügen.) Bebel 105. sign. Eca. De quodam advocato. Pauli 127; cf. 111. Ochinus 3, 47. Nugae doctae S. 195. Zincgref 2, S. 73. 4. Exilium S. 342, no. 53. Fuggilozio S. 160.

1, 128. Ein höflich antwort einer edelfrawen. (In Orleans; zu hause nur Ein advocat.) Bebel 219, sign. Hh2a: Facetia ex Joa. Gersone. Nugae doctae S. 64. Weidner S. 311, 2. Lyrum larum 175. Memel 271, Zeitverkürzer 258.

1, 129. Ein aff wil nüß essen. (Wirft sie fort, als er die bittere schale schmeckt.) Ähnlich 7, 145. Odo 13. Boner 2. Ysopo 1644, S. 182b. Gatos 50.

1, 130. Ein koler ist ein warsager. (Bei dreitägiger schwelgerei drei diebe entdecken.) Bebel 221, sign. Hh2b. De quodam carbonario. Cf. Apollodor, Bibl. 1, 9. Jacob Rinal, hist. ingenieus. 2. Abr. a S. Clara, Judas 2, S. 290. Zeitvertreiber 22. Abendzeitung 1819, no. 171. Der Casseler bote 1822, no. 51. Grimm, Kinderm. no. 98; 3, S. 179. Zeitschrift f. deutsche mythologie 3, 36. d'Ouville 2, 171. Barca 1, S. 29. Cf. Straparola 13, 6. Kisseh-Khûn, Berlin und Stettin 1829, S. 44.

1, 131. Von eim geschickten oratore. (Bene veneritis domine rex.) Bebel 195, sign. Gg5a: De quodam insulso beano. Nouv. contes à rire S. 72. Pennalpossen E7b. Memel 83.

1, 132. Von einem deßgleichen. (1547 in Geitten: Gott willkommen, lieber juncker.) Weidner 5, 108.

1, 133. Von einem braunschweigischen oratore. (Scherzhafte danksagung in Görlitz.) Mündlich 1559. Weidner 5, 108.

1, 134. Von einem doctor. (Dankrede in Speier.) Eigenes erlebnis 1559. Weidner 5, 108.

1, 135. Einer findet kunst ins doctors taschen. (Taschenmacher spielt advocaten.)

1, 136. Ein baur hat recht bey seiner frauwen. (Aber nicht vor gericht.) Weidner 5, 108.

1, 137. Von einem fahrenden schuler. (Magister der sieben freien künste bettelt bei einem handwercker mit sieben kindern.) Bebel 6, sign. Aa3: Dictum facetum contra quendam vagantem. Cf. Hemmerlin, de nobilit. c. 26. Luscinius no. 60. Convival. sermon. 1, 174. Eutrapel. 2, 699. Pauli 1570, 68 Peregrination S. 61. Democrit. rid. S. 9. Hammer S. 178. Wolgemuth 3, 33. Memel 507. Weidner 4, 149.

1, 138. Unversehen bekompt einer gelt zu verstutieren. (Paris Paradies.) Bebel 156, sign. Ff2b: de vetula quadam. Pauli 463. Ayrer 61; Keller 3063. Birlinger 693.

1, 139. Von einem magister zu Wittenberg. (Maske mit waßer gemalt.) Sturm, Antipp. 4, 3, S. 204. Melander 1, 29, Nugae doctae S. 34. Abr. a S. Clara, Judas 1, 252. Lyrum larum 293.

1, 140. Einer wil den narren vergahn. (Den katzenjammer.) Weidner 5, 108.

1, 141. **Von einem studenten und bauren.** (Blutspritze.) Memel 219.

1, 142. **Ein schreiber bezalet einen trummenschlager.** (Giebt ihn für beseßen aus.) Mündlich.

1, 143. **Einer wirt mit einem krug erstochen.** (Wie der thäter glaubt.) Mündlich. Cf. Wolgemuth 2, 76.

1, 144. **Wie ein schultheiß gelt entlehnen wolte.** (Läßt sich funfzig thaler schenken.) Cf. Eutrap. 1, 913. Weidner 5, 73.

1, 145. **Von einem neuen dorfschuldheißen.** (Mißbraucht sein amt, weil er es doch nicht lange mehr behält.) Mündlich.

1, 146. **Von einem andern neuwen dorfschultheißen** (In Minsingen; thut stolz.) Bebel 46, sign. Cc8b. Jac. Pontanus 2, 21, S. 384. Nugae doctae S. 247. Weidner 5, 109.

1, 147. **Ein hund schiert dem dorfschultheißen den bart.** (Hund leckt betrunkenen.) Casseler geschichte. Melander 1, 616. Memel 1001. Dithmar S. 42. Weidner 4, 31; 5, 109.

1, 148. **Vom jegermeister an der ecken.** (Henn Wolnhaupt und des landgraf.) Mündlich von Wolnhaupt. Dithmar S. 22.

1, 149. **Wie einer auß einem faß vierley wein zapffte.** (Vier löcher.) Hessische geschichte. Dithmar S. 42.

1, 150. **Vom burgermeister zu Waldt-Cappel.** (Will der erste unter vieren sein.) Hessische geschichte. Dithmar S. 42.

1, 151. **Von der ritterschaft des burgermeisters zu Neidenheim.** (Don-Quichotische ausrüstung desselben.) Mündlich. Dithmar S. 42.

1, 152. **Vom burgermeister zur Liebenaw.** (Ißt kein guter gesell, sondern der burgermeister.) Hessische geschichte, 1560. Dithmar S. 42.

1, 153. **Von einem burgermeister und seinem küriß.** (Er ist vor andern sicher, andere auch vor ihm.) Aus Duderstadt mündlich. Zincgraf 1, 257, 2.

1, 154. **Einer hatt sein son im oberland.** (Sieben meilen von Cassel.) Cf. 1, 238. Mündlich; Kirchhofs vater passirt.

1, 155. **Ein burgermeister kaufft gebrannten wein** (Hurensalbe; seine frau hatte auch darvon gekauft.) Weidner 5, 96.

1, 156. **Von eins wachtmeisters bickelhauben.** (Mit schmutz angefüllt; in Erfurt.) Frey, Gartenges. 90.

1, 157. **Von eim burgermeister zur Naumburg.** (Will vor herzog Moritz nicht aufstehn.)

1, 158. **Von einem rathsherren zu Tübingen.** (Stimmt

stets wie sein nachbar.) Bebel 108, sign. Ee: De senatore Tubingensi. Frey, Gartenges. 117. Weidner, 4, 278. Noch lebendig; cf. 3, 136.

1, 159. Von dem burgermeister von Hechingen. (Der seine würde beim wein bekannt machte.) Bebel 137, sign. E7ª: De quodam duumviro seu magistro civium. Frey, Gartenges. 52. Lyrum larum 187.

1, 160. Von eim andern burgermeister. (Wuste nicht mehr, ob er gebadet hatte.) Bebel 138, sign. E7ᵇ: De alio (magistro civium). Frey, Gartenges. 53. Schildbürger, cap. 18 (Hagen, Narrenbuch S. 112.) Fischart Gargant. c. 13. Pennalpossen 65ᵇ. Exil. S. 27, no. 2.

1, 161. Ein burgermeister hat leinen thuch feil. (Wohnt im größten hause.) Bebel 139, sign. E7ᵇ: De alio (duumviro). Frey, Gartenges. 110.

1, 162. Von einem zunfftmeister. (Giebt sich im wirtshause zu erkennen.) Bebel 136, sign. E 7ª: De quodam tribuno plebis.

1, 163. Von eim rahtsherrn zu Urach. (Spricht im schlafe von fischen.) Bebel 385, sign Vv4ᵇ: De quadam sententia cujusdam senatoris.

1, 164. Von eim bauren, der kein brey dorfft essen. (Seit er gerichtsstand geworden war.) Bebel 372, sign. Xx3ᵇ: Facetia de rustico quem non decebant pulmentaria. Peregrination S. 83.

1, 165. Von eim rahtsherrn zu Campen. a. (Salz säen.) Mündlich. Schwab, Volksb. 1, 329. Birlinger, Volksthüml. a. Schwaben 1, 438, 14. b. (Esel in der löwenhaut.) Avadânas 2, 59, no. 91. Pantschatantra 4, 7; 5, 7. Benfey 2, S. 308; 1, S. 462; 2, S. 339, 1, 494. Somadeva, lib. 3. Tuti-nameh, Iken 34, S. 138. Rosen 2, 149; 218. Hitopadesa 3, 2. M. Müller S. 110. Aesop. Kor. 113; Nevelet 262. 258, S. 169. Aphthon. 10; Hauptm. 204; 333. Furia 141. Gabr. 14. Lucian Anabas. 32; pseudolog. 3; δραπέτ. 13. Themistius 21, 245. Plato Cratulus 411, A. Tzetzes 9, 321. M. Tatius, progymn. F, 8. Grimm, Rein. Fuchs CCIX; 354; CXIV, CCLXXXV. Alanus 5, 2. Nic. Pergam. 108. Posth. 97. Holkot, Moral. no. 35. Bromyard P, 12, 16; R, 5, 5. Erasm. Adag., Asinus ap. Cuman. Avian 5. Haudent 95; 259. Corrozet 104. Beuser. 97. Lafont. 5, 21. Ysopo-Av. 4. Pavesio 81. Verdizz. 79. Esopus-Av. 4. Du Méril, Poésies lat. 140. Pant. Candid. 2, 141. Hans Sachs 1, 5, 587. Acerra 4, 44. Dorpius D3ᵇ; E 3. Barth 5, 1. Odo, Douce 88, 25. Gatos 22. Faernus 88. Camerar. 133; 155; 403. Desbillons 3, 21. Weber, Ind. Stud. 3, 338. Loiseleur, essai 51, 3. Geiler, Brösamlin 50ᵇ; Narrenschiff 59ᵇ; Sünden des munds 9ᵇ. Renner bl. 70. Kanzler Hagen 2, 388. Müglin 1. Keller, Erzähl. s. 531. Waldis 1, 90. Alberus 39. Stainhöw. Av. 4. Boner 66. Ogilby 70.

1, 166. Ein lecherlicher außspruch deß burgermeisters zu Hildenßheim. (Esel trinken des apothekers wein aus.) Mündlich; 1557 passirt. Manlius 387. Orlando di Lasso 1569. Weidner S. 65, 2. Hoffmann, Gesellschaftslieder no. 102. Goedeke DD. 1, 142. Deutsch. Mus. 1787, 2, 226. Seifart, Sagen aus Hildesheim 1854, 2, S. 110.

1, 167. Von der eulen zu Pein. (Mit haus und hof verbrannt.) Van der Ulen van Peyne, in Spangenberg. N. vaterl. Archiv 1829, 4, 29. Einnahme Dams in Friesland 5. Aug. 1514, anhang no. 1. Mones anzeiger 1834, 17. Simplicissimus 2, 217. Lüntzel, Stiftsfehde S. 243. Hildebrand 93; 102. Grimm, Kinderm. no. 174. Seifart, Sagen 3, S. 112.

1, 168. Von der dorffschafft Borßheim. (Weihe statt falken verschenkt.) Melander 1, 589. Frey, Gartenges. 65. Seifart 4, S. 115.

1, 169. Etliche schöne mores von einem burgermeister. (Flegeleien bei tisch.) Casseler geschichte.

1, 170. Ein baur zeucht vom dorff in die statt. (Verliert hier, was ihm dort geblieben war.)

1, 171. Vergebne anschleg, reich zu werden. (Milchfrau.) Cf. 1, 371. Pantschatantra 5, 9; Dubois S. 208; Benfey 2, 345; 1, 499. Wolff, Bidpai 2, 3. Knatchbull S. 269. Seth 77. Joh. de Capua K 4. Ulm 1483, R 2. Holland S. 130. Span. übers. 45ᵃ. Doni 67. Anvar-i-Suhaili 409. Cab. des fées 18, 36. Jyar-i-Danish (asiatic misc. Calc. 1781, S. 69.) Hitopadesa 4, 8; M. Müller S. 159; Lancereau 4. 7, S. 182; 239. 1001 Nacht (Weil) 1, 540; 3, 910. Baldo 16 (S. 239.) Dialog. creaturar. 100. Lange, Democrit. rid. 150. J. Regn. 1, 25. Hulsb. 28; 287. Sermon. convival. Luscinius no. 77. Conde Lucanor 7, S. 376. 219. Keller 29. Cento nov. ant. 29. Lope de Rueda, Schack. dram. lit. 1, 218. Giovanni Pecorone 2, 22. Domenichi 5. Lafontaine 7, 10. Athenaeum français 1853, 1107. Loiseleur, essai 55, 3. Rabelais 1, 33. Desp. 15. Robert 2, 89, 90. Hans Sachs 4, 3, 54. Montanus Gartenges. 55. Fischart. Garg. 1590, 488. Eyering (1601) 1, S. 70; 2. 392. Franck, Sprichw. 1, 148; 2, 50. Zeitvertreiber S. 466; 469. Gleim. Die Milchfrau. Grimm, Kinderm. no. 164; 3, S. 244; no. 168. Dunlop-Liebr. S. 502, anm. 383, no. 29. Peregrination S. 28. Schack, Gesch. d. dramat. liter. in Span. 1, 218. Vorrath 134. Schneller, märch. aus Wälschtirol 1867, 47, S. 130. Andersen, Konen med Aegene.

1, 172. Was arbeit nütze. (Im weinberge vergrabener schatz.) Aesop. Kör. 22, S. 16; 291; Nevelet. 22; Camerar. 85; Heusinger 1716, S. 23. Furia 33. Dialog. creaturar. 13. Desbillons 5, 7. Faernus 37.

S. 63. Ysopo-Rem. 17. Pavesio 93. Haudent 217. Lafontaine 5, 9. Corrozet 79. Sousn. S. 301. Benser. 169. Remicius 18. Waldis 3, 48. Wolgemuth 202. Stainhöw.-Rem. 17. Eutrapel. 2, 218. Exilium S. 12, no. 37. Helmhack no. 18. Esopus-Rem. 17.

1, 173. Ein exempel des göttlichen segens. (Brod für 18 kr. knapp, für 12 kr. reichlich.) Eigenes erlebnis, Dresden 1543.

1, 174. Von murren wider gott. (Beweinter todter steht auf und erschlägt seinen vater.)

1, 175. Von schatzsuchen. (Drei schatzgräber erblicken einen galgen vor sich.) Casseler geschichte.

1, 176. Ein ander historien. (Keller stürzt über schatzgräber ein.) Casseler geschichte; 1557.

1, 177. Ein geitziger findt einen schatz. (Zu hause war er verschwunden.) Pauli 179. Benfey, Pantschatantra 1, S. 67. Holland, Beispiele S. 2.

1, 178. Von einem, der ins holtz gieng. (Entgeht mehreren gefahren, um endlich von einer mauer erschlagen zu werden.) Avadânas 2, 1, 64. Calila und Dimna, Silv. de Sacy 1, 4. Wolff 1, 5. Knatchbull S. 86. Joh. de Capua b4ᵇ. Ulm 1483, BVIIᵇ. Holland S. 22. Benfey, Pantschat. 1, 99; cf. 101. cf. Vartan 40. Cognatus 66. Luscinius 207. Grimm, Kinderm. no. 175; 3, S. 247. Liebrecht, Gervas. S. 63. anm. 2. Germania 5, 53. (G. Mapes 2, 19). Or. und Occ. 1, 135.

1, 179. Von einem geitzigen Trugner. (Baumzeuge.) Pantschatantra 1, 19. Benfey 2, 114; 1, 275 ff. Wolff 1, 93. Knatchbull S. 151. Sim. Seth 31. Joh. de Capua 22. Ulm 1483, G6ᵇ. Holland S. 56. Span. übers. 21ᵃ. Firenzuola 73; Doni 104. Anvar-i-Suhaili 172; Livre des lum. 129. Cab. des fées 17, 333. Sukasaptati no. 49. Baldo 19 (Du Méril S. 247.) Cf. Dsanglun S. 273. Loiseleur, essai 41, note 1. Delices de Verboquet 1623, S. 41. Agricola 107.

1, 180. Von einem geitzigen weib, ein fabel. (Drei wünsche.) Polier, mytholog. des Indes 2, 66. Cf. Benfey, Pantschatant. 1, 495 ff. 40 Veziere (Behrnauer) S. 271. 1001 nacht (Weil) 4, 28. Somadeva, übers. 126. Haxthausen, Transkaukas. 1, 336; 337. Phaedrus, append. (Dressel) 6, 3. Basile, Pentam. (Liebr.) 2, 156. Le Grand 1, 3; 4, 227. Méon, fabl. 4, 386. Marie de France (Roquef.) 2, 140. Perrault. Keller, VII sages CLXXXI; Dioclet. 54. Grimm, D. Mythol. XXXVII. Hagen, Ges. abent. 37; 253. Schumann 2, 23. Pfeiffer, Germania 2, 2, 240; 243. Hebel S. 12. Temme (Pommern) no. 127. Wolff, deutsche sagen no. 9. Ziska (Österr.) no. 3. Meier no. 40; 65. Grimm, Kinderm. 87; 3, 146; cf. no. 82; no. 19; 3, 28. Lehmann, polit. Blumengarten 1640. S. 371.

1, 181. Ein reicher karger schlachtet ein saw. (Wird gestohlen.) H. Sachs 1, 3, 334[b]. Eutrapel. 1, 811.

1, 182. Aber von einem kargen. (Sein schatz wird gefunden.) Casseler geschichte.

1, 183. Von eim kargen doctor. (Wird auf dem krankenbette selbst von seinem affen geplündert.) Bebel 298, sign. Tt2[a]: De sim.

1, 184. Von einem thumbpfaffen zu Magdeburg. (Auf dem sterbebette geplündert.) Mündlich.

1, 185. Von einem reichen kargen. (Sein pferd frisst nachts.) Angeblich 1558 in St. Goar mündlich. Bebel 33, sign. Cc: De quodam equum emente. Scala celi 127 (Joh. de Vitr.) Pontanus 2, 8, 28, S. 390. Melander 3, 374.

1, 186. Einer hilfft seinen wagen verbrennen. (Giebt noch bier dazu.) Casseler geschichte.

1, 187. Ein schröckliche historia eines geitzigen. (Hängt sich bei dem ausgeleerten schatze auf.) Cf. Syntipas 48; Aes. Kor. S. 384; 246; Nevel. 59. Luscinius no. 150. Cognat. 62. Camerar. 106. Abrah a S. Clara, Judas 2, 204; Lauberhütt 1, 15. Francisci S. 528. Hondorff 344. Wolgemuth 2, 33.

1, 188. Von einer redenden atzel. (Wein um 4 pf. ausrufen.) Bebel 169, sign. Ff4[b]: De pica loquente. Pauli 669. Krilius S. 22, no. 65. Abr. a S. Clara, Huy S. 128.

1, 189. Ein wirt felschet den wein. (Fische darin.) Bebel 292, sign. Tt[a]: De eodem (vino adulterato.) Jac. Pontanus 382. Nugae doctae S. 111. Roger Bontems S. 124.

1, 190. Ein wirt nimpt die zech zweymal bezalet. (Meßer herausgenommen.) Memel 444. Zeitverkürzer 375. Weidn. 4, 190.

1, 191. Von einem kauffmann und seinem wirt. (Eisen von mäusen gefreßen. Pantschatantra 1, 21; Benfey 2, 120; 1, 283. Bidpai 2, 186. Wolff 1, 98. Knatchbull 156. Sim. Seth 33. Joh. de Capua e4. Ulm 1483, H2[b]. Holland S. 60. Span. übers. 22[b]. Calila e Dymna (Gayang.) S. 38[b]. Firenzuola 82. Doni 113. Anvar-i-Suhaili 187. Livre des lum. 135. Cab. des fées 17, 353. Sukasaptati 38. Tutinameh, Iken 25; Rosen 1, 67. Camerar. 386. Nic. Pergam. 106. Zabata 20. Cardonne, mélanges 2, 63. Lafont. 9, 1; Robert 2, 193. Ysopo. collect. 32. Schumann, Nachtbüchl. 1, 11. Waldis 3, 96.

1, 192. Von einem, der sich rümt edel zu seyn. a. (Erschwindeltes geld dem eigenthümer verwechselt.) Bebel 145, sign. E8[b]: De quodam nobilitatem vane sibi arrogantem.) Poggius 257, S. 487. Frischlin S. 17, 33. Rollwagen 64. Dorpius S. 168. Lyrum larum 186. Lange 1, 66. Wegkürzer 13. Uhland, Volksl. no. 237. b. (Esel edler, als du.) Margar. facetiar. sign. C4. Nugæ venales, S. 32. Nugæ doctæ 108. Weidner, S. 298, 4; 4, 553.

1, 193. Von dem gesang, so die wirt gern hören. (Zechfrei; singt vom bezahlen.) Poggius 257, opp. S. 487. Rimicius 14, S. 168. Frischlein, S. 17. Villon, Repues franches 2, 3. Des Periers, no. 122; 3, S. 218. Ulenspiegel, no. 61; S. 262. Lange 1, 66, S. 74. Rollwagen 64; in Wackernagels Leseb. 3, 1, S. 451. Mantanus, Wegkürzer 1557, 13. Ambr. Metzger 78, S. 128. Heinrich Julius, S. 321; 870. Uhland, Volkslieder, no. 237. Merry tales and qu. answ. 57.

1, 194. Von zweyen betriegern und eim wirt. (Platonisches jahr.) Bebel 193, sign. Gg5ᵇ: De magno anno Platonis. Wegkürzer 40. Pauli 1570, 69. Acerra 1, 62. Hebel, S. 9.

1, 195. Von eim wirt und botten. a. (Beide rothhaarig.) Bebel 39, sign. Cc2ᵇ: Facetia de quodam viatore ruffo et caupone. b. (Rothkopf Judas von Christus geküßt.) Bebel 413, sign. Yy8ᵇ: Cur rufi probi. Marg. facetiar. sign. Q5. Nugæ venales, S. 36.

1, 196. Von eim wirt und seinem gast. (Das ganze frühstück zum fenster hinaus.) Bebel 173, sign. Ggᵃ: De caupone et viatore. Nugæ venales, S. 78. Frey, Gartenges. 66. H. Sachs, 4, 3, 82. Weidner 4, 33. Hebel, S. 489.

1, 197. Ein wirt herbergt ein studenten, ein reisigen und ein landsknecht. (Saure milch.) Rollwagen, no. 73. H. Sachs 2, 4, 90ᵇ. Memel 60.

1, 198. Von eim wirt und schalcksnarren. (Legt eier.) Bebel 371, sign. Xx2ᵃ: Facetia Pauli Vuiest.

1, 199. Von eim Schwaben und Schweitzer. (Fangen frösche statt krebse etc.)

1, 200. Von dreyen Baiern. (Dem hungrigen werden zähne ausgebrochen.) Bebel 398, sign. Yy5ᵇ: De tribus Bavaris. Nugæ doctæ, S. 32. Rollwagen, no. 76.

1, 201. Ein Baier hat ein wirt betrogen. (Küchlein im ei gegeßen.) Bebel 143, sign. E8ᵃ: De quodam Bavaro. Convival. sermon. 1, 214. Nugæ venales, S. 33. Luscinius, no. 160. Wolgemuth 1, 72.

1, 202. Ein Baier isset linsen. (Leins gegangen.) Bebel 151, sign. Ffᵇ: De Bavaro lentes comedente.

1, 203. Von danckbarkeit eines löwen. (Androclus.) Appion, Aegypt. 5; Gellius, noct. att. 5, 14, 10. Phaedrus 7, 13; Burm. app. 15. Seneca, de benef. 2, 19. Romulus 3, 1. Stainhöwel 3, 1. Nilant 25, S. 101; 35, S. 29. Anonym. Nevel. 38. Scala celi 148. Joh. Sarisber. 5, 17, S. 384. Neckam 20. Bromyard, P, 2, 32. Pithsanus

7, 6. Gesta Rom. lat. 104. Vincent. Bellov. spec. mor. 1551. Rosar. 2, 83, H. Dialog. creaturar. 111. Scala celi 148ᵇ. Ysopet I, 40; Robert 1, 471. Ysopet II, 19; Rob. 2, 529. Regentenbuch 4, 10. Egnatius 5, 2, extr. Lyrum larum 358. Hondorff 205ᵇ. Happel 1, 755. Melander 1, 584. Camerar. 425. Lange 1, 23. S. 28. Eyring 1, 680. Pauli 1570, 105. Boner 47. Enxempl. 115. Wright 2, 9. Schupp 1, S. 898. Abr. a S. Cl. Judas 1, 282. Acerra 1, 36. Convival. sermon. 1, 160. Hammer, s. 89.

1, 204. Einer fürchtet sich vor der pestilentz. (Schläft über einer leiche.) 1540 in Eisleben geschehen.

1, 205. Ein Brabander isset ruben. (Ins bett.) Frankfurter geschichte.

1, 206. Ein Braunschweiger isset cappern für bonen. (Göttinger; will nicht mehr bezahlen.) Eignes erlebnis; 1552 in Amiens.

1, 207. Von eim andern dergleichen. (Liebt ausländische kost nicht.) Eignes erlebnis; 1553 in Würzburg.

1, 208. Von gastereyen und wolläben. (Sittenbeschreibung; ohne erzählung.)

1, 209. Von gesten, so nicht zu rechter zeit kamen. (Prof. Casparus schließt sie aus.) Marburger geschichte.

1, 210. Ein bürger zů Cassel fähet ein hasen. (Wirft ihn der kosten wegen ins wasser.) Casseler geschichte.

1, 211. Ein mann beschembt sein weyb. (Bot speisen an, die nicht vorhanden waren.) Casseler geschichte.

1, 212. Von schmarotzern ein gleichnuß. (Schmarotzender hund zum fenster hinaus.) Locman 39. Pantschat. Benf. 1, 88. Aesop. Kor. 129; Furia 22; Camerar. 141; Nevelet. 129. Remicius 16. Notic. et extr. 2, 721. Babrios 42. Desbillons 9, 25. Waldis 3, 46. Rollenhagen, M 5. Wolgemuth 278.

1, 213. Von eim Kochersperger bauren. (11 krammetsvögel und 1 ente für 12 personen.) cf. 2, 209. Pauli 583. Exilium 2, 193. Rastbüchlein 25. Lyrum larum 382. Weidner 4, 154.

1, 214. Ein speykatz wirdt geschossen. (5 esel auf 6 lager zu vertheilen.) Exilium, S. 127, no. 91.

1, 215. Vom hochzeitlichen kleid. (Zäncker hinausgeworfen.) Casseler geschichte; 1559.

1, 216. Ein kauffmann verechnet sich. (Verzehrt sein capital; muß betteln.) Mündlich. Manlius, S. 354. Wolgemuth 5, 54.

1, 217. Was zů einem hauß gehöre, daß es schön seye. (Ein redlicher wirth; Martin von Roß vor Antorff.) Wohl mündlich

1, 218. Von sechß vollsauffen. (1551 in Böhmen jählings gestorben.) Jac. Fincelius, Q4. Goltwurm, bl. 117ᵇ.

1, 219. Von einem gottslesterer. (Beim gewitter von einem baume erschlagen.) Jac. Fincelius, R7ᵇ. Goltwurm 118ᵇ.

1, 220. Von dreyen spielern. (Einer will gott tödten; vom teufel geholt. 1553 in Willisauw). Fincelius. T7ᵇ. Arn. Mengering, Kriegs-Belial 136. Tragica. S. 19. Goltwurm 118ᵇ. Zeißeler, S. 295. cf. Scal. celi 24ᵇ; Steph. de Borbone, Lib. apum 2, 49, 11. Promptuar. L, 21. Specul. exemplor. 5, 104. Enxemplos 167. Holkot 9. Sueton. Caj. 12. Seneca de ira 1. Arnoldus 1, 15, 8. Musculus, Fluchteufel. Hondorff 70. Vgl. Birlinger, Schwaben, 652. Morchtall. chron. 51.

1, 221. Von einem unzüchtigen menschen. (1555 vom blitz erschlagen.) Mündlich.

1, 222. Von einem, der da balgen wolt. (Giebt es auf, als er hört, daß der andere auch fäuste hat.)

1, 223. Ein schuster wirfft ein schneider die stiegen ab. (Der dasselbe ihm anbot.) Casseler geschichte.

1, 224. Ein bawr wirt mit einer barten gehawen. (Der mund wird ihm zugenäht.) Zigenhainer geschichte.

1, 225. Von eim zenckischen münch. (Zankt selbst mit seinem waßertopf.) Vitæ patrum 4, 7, 6. Geiler, Sünden des munds, fol. 43, sign. H. Agricola 717. Waldis 4, 5. Hans Sachs 2, 4, 140.

1, 226. Was zanken schade und nachgeben nutze. (Gespräch zwischen friedfertigem und zänkischem bruder.) Ohne erzählung.

1, 227. Was unnütze speywort zů achten für frucht bringe. (Geschwätzige schildkröte.) repet. 7, 50. Pantschatantra 1, 13. Dubois S. 109. Benfey 2, S. 90; 1, S. 239. Somadeva. Avadanas 1, 71. Wolff 1, 91. Knatchball 146. Bidpai 2, 112. Sim. Seth, S. 28. Joh. de Capua, d5ᵇ. Ulm 1483, Fviiiᵇ. Holland, S. 52. Span. übers. 19ᵃ. Firenzuola 65; Doni 93. Anvar—i. Suhaili 159; Livre des lum. 124. Cab. des fées 17, 309. Hitopadesa 2, 4; M. Müller, S. 152. Weber, Ind. Stud. 3, 339. Schulze 101. Du Méril 263, S. 269, 273. Babrios 115. Aesop. Furia 193; Kor. 61, S. 37, 312. Gabr. 2, 8 (51). Babr. 8. Phaedrus 2, 7; 7, 14 (Dressler). Avian 2. Abstemius 108. Bromyard, A, 25, 29; O, 6, 55. Camerar. 281. Pant. Candid. 117. Walch 2. Alsop 149. Ces. Pavesio 122. Verdizz. 36. Ysopo-Av. 2. Guill. Haudent 188. Baïf 24. Benserade, 95. Lafont. 10, 3. Stainhöw.-Av. 2. Esopus-Av. 2.

1, 228. Von den Hessen und iren nammen. (Ursprung.) Ohne erzählung.

1, 229. Eins goltschmids höflichkeit. (Zeigt seine hinten durchlöcherte hose.) Casseler geschichte 1558.

1, 230. Von einem hinckenden schneider. (Im himmel.) Bebel 19. sign. Bᵇ.: Fabula cujusdam sarcinatoris. Convival. sermon. 1, 258. Frey, Gartenges. no. 108. Rollwagen 98ᵇ. Fischart, Flohatz. Hans Sachs 5, 3, 89. Moser, verm. schriften 2, 332; 235. Wolf, d. sagen, no. 16. Grimm, Kinderm. no. 35; 3, S. 64. Ernst Meier (schwäb.) no. 35.

1, 231. Ein schneider wil im selbst ein bar hosen machen. (Legt es dreifach, wie für die kunden.) Mündlich. Eyring 1, S. 47. Waldis 4, 43. Dach, S. 246. Wolgemuth 223. Zachariä 80. Wackernagel, leseb. 2, 49. Roger Bontems, S. 100. Weidner 4, 187.

1, 232. Ein neuw meisterstück des schneiderhandwercks. (Gestohlener schincken unter dem mantel.)

1, 233. Von einem schneider und seinem knecht. (Fleischstücke zusammennähen.) Disciplina cleric. 21, 1—8. Castoiement 2, 131. Lange, Democrit. rid. S. 254. Enxempl. 31. Ysopo 18. bl. 178ᵇ. Le Grand 3, 109. Memel, no. 49. Stainhöwel 15, bl. 256.

1, 234. Leinweber ziehen von Franckfurt. (Kinde mit freßen drohen.) Angeblich Casseler geschichichte. cf. Pauli 296.

1, 235. Wie die leinweber meister welhen. (Igel auf dem tische.) Casseler geschichte 1556.

1, 236. Von einem, der gern newe zeitung hört. (Schnee dörren.) Bebel 198, sign. Gg5ᵇ: Facetum dictum et ridiculum. Lange 3, 57, S. 129. Scherz m. d. warh. 25. Schildbürger 10. Abr. a S. Cl. Huy, C3; Etwas für Alle 2, 524. Sinnersberg 113. Lyrum larum 178. Zeitverkürzer 189. Schreger 17, 195, S. 641. Weidn. 5, 110.

1, 237. Ein reuter bringt schwein auß dem stall. (Hafer zwischen die töpfe.) Mündlich.

1, 238. Von eim gewanderten Hessen. (Von Cassel nach Wolfenbüttel.) cf. 1, 154. Mündlich. Weidner 5, 110.

1, 239. Ein bauwr kan nit betten. (Lästert gott.) Hessische geschichte.

1, 240. Ein bauwr küßt ein armbrust. (Zerquetscht ihm die nase.) H. Sachs 2, 4, 66ᵇ.

1, 241. Ein knab beichtet. (Kindische beichte.) cf. 1, 234; 7, 41. Pauli 296. Frischlin, S. 11. Katzipori 104, sign. T6ᵇ. Benfey. Pantschat. 1, 127.

1, 242. Ein scheffer hört ein wolff nennen. (Beim eßen; flucht.) Mündlich.

1, 243. Ein scheffer hat sein pfeiffen verloren. (Um nicht zu pfeifen; 1540.) Mündlich.

1, 244. E i n s c h e f f e r l e h r n e t b e t t e n. (Hammel gottes.) Nasr-eddin, no. 105; cf. 115. d'Ouville 1, S. 92. Rollwagen 50, sign. E7ᵇ. C merry tales, no. 67, S. 116. Weidner 5, 110.

1, 245. E i n W e n d u n d s e i n s o n. (Von wespen gestochen.)

1, 246. Wie die böhemische sprach auffkommen. (Gans-, enten- und taubengeschnatter.) cf. Bebel 189, sign. Gg4ᵃ.

1, 247. B a u r e n f r e s s e n e i n e s e l. (Für einen hasen.) Jac. Schickfus., New vermehrte Schlesische Chronica. Jehna, 1625, fol. 4, 1, S. 2. Frid. Lucas, Schlesiens denckwürdigkeiten, Frkfurt 1689, 4, S. 1433. Epigramm von Geo. Tilenus (zweimal) auch bei Schickfus 4, 1, S. 3. Valentin Franck, tractat. de fidei jussoribus 1610; bei Schickfus 4, 1. S. 4. Deliciarum manipulus Th. 1, Dresd. u. Lpz. 1703, 8, S. 19: Caspar Sommer, der Schlesische Esel-Fresser. Sinapius, Oelsnographia 1, 342, 8. Peregrination, S. 50. Memel 261. Litera A des Neu-geflickten Altens, durch C. Stillenfried, Breßl. 1726, S. 129. K. von Holtei, die Eselsfresser, th. 1—3. Bresl. 1860; namentlich 1, 257; 258, mit einigen nachweisungen. Haupt, Zeitschr. 6, 254. Rochholz, A. S. 2, 265. cf. 268. Birlinger, 663. Vgl. übrigens N. vaterl. archiv von Spiel. und Spangenberg 1, S. 238; ib. Jahrg. 1825, Bd. 7, S. 129 das gedicht: Die Dransfelder Hasenjagd. Histohrrga von den Hasenmelckers und Asinus-Freters, 1660 vom bürgermeister Georg Grünewald in Dransfeld nach der noch ietzt lebendigen tradition gedichtet.

1, 248. E i n e r b i t t s e i n f r a w z u m g r a b z ů t r a g e n. (Zu gegendiensten bereit.) cf. Pauli, 33.

1, 249. V o n e i n f e l t i g k e i t z w e y e r b a u r e n. (Aus höflichkeit grob.) cf. 1, 271; 272. Bebel 80, sign. Ddᵃ: De simplici rustico. cf. Penualpossen C6ᵃ. Roger Bontems, S. 164. Jac. Pontanus, S. 204.

1, 250. E i n l ü g n e r w i l e i n w e i b n e m m e n. (Es glaubt ihm doch niemand.) Bebel 184, sign. Gg3ᵃ: De quodam mendace. Weidner, S. 299, 1.

1, 251. E i n e r l e u g t z u g r o b. (Durch Venedig geritten.) Bebel 368, sign. Xxᵃ: De insigni mendacio. Lange 3, 56, S. 128; cf. 3, 65. Jac. Pantanus, S. 231. Nugæ doctæ, S. 193. Pennalpossen, C5ᵃ. Exilium, S. 377, no. 103. Peregrination. S. 40. Schreger 17, 105, S. 562. Lyrum larum, 17.

1, 252. V o n e i n e r a n d e r n l ü g e n. (400 nächte im jahre.) Bebel 175, sign. Ggᵃ: De quodam mendace. Lange 3, 55. Jac. Pontanus, S. 231.

1, 253. Ein zanck zweyer lügner. (Lügner gescholten.) Bebel 194, sign. Gg5ᵃ: De duobus mendicantibus. Exilium, S. 300, no. 80.

1, 254. V o n e i m s c h m i d. (Halbes pferd.) Bebel 285, sign.

Ss8ᵃ: De insigni mendacio. Lange 3, 50, S. 123. La nouvelle fabrique des excellens traits de vérité, Paris, 1853, S. 30. Frey, Gartenges. 120 Münchhausen, S. 38. Heinrich Julius, S. 531; 899.

1, 255. (Ferkelschwanz abgeschoßen.) Bebel 286, sign. Ss8ᵃ: De alio mendacio. Pauli 1550, 23ᵇ. Talitz 172. La nouvelle fabrique, S. 91. Du Moulinet, facet. devis. Scherz m. d. warh. 25. Münchhausen, S. 17. Heinrich Julius, S. 534; 899. Zeitverkürzer 533.

1, 256. (Sau mit langem hauer.) Bebel 374, sign. Xx3ᵇ: Aliud de apro. Lange 3, 58, S. 130. La nouvelle fabrique, S. 108. Münchhausen, S. 18. Heinrich Julius, S. 534; 901.

1, 257. (Wolf umgekrempelt.) Bebel 375, sign. Xx4ᵃ: Aliud de lupo. Lange 3, 51, S. 123. La nouvelle fabrique, S. 59. Münchhausen S. 24. cf. Bidermann, Utopia, 6, 19. Heinrich Julius, S. 535, 901.

1, 258. (Auf dem sattel festgefroren.) Bebel 115, sign. Ee3ᵇ: Nugæ cujusdam fabri clavicularii. Scherz m. d. warh. 25. Frey 118.

1, 259. (Durchs eis gefallen.) Bebel 116, sign. Ee3ᵇ: De eodem. Frey, Gartenges. 119.

1, 260. (Vom fisch verschluckt.) Bebel 373, sign. Xx3ᵇ: Mendacia. Heinrich Julius, S. 537, 901. Abr. a S. Cl. Etwas für Alle 233. Lyrum larum 151.

1, 261. Ein ander quecke lügen. (Abgehauener kopf festgefroren.) Mündlich.

1, 262. Von einem alten Schwaben. Schlagt mich tod: aber schenkt mir das leben!)

1, 263. Von einem krancken. (Zu schwach, ins paradies zu gehen.) Bebel 163, sign. Ff3ᵃ: De alio infirmo. Jac. Pontanus, S. 305 Sermon. convival. 1, 133. Democrit. rid. S. 251. Nugæ doctæ, S. 44. Nugæ venales, S. 32. Barca 1, S. 21. Roger Bontems, S. 182. Pennalpossen, C5ᵇ. Eutrapel. 1, 504. Vorrath 80. Exilium, S. 267, no. 63.

1, 264. Von einem andern kranken bauren. (Auf dem dache.) Bebel 178, sign. Gg2ᵃ: De rustico ægrotante.

1. 265. Ein Schwab appelliert von gott zů den apsteln. (Hatte weib und kinder verloren.) Bebel 162, sign. Ff3ᵃ De rustico appellante ad apostolos. Frey, Gartenges. 63.

1, 266. Von einem andern krancken Schwaben. (Hinterm stroh.) Bebel 317, sign. Vvᵇ: De quodam ægrotante. Pauli Anh. 8.

1, 267. Von vier andechtigen Schwaben. a. (Kann sich von der beichte nicht ernähren.) b. (Herrgott gesehen? Weiß nicht) C merry tales, no. 81, S. 134. c. (Vor dem abendmahl vom tanzen gesprochen.) a—c: Bebel 381, sign. Yyᵃ: De rustico confitente. d. (Lebat das abendmahl ab.) Bebel 339, sign. Vv5a: De rustico ægrotante. Pauli 572. Alles, Weidner 5, 73.

1, 268. Von einfältigkeit etlicher bauren. (Wettgesang mit kukuk.) Bebel 42, sign. Cc2b: De quibusdam simplicibus rusticis. Nugæ doctæ 95. Nugæ venales, S. 87. Frey, Gartenges. 27. Schildbürger 38. Hagen, Narrenb. S. 173. Abr. a S. Cl. Huy. F3. Vorrath 145. Wolgemuth 4, 41. Weidner 4, 31.

1, 269. Von diesen bauren. (Laßen den flurschützen aufs feld tragen.) Bebel 43, sign. Cc3a: De iisdem. Schildbürger 15. Hagen, S. 85. Frey 13. Weidner 4, 179. Birlinger, 663.

1, 270. Von einem andern bauren. (Schneidet die erbsen vor der blüthe.) Hessische geschichte. Weidner 5, 110.

1, 271. Von dreyen ungehobleten bauren knebeln. (Statt beßer, schlimmer.) cf. 1, 249; 272. Bebel 180, sign. Gg2b: De rustico incomposito. Melander. d'Ouville 2, 61. Roger Bontems, S. 220. Frey, Gartenges. 48. Scherz m. d. warh. 53.

1, 272. Eben von einem sölchen. (Pferd mistet und stallt.) Bebel 181, sign. Gg2b: De altero rustico incomposito.

1, 273. Von einem verstendigen Schwaben. (Will die befolgung seines testaments belohnen.) Eignes erlebnis oder mündlich; 1546 bei Donauwerth.

1, 274. Von neun Schwaben ein histori. (Modern: sieben Schwaben.) Meisterges. A. Montanus, Gartenges. 18. Wunderhorn 2, 445. Eyering 2, 227; 3, 27. Flieg. blatt bei Fr. Campe. Wirtemb. repertorium 1782, S. 173. Hagen, Narrenbuch, S. 495. Grimm, Kinderm. no. 119; 3, S. 199. Rosenkranz, Gesch. der Poesie 3, S. 327. Haupt, Zeitschr. 6, 258. Heinrich Julius, S. 868. Gesch. von den sieben Schwaben, Stuttg. 1832, 4°. Zeitschr. f. deutsches Recht 14, 1, 1853, S. 37. Birlinger, Volksthüml. a. Schwaben 1, 691. Menzel, d. dichtung 2, 72.

1, 275 Von einem groben schneiderknecht. (Sacrament ist theuer.) Bebel 12, sign. A4b: Facetum dictum insulsi hominis. Convival. sermon. 1, 258. Weidner 5, 75.

1, 276. Von eim schneider und krebs. (Hält krebs für jungen hirsch.) Bebel 303, sign. Tt3b: De simplicibus rusticis et cancro. Lyrum larum, 163.

1, 277. Von einem einfeltigen schneider. (Dessen sohn priester werden soll.) Bebel 113, sign. Ee3a: De rustico. Weidn. 5, 111.

1, 278. Ein geyß tantzt mit den schneidern. (Auf einer hochzeit zu Basel.)

1, 279. Einer schlefft beim galgen vor Basel. (Wird für den gehängten gehalten) Bebel 319, sign. Vv2a: De quodam suspenso. Nugæ doctæ, S. 61. Nugæ venales, S. 75. Abr. a S. Cl Huy, G2.

1, 280. Von einem jungen schweitzer bauren. (In der messe am charfreitag.) Bebel 185, sign. Gg3ª: De quodam Svitensi. Nugæ doctæ. S. 156. Nugæ venales. S. 66. Frey 100. Pauli 1570, S. 188

1, 281. Von eim andern Schweitzer. (Am palmsonntage.) Bebel 186, sign. Gg3ᵇ: De alio (Svitensi). Scherz m. d. warh. 53ᵇ. Waldis 4, 84ᵇ.

1, 282. Von einem andern alten Schweitzer. (Der teufel holt stets das liebste.) Bebel 70, sign. C7ª. Alia de rustico. Jac. Pontanus, S. 490. Nugæ doctæ, S. 47. Nugæ venales, S. 51. Frey, Gartenges. 37. Weidner 317. Memel 598.

1, 283. Von einem krancken schweitzer bauren. (Sacrament ist bei ihm gut aufgehoben.) Bebel 296, sign. Tt2ª: De simplici rustico ægrotante.

1, 284. Von einem elsäßer bauren. (Beweist, daß sein pfarrer ein lump ist.) Bebel 67, sign. C6ª: Historia. XL Veziere 56. Vincent. Bellov. spec. mor. 3, 8, 1, S. 1357. Frey, Gartenges. 35. H. Sachs 1, 5, 598ᵇ. Agricola 576. Eyring 2, 578. Egenolf 239ᵇ. Weidn. 4, 179.

1, 285. Von zweyen schůstern. (Der eine preist St. Niclaus der andere den Juden David.) Bebel 240, sign. Ji2ᵇ: De duobus sutoribus. Convival. sermon. 1, 279. Pauli 326. Roomsch. Uylen-Spiegel S. 386. Abr. a S. Cl. Gemisch-Gemasch 87. Eyring 3, 40. Schiebel 1, S. 127. Lyrum larum 173. Memel 563. Zeitverkürzer 592.

1, 286. Von eim bauren auffm Westerwald. (Will einem reuter den weg nicht weisen.)

1, 287. Zween sein zů unfriden. (Noch was mehr, das ärgste schimpfwort.) Mündlich. Vorrath 13.

1, 288. Warumb die müller weiß tragen. (Vor, in und nach der mühle diebe.) Bebel 152, sign. Ffᵇ: De molitoribus. cf. Guicciard. 18ᵇ. Federmann 184. Eutrapel. 1, 911.

1, 289. Ein müller ist ein becker worden. (Sieben mahlgäste und betteln!) Bebel 3, sign. Aa2ᵇ: Facetum dictum in molitores. Sermon. conviv. 1, 193. Frey, Gartenges. 9. Waldis, 4, 47. Dach, Zeitvertreiber 253. Memel 561. Zeitverkürzer 219. Wolgemuth 318. Zachariä 82. Weidner 4, 178.

1, 290. Wie ein frommer müller zu bekommen sey. (Neugeborenes kind.) Bebel 90, sign. Dd2ᵇ: De iisdem. Frey, Gartenges. 115. Zeitverkürzer 214. Weidner 4, 34.

1, 291. Aber von einem müller. (Mahlt so klein, daß man kaum die säcke wiederfindet.) 1559 mündlich.

1, 292. Ein müller zeucht enten. (Wilde; fliegen fort.)

1, 293. Ein becker stal kleyen. (Wird vom churfürsten entlarvt.) Casseler geschichte.

1, 294. Man wil ein müller hencken. (Kann keinen ehrlicheren angeben, wird behalten.) Bebel 4; 5, sign. Aa3: Contra eosdem. Gast, Conviv. Sermon. 1, 192. Waldis 4, 86. Dach, Zeitvertreiber 251. Zincgref 223. Lyrum larum 313. Memel 559. Zeitverkürz. 210.

1, 295. Ein dieb hat gelt verborgen. (Schenkt es dem drosten und wird frei.)

1, 296. Zwen dieb sitzen gefangen. (Der kleine wird gehängt, der große kommt frei.)

1, 297. Ein dieb stilt ein kū. (Der pfarrer hatte auch daran gegeßen.) Hessische geschichte. Dithmar S. 42.

1, 298. Ein dieb wirt zum galgen gefürt. (Der priester für ihn in den himmel.) Bebel 150, sign. Ff[a]: De quodam suspendendo. Des Periers, nov. 3, S. 146. d'Ouville 2, S. 14. Pennalpossen C8[b]. Frey, Gartenges. 125. Eutrap. 2, 693. Wolgemuth 4, 99. C merry tales no. 13. Weidner 4, 497.

1, 299. Von eim gottslesterer. (Auf dem wege zum galgen: Lauft nicht so schnell!) Bebel 206, sign. G8[a]: De quodam blasphematore. Fuggilozio S. 38.

1, 300. Von zweyen zu Cassel im hanffacker ertrenckt. a. (Wünscht den neuen galgen zu benutzen.) Casseler geschichte. Repetirt 4, 265. Melander 1, 434. Exilium S. 448, no. 71. Lyrum larum 334. Weidner 5, 111.

1, 301. b. (Pförtner braucht nicht zu warten.) Casseler geschichte. Des Periers no. 100; 3, S. 146. Wolgemuth 5, 29.

1, 302. Von eim narrechten dieb. (Hängt mich bald, daß ich zu haus komme!)

1, 303. Von zweyen verwegnen dieben. a. (Als vorgeblicher diener.) Mündlich.

1, 304. b. (Geldbeutel aus dem latze gestohlen.)

1, 305. Einer stillt ein kelch. (Als der priester in der messe die augen schließt.)

1, 306. Einer wil seim gesellen weitzen stälen. (Stiehlt den eignen.) Cf. 7, 178. Calila et Dimna 3, 6 Silv. de Sacy S. 48. Wolff XXIX. Knatchbull S 57. Upsala S. 30. Possinus S. 558. Joh. de Capua a3[b]. Doni S. 7. Ulm 1483, AIV[b]. Holland S. 4. Span. übers. III[a]. Raimond de Vezières, b. Du Méril S. 224, note. Baldo, no. 7, bei Du Méril S. 223. Benfey, Pantschat. 1, S. 71; 72. Abr. a S. Clara, Judas 4, 210.

1, 307. Von einem edlen sehr alten strassenräuber. (Bedauert die schlechten zeiten.) Bebel 300, sign. Tt3a: De alio nobile. Spangenberg 2, 468.

1, 308. Einer hett auff die strassen gegriffen. (Rettet bürgerlichen räuber nicht) Pauli, anh. 4. H. Sachs 4, 3, 66b.

1, 309. Ein reuter hauwt wägen auff. (Gehängt; zur rechten zeit aufhören.) Weidner 46, 3.

1, 310. Einer wil ein zollner werden. (Nimmt 50 Thlr. zoll.)

1, 311. Zwen mörder werden gerichtet. (Der eine wünscht sich beßern zu können, der andere fürchtet, es werde nichts daraus.)

1, 312. Einer entlehnet gelt zu Basel. (Verwechselt den als pfand gelaßenen beutel.) Bidermann 5, 41, S. 264. Lange 3, 38, S. 70.

1, 313. Ein anderer betreugt daselbst ein weib.) (Durch verwechslung einer ächten und unächten kette.) Hebel S. 144.

1, 314. (Ähnlich 1560 mit rechenpfennigen.) 312—314 wohl mündl.

1, 315. Von eim andern diser companderei. (Frankfurter Jude mit blei beschwindelt.) Bebel 192, sign. Gg4b: De quodam deceptore. Lange 3, 39, S. 73. Bidermann 5, 42, S. 266. Nugae doctae S. 66. Sermon. conviv. 1, 69. Abr. a S. Cl. Huy, K3.

1, 316. Von einem deßgleichen. (Rechenpfennig als gulden getheilt.) Casseler geschichte, 1559.

1, 317. Der baur Held wird betrogen. (St. Othomarus unerschöpfliche flasche.) Bebel 237, sign. Jib: De rustico Held, hoc est gigante vera historia. H. Sachs 4, 3, 83.

1, 318. Wem die krämer sich vergleichen. (Schinden jedermann.) Ohne erzählung.

1, 319. Ein exempel hiervon. (Niederländischer krämer mit zweierlei waare.)

1, 320. Ein weinhecker stilt reiffling. (Der vater kommt mit allen freuden!)

1, 321. Wer die ertzräuber seyen. (Vergleich zwischen wolf und wucherer.) Ohne erzählung.

1, 322. Seiner frauwen hat einer ein kind gestolen. (Uneheliches kind.) Mündlich.

1, 323. Von zweyen ehrendieben. (»Der über uns«.) Bebel 261, sign. Ss3a: De quodam in adulterio deprehenso. Malespini 2, 66. C. nouv. nouv. 46. cf. 12. Luscinius 173. Roger Bontems, S. 126. Roomsch. Uylen-Spiegel, S. 508. Lyrum larum 168. Lessing.

1, 324. Ein schwere rach deß ehebruchs. (Mantel zerstechen.) Bebel 125, sign. Ee5[a]: De quodam pulcherrimo vindictæ genere. Convival. sermon. 1, 308. Roger Bontems, S. 180. Memel 654.

1, 325. Von einem deßgleichen. (Ausgeschickter mann giebt das wechselgeld nicht zurück.)

1, 326. Von eim barbierer zů Schaffhausen. (Warum thust du es nicht heimlich?) Bebel 174, sign. Gg: De viro in adulterio uxorem deprehendente historia. Convival. sermon. 1, 309. Roger Bontems, S. 212. cf. Guicciard. 9[b]. Frey, Gartenges. 67. Federm. 69. Exilium, S. 165, no. 18. Helmhack, S. 161. Zeitverkürzer, 465.

1, 327. Von dises gleichen. (Ehebrecher stößt ihn zur eignen thür heraus.) Hildesheimer geschichte.

1, 328. Wie ein kauffmann innen ward, daß sein weib ein bůlerin was. (Statt seiner frau im bette.) Bebel 421, sign. Zz2[b]: De mercatore et adultera ejus uxore. Convival. sermon. 1, 186.

1, 329. Von einem sehr schrecklichen ehebruch und hůrerey. (Sohn heirathet unwißend die eigne, mit seiner mutter erzeugte tochter.) Luther, Tischr. 226[b]; 443. Hondorff 812. Lyrum larum 238. Schumann, Nachtbüchl. 1, 12; 2, 4. Masuccio 23. Bandello 2, 35. Brevio 1799, 4. Heptamer. 30. Estienne 1, 141. H. Walpole, Mysterious mother. Byshop, Blossoms, c. 11. Des Fontaines, L'inceste innocent 1638. Dunlop. Liebr. 289, anmerk. 368[a]. cf. Gesta Rom. lat. 81.

1, 330. Einer bůlet unwissend mit seiner eignen frauwen. (Statt mit der geliebten.) cf. 1, 331. Morlino 79. Poggius 268, S. 490; it 287. Pantschat. Benf. 1, 144. Le Grand 2, 413 (3, 256). Barbazan-Méon 4, 393; Le Grand 2, 99. Boccaccio 7, 8; 2, 8; 8, 4. Malespini 2, 96. Guicciard. Detti e fatti, S. 103; Le Grand 2, 419. Madmen of Gotham, no. 12. Dunlop-Liebr. S. 258.

1, 331. Einer macht selbs das sein weib die ehe bricht. (Frau statt der magd; geselle gleichfalls.) cf. 1, 330. Poggius 287, S. 481, vir cornua sibi promovens. Morlino 78. Boccacc. 8, 4. Sacchetti, no. 206, 2, S. 161. Parabosco 1, 5. Malespini 2, 96. Cent nouv. nouv. no. 9. Baudello-Belleforest 6, 28. Le Grand 2, 413 (3, 292). Heptameron, no. 8, S. 77. Lafontaine, quiproquo, contes 5, 8. Joan de la Puente, Jardin de Amadores, 1611, 1, 90. Serées de Bouchet 8, 6, 355; 1588. Ph. Beroaldus, Epigr. Leno uxoris inscius. Melander 1, 341. Facet. Reveille-matin 1651, S. 154; 105. Rog. Bontemps, no. 15, S. 452. Liebr.-Dunlop, S. 258. Joyeuses advent. 41, 12. Facét. journées 213. Le Grand 2, 410. Les amans heureux 2, 19. Passe-tems agréable, S. 27. Melander 1, 279.

1, 332. Von einem bauwren, der auff einmal hundert thaler verbůlete. (Ehebruch mit der frau seines gläubigers.) Hessische geschichte 1558.

1, 333. (Kurz nachher zerstört der blitz dieses bauern scheune.) Wie vorher.

1, 334. Einer beschlefft ein magd. (Ohne ihr wißen; der stuhl hats gethan.) Wegkürzer, 22.

1, 335. Einer hat ein magd beschlaffen. (Leugnet; sie hat geschrieen.)

1, 336. Eins bauwren zanck mit dem pfarher. (Kind nach dreizehn wochen.) Bebel 396, Yy5ᵃ: De eo qui puerum non suum accepit. Poggius 150, S. 461. cf. Exilium, S. 115, no. 53. Eutrapel. 1, 711. Lyrum larum 7.

1, 337. Von einer ehebrecherin. (Im alter hört es auf.) Bebel 29, sign. Bb3ᵇ: Fabula de adultera. Pauli 1570, S. 98. Scherz m. d. warh. 41. Exilium, S. 448, no. 70. Taylor's wit and mirth 115.

1, 338. Von einer kindbetterin. (Dem vater ähnlich; auch platte?) Bebel 47, sign. Cc3ᵇ: Aliud (de rustico).

1, 339. Von einer ehebrecherin zů Tübingen. (Unberechtigte anklage wegen impotenz.) Mündlich. cf. Poggius 43, S. 433. Stainhöwel 262. Cent nouv. nouv. 86. Malespini 2, 81.

1, 340. Ein eineugiger nimpt ein weib. (Auge von feinden, jungfrauschaft von freunden genommen.) Bebel 114, sign. Ee 3ᵇ: De unoculo. Convival. sermon. 1, 311. Seb. Scheff. Epigr. 1, S. 96. Melander 1, 276. Nugæ venales, S. 46. Haupt, Zeitschr. 7, 367. Goedeke MA. 634ᵇ. Guicciardini, S. 187. Bellefor. 88. Federmann 10. Frey, Gartenges. 50. Ambr. Metzger 124. Lyrum larum 132. Memel 750; 1018. Eutrapel. 1, 708.

1, 341. Von einer braut und irem breutigam. (Die buhlen des mannes schicken fleisch zur hochzeit.) d'Ouville 1, 20. Nouv. contes à rire, S. 103. Exilium, S. 101, no. 6. Helmhack, no. 2.

1, 342. Von der Römerin, die ein bůlerin was. (In Rom verheimlicht, in Carthago auf den gaßen gesungen.) Repetirt 4, 183. b. (Moral) Bebel 353, sign. Vv 7ᵇ.

1, 343. Von einer andern bůlerin. (Gift vom hinten einblasen.) cf. 2, 85. Pantschatantra, Dubois, S. 90; Benfey 1, 147. Calila et Dimna, Silv. de Sacy, S. 94. Wolff 1, 30. Knatchbull, S. 105. Joh. de Capua, b VIIIᵇ Sim. Seth (Athen) S. 13. Possinus, S. 569. Ulm 1483, C VIIIᵇ. Holland, S. 31. Span. übers. 12, 6. Firenzuola, S. 30. Doni, S. 52. Anvar-i-Suhaili, S. 105. Livre des lum. 78. Cab. des fées 17, 197. 1001 tag (Prenzlau) 4, 263. Cent nouv. nouv. 2. Le Roux 2, S. 345. Loiseleur, essai 33. Malespini, no. 37.

1, 344. Ein kauffmann hat ein bůlerisch weib. (Staub

aus der apotheke.) Sandabar 47. Syntipas (Sengelm.) 109. Sindibâd nâmah, as. journ. 36, S. 6. 1001 Nacht [VII Veziere] Breslau 15, 177. Sukasaptati 32, cf. 13. Joh. de Capua, e4. Ulm 1483, H1. Holland, S. 59. Span. übers. 22. Doni, S. 116. Benfey, Pantschat. 1, 281. Tutinameh. Kâderi 25; Iken, S. 106. Keller, VII sages, CXLIV; Diocletian Einleit. 46. Loiseleur, essai 103, note 1.

1, 345. Von einer mutter und son ein histori. (Sieben nächte brach.) Mündlich.

1, 346. Von eim weib, dem der mann gestorben war. Bebel 179, sign. Gg2. De quodam muliere citissime nubente etc. Nugæ doctæ, S. 145. Boursault, Mercure galant 4, 2. Waldis 2, 45. Kurz, Lit-gesch. 2, 106. Scherz m. d. warh. 29[b]. Memel 1695, no. 524. C merry tales, no. 11, S. 21. Uncasing of Machivils instruction 1613, C3. cf. Merry tales and. qu. answ. 10; Old Hobson 15; Compl. London Jester 1771, S. 49; Pasquils jests, S. 74.

1, 347. (Vor ostern keinen andern.) cf. 1, 346.

1, 348. Von einem höltzern Johannes. (Wandert in den ofen.) Mündlich. Gellert, Fabeln 1836, S. 165 (die wittwe.) C merry tales, no. 100.

1, 349. Von einer andern. (Drei männer in einem jahre.) Eigne begegnung.

1, 350. Untreuw eines weibs gegen irem mann. (Tod — gerupfter hahn.) Guicciardini, S. 4. Bellefor. 12. Federm. 26. Abstemius 60. Desbillons 2, 29. Wegkürzer 41. Waldis 2, 86. Wolgemuth 2, 92. Hagedorn 2, 71, Gellert 1, S. 70.

1, 351. Von einem meidtlein und irem bůlen. (Kommt heimlich; bleib nur!) Bebel 165, sign. Ff 3[b]: De puella et amatore historia vera; cf. 403: De puella quadam. Convival. sermon. 1, 236. Nugæ doctæ, S. 197. Nugæ venales, S. 73. Barca, S. 12. Wolgemuth 5, 96. Lyrum larum 183.

1, 352. Von einem geilen meidtlein. («Wo wollten wir die sau gelaßen haben?») Bebel 355, sign. Vv8: De puella impudica.

1, 353. Eine jungfrauw hat iren bůlen auff sanct Martins abend geladen. (Handwerksgesell kommt dazwischen.) Mündlich.

1, 354. Auff glauben schlefft einer bey einer jungkfrauwen. (Gürtel unters kniee.) Mündlich.

1, 355. Von neun eigenschafften der bůler. (Ohne erzählung.)

1, 356. Was die bůlschaft seye. (Verse ohne erzählung.)

1, 357. Von einer spöttischen jungkfrauwen. (Eier kunstgerecht eßen.) Mündlich. cf. H. Sachs 1, 5, 506.

1, 358. Von einer deßgleichen. (Trägt unterhose am rechen.) Dresdener geschichte.

1, 359. Von einer neterin. (Hat fäden an sich hängen.) Bremer geschichte.

1, 360. Von einer dienstmagdt zû Schweinfurt. (Schatz im bettlermantel.) Eignes erlebnis oder mündlich.

1, 361. Von der braut von Bessa. (Störung bei den hochzeitsgaben.) Hessische geschichte.

1, 362. Aberglauben einer neuwen braut. (Um die herrschafft im hause zu erlangen.) cf. 4, 241. Rollwagen, no. 86. Weidn. 5, 74.

1, 363. Von der weiber herrschafft gegen ire menner. (Stiefel als belohnung.) Bebel 124, sign. Ee4ᵇ: De imperio mulierum in viros. Convival. sermon. 1, 201. Nugæ doctæ, S. 159. Roger Bontems, S. 171. Scherz m. d. warh. 31ᵇ. Pauli 1575, S. 87. Lyrum larum 219. d'Ouville 2 1. Unterm Pantoffel, von H. Beta, Zeitung f Norddeutschland, no. 5738, 31 Oct. 1867. Weidner 4, 166.

1, 364. Ein ander erkündigung dieser herrschafft. (Wer herr im hause ist, soll zuerst singen.) Bebel 21, sign. Bb2: Facetia de dominatione mulierum; cf. 417, sign. Zzª. Convival. sermon. 1, 200 Scherz m. d. warh. 31.

1, 365. Was ein böß weib vermüge. (Mann will nicht in den himmel, wo seine frau ist.) Bebel 86, sign. Dd2: Aliud (de lancerario. Seb. Scheff. Epigr. 1, S. 96. Melander 1, 278. Nugæ doctæ, S. 37. Frey, Gartenges. 45. Convival. sermon. 1, 176. Barca 1, S. 23. Lessing, fab. 8.

1, 366. Von einem weib, das erger und böser war, denn der teuffel. (Stiftet unfrieden; schuhe am stocke.) Scala celi 109ª. Stephan. de Borbone. Specul. exempl. 9, 93. Adolphus 9, bei Wright, S. 184. Promptuarium, M. 17. Discipul. de temp. 96. Wright, stories 100. Pelbartus 46, K. C novelle ant. 48. Enxempl. 370. Ysopo 17, bl. 176. Lucanor 42, S. 410; Keller 48, S. 213. Greg. Richter, axiom. histor. 2, ax. 190. Luther, Tischr. 303ᵇ; 437ᵇ zu Matth. 5. Jac. v. Cassalis 11. Geiler, narrenschiff 33ᵇ, F verso; sünden des munds 47, H5. Salomon u. Morolf, v. 917; Hagen 1, 55. Laun, Wunderbuch 1, 253. H. Sachs 2, 4, 7. Drexel, Aurifod. S. 202. Hondorf 310. Musculus, Eheteufel 1564, E. Zeißeler, S. 382. Grimm, Mythol. 991. Altd. bl. 2. 81, 17. Roomsch. Uylen-Spiegel, S. 477. Dunlop-Liebr. 508.

1, 367. Von einem bissigen jungen weib. (Wird bei nächtlichem lärm freundlich.) Pantschatantra 2, 8; Benfey 2, S. 251. Wolff 1, 210. Knatchbull, S. 237. Sim. Seth, S. 64. Joh. de Capua, i2. Ulm 1483, N8ᵇ. Holland, S. 111. Span. übers. 38ᵇ. Doni 44. Anvar-i-Suhaili, 336. Livre des lum. 259. Cab. des fées 17, 449. Loiseleur, essai

49, 2. Bidpai 2, 355. Jac. de Lenda, bl. 74. Camerar. 389. Lafontaine 9, 15.

1, 368. Von murren der weiber gegen die menner, was es nütze. (Hose herunter, schläge; vergeltung.) Rastbüchlein 2.

1, 369. Einer beleitet sein frauw selber auß der kirchen. (In voller rüstung.) Mündlich. Keller, Erzähl. S. 197.

1, 370. Von einem sehr hoffertigen alten weib. (Läuft halb todt geschlagen fort.) Jac. Pantanus 1, 3, S. 751. Melander 3, 384. Agricola 457. Weidner, 3, 259, 3. Memel 884.

1, 371. Ein weib wirt mutwillig geschlagen. (Milchfrau zu zweien.) Abweichend 2, 131. cf. 1, 171. Acerra 5, 51.

1, 372. Ein frauw predigt irem mann. (Er nimmt ihr die bettdecke fort.)

1, 373. Ein frauw verjagt iren mann mit dem rauch. (Bleibt sieben jahre in der fremde.) Rollwagen, no. 90.

1, 374. Ein weib zeigt dem andern, wie die leut uneins werden. (Leck mich etc.) Hebel, S. 492.

1, 375. Von zweien zanckenden weibern. («Ich bin so gut, wie du».) Repet. 7, 162. Bebel 38, sign. Cc2: Pulchra contentio duarum muliercularum. Frischlin, S. 7. Pennalpossen, A8. Peregrination, S. 120. Exilium, S. 367, no. 28.

1, 376. Von zweien andern. (Zweideutiger widerruf.) cf. 1, 419. Kirchhofs vater begegnet.

1, 377. Ein weib ist zornig auff gott. (Zwei frauen danken gott für den regen, die dritte flucht darüber.)

1, 378. Von einem trunckenen weib. (Glaubt in der hölle zu sein.) Bebel 251, sign. Ji4b: De quadam ebria muliere. Bandello 2, 17. Strackerjan, Sagen aus Oldenburg 638. cf. Boccacc. 4, 8. Schmidt, Beitr. S. 24.

1, 379. Von einem andern trunkenen weibe. (Weinkauf.) Pauli 306. Nugæ doctæ, S. 93. H. Sachs 4, 3, 65. Weidner 5, 103.

1, 380. Wie ein weib beichtet. (Priester verlangt ungehöriges.)

1, 381. Von eines dorffschultheissen frauw. (Gemeinde erhebt sich zum evangelium.) Bebel 379, sign. Yy: De rustica præfecti uxore. Exilium, S. 112, no 40. Weidner 2, 276.

1, 382. Von klůgen frauwen und irer treuw. (Minyæ.) cf. 6, 240. Herodot 4, 136. Plutarch, mulier. ill. Valer. Max. 4, 6, extr. 3. Boccaccio, mulier. clar. cap. 29, bl. 20. Carion 30. Alciati, S. 816. Lossius, Epigr. S. 277. Melander 2, 54. Goltwurm 105b. Histor. Handbüchl. 46, S. 346. Hondorff 297. Acerra 6, 62. Hammer,

S. 97. Hans Sachs 2, 3, 134b.

1, 383. Von einem von Thalwig und seiner getreuwen haußfrauwen. (Wie die weiber von Weinsberg.) cf. 6, 241. Zeißeler. S. 153. Weidner 4, 205.

1, 384. Von eim klugen weib. (Findet den mann bei der magd.) Hessische geschichte. Melander 2, 49. Jasander, no. 112.

1, 385. Von einem gehorsamen weib. (Wette; kachel aus dem ofen senden.) Casseler geschichte.

1, 386. Warumb die bettler so viel kinder haben. (Leben ohne sorgen.) Bebel 367, sign. Xx[b]: De mendiciis. Nugæ doctæ, S. 142. Nugæ venales, S. 32; 46. Weidner, S. 299, 4. Sinnersberg, no. 202.

1, 387—407. Von mancherley feinen sprüchen, erstlich von zweyerley. (Ohne erzählungen.) Beispiele der alten weisen, Holland, S. 154 ff.

1, 408. Ein narr sagt einem abt die warheit. a) der abt von Marchtalden thäte beßer, in ruhe zu leben, als zu bauen.) it. 2, 201. Bebel 130, sign. Ee5[b]. De Matthia fatuo abbatis Marchtelli cis Danubium. Convival. sermon. 1, 95. Lavater, Comment. pro. Sol. S. 39. Melander 1, 72. Weidner, S. 341, 4. Nick, hofnarren, 1861, S. 545. b. (Wäre ich in der Donau ertrunken, hätte ich schläge bekommen.) Bebel 131, sign. E 6[a]: De eodem. Guicciardini 97. Bellefor. 92. Federm. 134. Pennalpoßen, E7[b]. Frey, Gartenges. 124. Jac. Pontanus, S. 236. Zinkgref, Apophth. 3, 384. Weidner, S. 342, 1. 4, 268. Zeitverkürzer 226. Nick, hofnarren, S. 545.

1, 409. Ein weise red eines narren. (Hinein in die Schweiz, aber nicht hinaus.) Repet. 2, 200. Bebel 259, sign. Tt[b]: De fatuo ducis Austriæ et Helvetiis. Democrit. vid. S. 58. Scherz m. d. warh. 58. Zinkgref 1, S. 277, 5. cf. Guicciard. 16. Jac. Pontanus, S. 231. Eutrapel. 1, 769. Wolgemuth 3, 96. Lyrum larum 259. Flögel, Gesch. der hofnarren 1789, S. 267. Nick, hofnarren, S. 253.

1, 410. Von einem narren, der Bocher genannt. (Hängt seinen gesellen auf, weil er grindig ist.) Bebel 388, sign. Yy3: De Conrado Pocherio morione. Scherz m. d. warh. 53[b]. Flögel, S. 255.

1, 411. Von demselbigen. (Schneidet seinen kühen die schwänze ab.) Bebel 389, sign. Yy3[b]: De eodem. Scherz m. d. warh. 53[b]. Nugæ doctæ, S. 86. Flögel, S. 269. Nick, S. 256.

1, 412. Von Claus Narren etlichen historien. (Sein hengst wirft ein füllen.) Cl. Narr 372. Scherz m. d. warh. 53[b].

1, 413. Von demselbigen. (Geld säen.) Cl. Narr, S. 85.

1, 414. Von demselbigen. (Käse ausbrüten.) Cl. Narr, fol. 210. Melander 1, 335. H. Sachs 2, 4, 51[b].

1, 415. Von demselbigen. (Mittel gegen katzenjammer.) Zincgref 1, S. 271, 1. Flögel, S. 251 (von Peter Bärenhaut.) Nick, S. 240. (ebenso.) Anecdoten großer regenten und berühmter staatsmänner 2, S. 216. Peregrination, S. 119.

1, 416. Von einem narren, Maul Michel genennet. (Faule eier im munde.)

1, 417. Ein narr spottet der papistischen pfaffen. (Der krănkeste muß das licht tragen.)

1, 418. Von Peter Bernhaut. (Aussprüche und kriegsführung.)

1, 419. Von einem andern narren. (Sixt; zweideutiger widerruf.) cf. 1, 376. Casseler geschichte. d'Onville 1, 95. Roger Bontems, S. 115. Helmhack 225. Eutrapel. 1, 596. Memel 682. Zeitverkürzer 139. Hebel, S. 16.

1, 420. Von meister Hansen, dem Entenschmid. (Heitzt zum baden in einen siedekeßel.) Lebt bei H. v. Schachten, also mündlich.

1, 421. Von demselben. (Ist kein hirt, hütet nur das vieh.) Mündlich.

1, 422. Von Henßken Boden zu Grebenstein. (Unsinn mit einem geräderten.) Damaliger rathsnarr.

1, 423. Von demselben. (Ist nur freiwillig lustig, nicht auf befehl.) cf. Pauli 313.

1, 424. Von einem narren zu Braunschweig. (Heinrich Marheinicke; glühende kugel.) Wohl eignes erlebnis, 1550.

1, 425. Ein narr ist witzig worden. (Jäger und narr.) Poggius 2, S. 421, de medico qui dementes et insanos curabat. Rimicius 18, S. 170. Dorp. S. 170. Morlino 77. Nugæ doctæ, S. 56. Nugæ venales, S. 58. Straparola 13, 1. Stainhöw. collect. bl. 265. Geiler, Narrensch. 148[b], sign. b verso. Scherz m. d. warh. 54. Zeitverkürzer 536. Hannoversche Tagespost, 7 Febr. 1867, no. 32, vermischtes; 14 Febr. 1867, no. 38, Feuilleton (mit meinen nachweisungen.) Merry tales and qu. answ. 52. Pasquils jests. S. 62.

1, 426. Ein narr verkündet enderung deß wetters. a. (Am end!) Hessische geschichte. b. (bei sonnenschein traurig, bei regen vergnügt.) cf. 4, 294; 7, 95; 148. Montanus, Gartenges. 3. Zincgref 1, S. 281, 3. Nugæ venales, S. 49. Exilium, S. 322, no. 21. Gellert 2, S. 49.

ERSTES BUCH, ZWEITE ABTHEILUNG.

1, 2, 1. Kurtze und doch warhaftige vergleichung deß bapsts und seines reichs. (Mit dem alten Rom; ohne geschichte.)

Bebel 208, sign. G8: Contra curiales rom. Room. Uylensp. S. 390.

1, 2, 2. Wie ein bapst erwehlet wirt. (Conclave.) Chalcocondylas, de reb. Tur. Bekk. 303. Sleidan, lib. 25. (1549).

1, 2, 3. Von dem jubeljar. (Darstellung; ohne geschichte.) Sleidan, lib. 21 (1549) Luther Tischr. 360ᵇ. Stumpffius 1, 71ᵇ.

1, 2, 4. Wie die päbst das pallium verleihen, und was es kostet. (Ohne erzählung.) Sleidan, lib. 4 (1523), lib. 13 (1541).

1, 2, 5. Von der Römischen keuschheit. (Jude läßt sich taufen, als er in Rom gewesen ist.) Repet. 4, 207. Bebel 73, sign. C7ᵇ: Historia de Judæo. Boccaccio 1, 2. Conviv. sermon. 1, 136. Bus. da Gabbio, Fortunat. Sicul. 3, F, S. 352. Luther, tischr. 157ᵇ. Pauli, Frankf. 1563, 61. Roomsch Uylensp. 500. Dunlop-Liebr. 220.

1, 2, 6. Warumb die päbst iren tauffnamen in der wahl verendern. (Sergius II hieß os porci.) Seb. Franck, Chron. 289ᵇ. Carion 152.

1, 2, 7. Von papst Agnes. (Päpstin Johanna.) Stephan. de Borbone; Quetif 1, 367ᵇ. Bern. Guidonis, Flores chron. Ms; Maii spicileg. Rom. 6, 202. Leo de Orvieto, in Lami, Del. erud. Flor. 1737, 3, 143. Jac. de Acqui, in Monum. hist. patr. script. 3, 1524. Petrarcha, Chron. delle vite de pontif. Venet. 1507, 55. Otto Ep. Frising. Marian. Scotus, a. 854. Sigebert de Gemblours. Godofr. Viterb. Mart. Polonus. W. Ockam. Joh. Huss. Boccacc. de clar. mulier. 99, bl. 73ᵃ. Gerson, opp. ed. Dupin 2, 71. Melander 3, 248. Korner, bei Eccard 2, 442. Seb. Franck, Chron. 289ᵇ. Luther, Tischr. 335ᵇ. Goltwurm 116ᵇ. Stumpffius 1, 222. Hondorff 306ᵇ. Geoffroi de Courlon, in Not. et extr. 2, 16. Martin le Franc, bei Oudin 3, 2466. Rioche, chron. 1576, 230. Eulogium, ed. Haydon 1858, T. 1. Heumann 1739. Kist 1843. Wensing. 1845. Bianchi-Giovini 1845. Puerperium Johannis papae 8, 1530. Guil. Jacobus Egm. Pitae pontificum, manuscr. cf. Wolfii lection. memorab. centen. 1671, S. 177. Stella, Vita papar. 1507, Eij. Mirabila urbis Romæ. Hemmerlin, opp. 1597, bl. 99. H. Sachs 2, 3, 122ᵇ: Mosheim. Kirchengesch. Spanheim, Exerc. de papa fœmina, opp. 2, S. 577. Theod. Schernbeck, apotheosis Johannis VIII. Ein schon spiel von frau Jutten etc. Eisleb. 1565. cf. Keller, Fastn. no. 111. Lenfant, hist. de la papesse Jeanne 1736. Allatii confutat. fab. de Joh. papissa, Colon. 1645. Luden, Gesch. 6, 513. Chalcocondylas, de reb. Tur. ed. Bekk. 303. Ἡ πάπισσα Ἰωάννα, ὑπὸ Δ. Ῥοΐδου. Ἀθήν. 1866. Maerlant, Sp. hist. 1857, 3, 220. Dollinger, die Papst-Fabeln, 1863, S. 1—45. Bering-Gould 1867, S. 173. etc.

1, 2, 8. Papst Sergii deß III tyranney. (Namentlich gegen die leiche des papstes Formosus.) Seb. Franck, Chron. 291ᵇ. Luther. Tischr. 334.

1, 2, 9. Von pabst Sylvester. (Sylvester II verschreibt sich dem teufel.) Seb. Franck, Chron. 291. Luther, Tischr. 335b. Chron. Platin. Hondorff 79b. Stumpffius 1, 235b. A. Lercheimer, Bedencken von Zauberey, in Theatr. de venef. S. 273.

1, 2, 10. Von pabst Hellebrand. (Gregorius VII.) Seb. Franck, Chron. 297.

1, 2, 11. Von pabst Johannes XXIII. (Wählt sich selbst.) Seb. Franck, Chron. 308b. Eutrapel. 1, 200.

1, 2, 12. Von bapst Felix V. (Gegenpapst Eugens IV.) Seb. Franck, Chron. 309b. Zincgref 1, S. 52, 2.

1, 2, 13. Pabst Julius II. (Soldat und trincker.) Seb. Franck, Chron. 314. Luther, Tischr. 334.

1, 2, 14. Von pabst Leo X. (Habsucht, ablaß.) Sleidan. lib. 1. Seb. Franck, Chron. 314b.

1, 2, 15. Vom pabst Paulo III. (Einzug in Nicea, 1534 etc.)

1, 2, 16. Papst Julius III. (Unkeuschheit.)

1, 2, 17. Von papst Pio III. (Krönung 1560.)

1, 2, 18. Wie der pabst das bischthumb sanct Johann de Lateran heimgesůcht. (Zug Pius des III.)

1, 2, 19. Inhalt der werbung, so von wegen pabst Pii 4 an die versamlung der chur- und fürsten zur Naumburg in Thüringen am fünfften tag deß Hornungs im jar nach Christi geburt 1561 geschehen. Sleidan, lib. 28 (Beuther 1561).

1, 2, 20. Antwot der chur- und fürsten auf vermelte der päpstlichen gesandten gethane werbung. Sleidan, lib. 28. (Beuther 1561).

1, 2, 21. Wie die offentlichen sessionen in den consilien gehalten werden. (In Trient.)

1, 2, 22. Von Johanne Diazio. (Seine ermordung.) Ware historia. Wie newlich zu Namburg... Diasius... etc. s. l. 1546, 4. Ein erbermlich geschicht, wie ein Spaniölischer und Rhömischer Doctor etc. Erffurd 1546, 4. Claud. Senarcleus, Historia vera de morte s. v. Joh. Diazii. s. l. 1546; abgedruckt in: Reformistas antiguos Españoles, T. 22. Madrid 1865. Sleidanus, Comment. lib. 17. Melander 1, 308. Lud. Rab. Martyr. 2. Hondorff 277b. Vgl. Herzog, Realencyclopädie s. v.

1, 2, 23. Ein erschreckliche zur bůß reitzende historien. (Der Augustiner Johann Hofmeister von Colmar wird 1547 irre und stirbt.)

1, 2, 24. Francisci Spiere erbermliche historia. (Gewißensbiße wegen falschen widerrufs, 1548.) Sleidan. lib. 21 (1548.) Fr. Spierae historia a quatuor summis viris composita. s. l. & a. Andere ausgabe. Amberg 1604, 4°. (Enthält die berichte des P. Vergerius, M. Gribaldus, H. Scotus und S. Gelous.) Warhaftige historia von einem doctor etc. Wittenb. 1549, 4. Eine andere übersetzung erwähnt Sixt. Tragica, S. 649. Eine erschreckliche und warhafftige historia ... so sick im jare 1548 tho Padua thogedragen, s. l. 1561, 8. (poet.) Historia von Fr. Spiera, wie derselbige etc. Frankfurth 1615, 4. (poet.) Jo. Reinhardus, Eine wünderliche geschicht, Francisli Spierae. Königsb. 1561, 8. (poet.) Lud. Rabe, Märtyr. 3, am ende. Goltwurm 140ᵇ. Fincelius 3, E6ᵇ. H. Estienne 1, 459. Hondorff 61. Happel 5, 641. C. L. Roth, Fr. Spira's Lebensende. Nürnb. 1829. Sixt, P. P. Vergerius, Braunschw. 1855, S. 125—160. Herzog, theol. Realencyclop. 14, 698.

1, 2, 25. Vom bischoff von Magdenburg. (Stirbt vor seinem einzuge, 1551.)

1, 2, 26. Vom tod Crescentii deß cardinals. (Erscheinung eines gespenstischen hundes, 1551 in Verona.) Sleidan, lib. 23. Hondorff 79. Magica 1, 51.

1, 2, 27. Gott hat mehr ein wüterich gestürtzt. (Stephanus Gardinerus, 1555, und andere.)

1, 2, 28. Von der fleissigen seelsorg der cardinälen. (Brauchen nichts zu verstehen.)

1, 2, 29. Von einem kostreichen bischoff. (In ehrensachen muß man nicht geizen.)

1, 2, 30. Ein bischoff stifftet ein thůmb. (Braucht jemand, der für ihn zur hölle fährt.)

1, 2, 31. Ein bischoff von Mentz fressen die meuß. (Hatto. Mäusethurm.) Guil. Malmesber. 3, 290, S. 468. Sigefr. 1, a. 923. Margar. facetiar. sign. P. Regentenbuch 2, 12. Cranz 2, 3. 1. H. Estienne 1, 568. Hondorff 219ᵇ; 220; 347; 371ᵇ. Geiler, arb. hum. fol. 71, sign. M5. Röpell, Gesch. Polens 1, 74. Banger, Thüring. chron. 35ᵇ. Luther, Tischr. 378. Manlius, S. 635. Seb. Münsterus 709. Franck, German. 139ᵇ; 300ᵇ. Fincelius 2, L6. Hedio, S. 340. Tragica, S. 664. cf. 77, 351. Abr. a S. Cl. Judas 1, 177. Döllinger, Papst-Fabeln, S. 36. Acerra 2, 26. Francisci, S. 521. Kopisch, der Mäusethurm. Grimm, kinderm. 3, S. 103; Sagen 1, S. 328, no. 241. cf. Hammer, S. 51.

1, 2, 32. Vom ehrgeitz der bischoff cardinäl und ebt. (Machen sich gegenseitig vorwürfe wegen ihrer prachtliebe.) Bebel 308, sign. Tt4ᵇ: De ambitione sacerdotum et episcoporum.

1, 2, 33. Ein bischoff zů Magdenburg vexieret die Jüden. (Zwei tage im prophey.) Pezel. postill. Mel. 4, S. 188. Melander 1, 90. Manlius, S. 196. Münster 1049. Pauli 389. Nugæ doctæ, S. 196. Zincgref 1, S. 4. Hammer, S. 176. Zeitverkürzer 677.

1, 2, 34. Ein bischoff von Cöllen wirdt brüchig. (Hält den grafen von Geldern gefangen, c. 1388.) Cranz, v. Hatto. Seb Münster 962. Hondorff 371b. Acerra 5, 11. Lyrum larum 235.

1, 2, 35. Ein unerhörte und unmenschliche tyranney deß bischoffs von Salzburg. (Wilddieb mit hunden gehetzt, 1557.)

1, 2, 36. Bekenntniß eines sterbenden prelaten. (Für die evangelische lehre.)

1, 2, 37. Hoffart eines abts von Fulda. (Bei der krönung Heinrichs zum römischen könig, 1184.) Seb. Münster, S. 712. Cranz 6, 5. Hondorff 425.

1, 2, 38. Von einem, der abt ward. (Schlüßel zur abtei.) Bebel 358, sign. Vv8b: Fabula domini Georgii Zwifuldensis. Pauli 500 Franck, Sprichw. 8. Egenolf, Sprichw. 297.

1, 2, 39. Von einem geilen abt. (Darf seiner regel gemäß nicht mehr als 20 fl. für die jungfrauschaft zahlen.) Bebel 37, sign. Cc2: De quodam abbate.

1, 2, 40. Von eim andern abt. (Gottlose wirthschaft im kloster.) Eigenes erlebnis, 1554. cf. Bebel 318, sign Vvb: De quodam abbate.

1, 2, 41. Was ein mönch für ein thier sey und waher er ein anfang genommen. (Mißglückte schöpfung des teufels.) cf. Heinr. Jul. ed. Holland, S. 897. Agricola 25. Ambr. Metzger 112, S. 220. Luther, Tischr. 372 (falsch 362).

1, 2, 42. Ein mönch hat ein kalb geboren. (Träumt, und findet es wirklich.) Bebel 257, sign. Ii5b: De quodam monacho. Convival. sermon. 1, 208.

1, 2, 43. Zween mönch wöllen kein fleisch sondern butter essen. (In der mitte zusammenkommen.)

1, 2, 44. Ein mönch predigt. (Heil. Francisce, bei wem willst du sitzen?) Bebel 170, sign. Gg4a: De quodam minore. Brentii pericop. præfat. Gretter. Melander 1, 68. Gast, sermon. conviv. 1, 198. d'Ouville 2, 54. Nouv. contes à rire, S. 42. Waldis 3, 100. Weidner, S. 294, 1; 4, 159.

1, 2, 45. Von einem gelehrten mönch. (Adam comedit de pomo fœtido.) Bebel 438, sign. a: De fratribus illiteratis Weidner 4, 277.

1, 2, 46. Ein zank zwischen einem mönch und edelmann. (Welcher stand der schlimmste sei.) Spangenberg 2, 449b.

1, 2, 47. Von der mönch geitzigkeit. (Die treppe hinabwerfen.) Bebel 82, sign. Dd: De monachorum avaritia. Pauli 497. Peregrination, S. 129.

1, 2, 48. Die trefflich, warhafftig und glaubwirdig history der vier kätzermönch, so zů Bern in Schweitz verbrennet worden. (Betrug mit falschen wundern.) (Th. Murner) Von den fier ketzeren Prediger ordens etc. Straßb. s. a. 4. De quatuor heresiarchis ord. prædicatorum, 26 Bl. 4. Nic. Manuel, Die war History von den vier ketzer prediger ordens, s. l. & a. oft gedruckt. Bebel 336, sign. Vv4[b]: De fratribus Bernæ combustis. Seb. Franck, Chron. bl. 219—224. Egenolf, Chron. 113[b]. Stumpffius 2, 455. Lavater, in Theatr. de venefic. S. 123. Hedio, S. 667. Hondorff 46.

1, 2, 49. Wie die papisten die geweyheten degradieren. (Beschreibung ohne geschichte.)

1, 2, 50. Ein mönch zeugt der Juden Messiam. (Ein mädchen.) cf. 1, 2, 56. Bebel 213, sign. G8[b]: Historia de Judæa filiam pro Messia pariente. Cæsarius 2, 23. Promptuar. de temp. 105. Wright, no. 80. Monach. Kirsgart; chron. Worm. c. 37; Ludwig, reliq. 2, 108. Delrio, Disq. mag. 2, 27, 1. Folz, 41. Keller, fastn. 1223. Meisterl. E. 9. Siegfr. Post. 3, 1093. Simpliciss. Vogelnest 2, cap. 15. Abrah. a S. Cl. Lauberhütt 1, 32. Journal v. u. f. Deutschland 1786, 2, 527. Memel 116. cf. Äschines, Ep. 10. Rufin. 11, 25. Cyrill. c. Julian. 7.

1, 2, 51. Einen mönch erschrecket seine bůlschafft. (Salbt sich mit dinte.) Casseler geschichte. Rosenplüt, Keller fastn. 1186.

1, 2, 52. Von einer greuwlichen that zweyer barfüsser mönche zu Orliens in Franckreich. (Falsches wunder, 1534.) Sleidan 9, 3. Convival. sermon. 2, 282. Luther, Tischr. 346[b]. Lavater, in Theatr. de venef. S. 126. Hondorff 347[b]. H. Estienne 1, 287.

1, 2, 53. Von keuschen mönchen ein historia. (Beim prügeln stellt sich heraus, daß einer der mönche ein weib ist.) cf. Morlino 22. Straparola 13, 9. cf. Le Grand 3, 81. C. nouv. nouv. 60, nebst den dort gegebenen nachweisungen.

1, 2, 54. Von andern mönchen. (Nur die priester dürfen mädchen bei sich haben.) Bebel 206, sign. Hh[b]: De monachis quibusdam.

1, 2, 55. Ein mönch beweinet sein unvermügenheit. (In der beichte.) Bebel 215, sign. Hh[b]: De monacho sene deflente suam impotentiam. Frey, Gartenges. 30. Roomsch Uylensp. S. 505. C merry tales, no. 25, S. 47.

1, 2, 56. Ein mönch beschlefft ein nonnen. (Statt künftigen bischofs wird ein mädchen geboren.) cf. 1, 2, 50; 6, 238. Bebel 222, sign. Hh2[b]: De fratre minore monialem gravidam reddendo: Hist. Alex. magni de preliis. Roomsch. Uylensp. S. 506. Boccacc. 4, 2. Masucc. 1, 2. Malespini 80. Cent nouv. nouv. 14. Lafontaine, contes 2, 16. Marmontel, Le mari sylphe. Contes persans, Malek.

1, 2, 57. Ein mönch langt eyer im ofen. (Geprügelt.)

1, 2, 58. Ein mönch ist ein katz. (Schwanz in die höhe, wenn gestreichelt.)

1, 2, 59. Von einem lügenhafftigen mönche. (Müßte fünf jahre lang die wahrheit sprechen, bis man ihm glaubte.) Weidner, S. 299, 3. Zeitverkürzer 186.

1, 2, 60. Ein mönch ist ein jungkfrauwenschender im land zu Preussen. (Achtjähriges mädchen in Danzig 1556.)

1, 2, 61. Ein roß salbet mönche. (1558 in der Champagne.) Eignes erlebnis.

1, 2, 62. Von einem reichen thůmbpfaffen. (Weint, weil ihm nicht der rechte wein gebracht ist.)

1, 2, 63. Ein ehrlich stück zweyer thůmbpfaffen. (Werfen den bürgermeister in den löwenkäfig; Cöln 1260.) H. Estienne 1, 568. Hondorff 371[b].

1, 2, 64. Von einem thůmbherren zů Straßburg. (Seine erben finden nur einen leeren kasten.) Seb. Münster 3. Hondorff 349[b].

1, 2, 65. Von einem thůmbherren, weiland zů Cassel gewesen. (Läßt der schustersfrau in seinem bette von ihrem manne ein paar schuh anmeßen.) Mündlich. Le Grand 3, 307 (4, 204). C nouv. nouv. 1. Straparola 2, 2. Malespini 53. Pecorone 2, 2. Bandello 1, S. 28. Arcadia de Brenta 26. Joyeus. advent. 20, 5. Les amants heureux, S. 19. Les souliers dorés, Opéra-com. Memel 116. Zeitverkürzer 597.

1, 2, 66. Von einem pfaffen und seinem hengst. (Beide betrunken.) Mündlich.

1, 2, 67. Pfaffen richten daß interim an. (Wiederherstellung der messe, 1550 in Straßburg.) Sleidan, lib. 21.

1, 2, 68. Teutsches ordens herkommen, und der ersten seiner institution. (1216 oder 1190.) Seb. Franck, Chron. 372[b] ff. Schupp 1, 390.

1, 2, 69. Von einem ungelehrten pfaffen. a. (Eichene kanzel statt tannener.) Bebel 7, c; sign. A3[b]. De sacerdote vera historia. Convival. sermon. 1, 253. b (Keine menschliche speise in den fasten.) Bebel 7, a; sign. A3[b]. Convival. sermon. 1, 253. Pacquils jests 40.

1, 2, 70. Ein pfaff prediget vom palmesel. (War ein hengst.) Bebel 14, sign. A4[b]: De altero (sacerdote). Convival. sermon. 1, 252. Room. Uylensp. S. 494. Weidner 4, 242.

1, 2, 71. Ein pfaff ist sehr gelehrt. (Abraham empfieng Isaac.) Bebel 28, sign. Bb4[b]: De quodam imperito sacerdote historia.

1, 2, 72. Von einem pfarherrn und seinen bauwren. (Predigt ein jahr lang dasselbe.)

1, 2, 73. Ein kale entschuldigung, warumb einer nit gern predig hörete. (Hört nicht gern schelten.) Bebel 95, sign. Dd3[b]: De illo qui non libenter divinos sermones audiebat. Scherz m. d. warh. 81.

1, 2, 74. Höflichkeit eines pfaffen, die bauren zur predig zů gewehnen. (Läßt erst nach der messe läuten.) Bebel 169. sign. Ff2[b]: Contra negligentes divinos sermones. Convival. sermon. 1, 267.

1, 2, 75. Von einem stationierer. (Ein heiligthum küßen macht pestfrei.) Bebel 63. sign. Cc5[b]: De eodem (sacerdote.) Convival. sermon. 1, 239. Melanchthon. Respons. adv. Colon. J. G. A. in Silva carmin op. Naogeorg. regn. papist. Melander 1, 46. Roomsch. Uylensp. S. 455 Manlius, S. 186. Frey, Gartenges. 32. Weidner, S. 75, 2: S. 243, 4.

1, 2, 76. Von disem noch ein historia. (Reliquien mit stroh verwechselt.) Bebel 64 und 65, sign. C6: De eodem. Lange S. 61. Melander, joco seria 1, no. 226. H. Estienne 1, 365.

1, 2, 77. Von demselben. (Reliquie mit kohle verwechselt. Repet. 5, 47. Bebel, 66, sign C6: De stationario quodam. Luther, Tischr. 360. Roomsch. Uylensp. S. 455. Boccacc. 6, 10. (Schmidt. S. 65.) H. Stephanus 1, 96. H. Sachs 1, 4, 99; 2, 4, 74. Montanus. Gartenges. 107. cf. Chaucer, Canterbury Tales, v. 703. Dunlop-Liebr. 23-.

1, 2, 78. Von demselbigen. (Ob er sich bei seinem geschäfte gut stehe.) Bebel 60, sign. Cc5[b]: De quodam sacerdote.

1, 2, 79. Von sanct Anthonii brůder ein historia. (Wer korn steuert, leidet während des jahres keinen schaden.) Poggius 261. Rimicius 15. S. 169. Ochinus 2, 91.

1, 2, 80. Eins pfarherrn lecherliche predig. (Im himmel nach seiner gemeinde gefragt.) Bebel 79, sign. C8[b]: Sacerdotis faceta concio. Room. Uylensp. S. 547. Pauli, 1570, S. 209.

1, 2, 81. Wie ein pfaff seine predig war seyn probierte. (Hatte die märchen von seiner mutter gehört.) Bebel 3-. sign. Yy2: De imperito sacerdote.

1, 2, 82. Eines pfarherrn bürgschafft. (Daß die gemeinde zum teufel fährt.) Bebel 311, sign. Vv: De sacerdote.

1, 2, 83. Von einem gelehrten zu Mentz. (Wird mit übergoldetem bleiklumpen betrogen.) Bebel 250, sign. Ii4[b]: De decepto quodam theologo.

1, 2, 84. Von eim prediger daselbst. (Widerruft seine lehre wider mehrere pfründen.) Bebel 346, sign. Vv6: De concionatore Maguncíæ. Pauli 546.

1, 2, 85. Ein predicant lebt seiner lehr zuwider. (Kann für 400 fl. nicht der eignen lehre gemäß leben.) Bebel 412, sign. Yy8b: De quodam concionatore.

1, 2, 86. Drey schöne predigten. Von dem ersten (Passionspredigt: Sehet selbst, wie sie ihn behandelt haben.) Hessische geschichte.

1, 2, 87. Von dem andern im land zů Thüringen. (Kurze predigt nach durchschwärmter nacht.)

1, 2, 88. Die dritte. (Es gab schon nüße, ehe sanct Margrete da war.)

1, 2, 89. Einer predigt von sanct Martin. (Stimme vom himmel: So ich dieser deiner gutthat vergeße etc.) Bebel 329, sign. Vv3b: De sancto Martino quidam ineptus sacerdos. cf. Münchhausen S. 4.

1, 2, 90. Von eim andern. (Eva zu Adam: Wenn du nicht vom apfel ißt, etc.) Bebel 330, sign. Vv4: Alius concionator.

1, 2, 91. Ein predig am christag. (Christus mit habernbrey genährt.) Bebel 108, sign. Dd4b: Ridendum dictum. Frey, Gartenges. 116.

1, 2, 92. Von einem deßgleichen. (In was für einem stalle Christus geboren sei.) Hessische geschichte, 1559.

1, 2, 93. Ein frag, was sanct Peter für ein meßer gehabt. (Als fischer ein fischerplauten.) Mündlich. Weidner 4, 259.

1, 2, 94. Ein pfaff will ein kind tauffen. (Gestank des ausfahrenden teufels.) cf. 2, 103. Bebel 232, sign. Hh4b: De sacerdote baptisante. Room. Uylensp. S. 459. Rastbüchlein 4.

1, 2, 95. Ein ander pfaff will ein kind tauffen. (Salta per tria.) Bebel 293, sign. Tt: De mirabili baptismo cujusdam sacerdotis. Erasmus, Annot. super N. T. S. 283. Melander 1, 98. Roomsch, Uylensp. S. 551. Barland, E7b. Frischlin, S. 21. Memel 158. Lyrum larum 164.

1, 2, 96. Von eim priester. (Zuchtbullen.) Bebel 54, sign. Cc4b: De quodam sacerdote. Roomsch. Uylensp. S. 546.

1, 2, 97. Ein pfaff zwingt ein bauren, das sacrament zů nemmen. (Der zu sterben fürchtet, wenn er es nimmt.) Bebel 297, sign. Tt2: De simili.

1, 2, 98. Ein pfarrherr ist truncken. (Taufformular am sterbebette.) Bebel 404, sign. Yy7: De sacerdote ebrio. Room. Uylensp. S. 511.

1, 2, 99. Von einem eselskopff, der ein krancken ölen wolte. (Werg für öl.) Bebel 225, sign. Hh2b: De alio sacerdote.

1, 2, 100. Von einem andern salbenden priester. (Kranker trinckt das öl heimlich.) Bebel 226, sign. Hh3b: De alio sacerdote.

1, 2, 101. Von eim andern. (Salbt die glieder, die gesündigt haben.) Bebel 227, sign. Hh4: De alio (sacerdote). cf. 279, Ss6b.

1, 2, 102. Ein pfaff verleurt sein rock. (Bei der auferstehung Christi.) Bebel. Room. Uylensp. S. 502.

1, 2, 103. Ein pfaff stürmpt die hell. (Flücht beim osterspiel, stirbt.) Aus Fulda.

1, 2, 104. Von eines pfaffen lügen. (Reiher und falke im bauche einer sau.) Bebel 376, sign. Xx4: De sacerdote aucupiario.

1, 2, 105. Von demselben. (Störche sind in Indien menschen.) Bebel 377, sign. Xx4: De eodem.

1, 2, 106. Eines pfaffen lecherliche antwort. (Sinnlose antwort auf sinnlose äußerung.) Bebel 1, sign. Aab: Facetum dictum cujusdam sacerdotis.

1, 2, 107. Ein pfarherr ist reich gnûg. (Lehnt eine gehaltserhöhung ab.) Bebel 331, sign. Vv4: De Udalrico comite Vuirtenbergensi principis nostri avo.

1, 2, 108. Von einem wunderlichen pfaffen im Franckenland, der Olhaf genennet. (Allerlei pfaffenhistörchen, zuletzt: permutiren.) Mündlich. Pauli 78.

1, 2, 109. Von einem ungelehrten pfaffen. (Joannem de Luterbach est mortuum.) Bebel 223, sign. Hh3: De ignaro sacerdote. Room. Uylensp. S. 550.

1, 2, 110. Von einem deßgleichen. (Examen durch geschenk bestanden.) Casseler geschichte.

1, 2, 111. Von einem pfarrherr. (Epiphanias verkünden. Pauli 584. Pezel. Post. Mel. 1, S. 427. Melander 1, 171. Weidner, S. 259, 3. Exilium, S. 496, no. 118. Remicius 14, S. 168.

1, 2, 112. Ein pfaff wil ein teuffel bannen. (Teufel will nicht; quia rumplas in grammatica.) Bebel 234, sign. Ii: Fabula de sacerdote et dæmone, eorumque controversia. Room. Uylensp. S. 5[illegible]. Memel 957.

1, 2, 113. Ein meßner ist gelehrter, dann der pfarrherr. (Ubi est calicem?) Margar. facetiar. sign. O5b. Room. Uylensp. S. 545. Peregrination, S. 77.

1, 2, 114. Noch von einem dises gesellen. (Martinus Abraham sinu.) Margar. facetiar. sign. O5.

1, 2, 115. Ein pfaff und meßner sein zû unfriden. (Wurst in der tasche.) H. Sachs 2, 4, 70.

1, 2, 116. Ein opffermann samlet oster eyer. (Bäckt seinen bauern kuchen daraus.)

1, 2, 116. Von der münsterischen und widertäuffer sect, von ihrem ursprung, lehr, auffrůhr und würgen. Item, wie Münster auffs letz genommen, und ir könig gestrafft ist. Sleidan, lib. 10. Hondorff 52b. Happel 5, 611.

1, 2, 118. Verfolgung der papisten gegen die Merindolaner anno 1545. Sleidan, lib. 16 (1535). Hondorff 30.

1, 2, 119. Ein bär ist ein feind der abgötterey zu Augspurg. (Beschädigt 1547 katholisches kirchengeräth.) Mündlich.

1, 2, 120. Ein ochß verjagt ein pfaffen. (Aus der kirche; 1551 in Volckach in Franken.) Eignes erlebnis.

1, 2, 121. Ein goldtschmid wirt dreymal begraben. (Zweimal vom henker, einmal von seinen freunden.) 1558 zu Troyes passirt.

1, 2, 122. Von einer warhafftigen geschicht in Franckreich anno 1561. (Demolirung eines evangelischen bethauses in Paris.) Mündlich.

1, 2, 123. Warumb die heiligen in der fasten verdeckt sein. (Des gestanks wegen.) Eigne begegnung.

1, 2, 124. Von deß todts botten. (Ehe er seinen befreier abholt.) Pauli 267; cf. 268. Hammer, S. 47. Passow, Τραγούδ. Ρομαϊκ. 426—433. Gött. gel. anz. 1861, 575.

Zweites buch.

2, 1. Alexandri magni freygebigkeit. (Alexander und Perdicas.) Plutarch. Alex 15; de fort. Alex. 2, 11. Justin. 11, 5.

2, 2. Ein ander histori Alexandri. (Verschließt Hephästion mit seinem siegel den mund.) Plutarch. Alex. 39. Apophth. 14. H. Sachs 4, 3, 56b.

2, 3. Alexander magni bancket und zecherey. (Streit mit Clitus.) Arrian 4, 8, 9. Plutarch, Alex. 50—52. Curtius 8, 1, 2; 8, 21. Justin. 12, 6. Seneca, de ira 3, 22; de clem. 1, 25. Valer. Maxim. 9, 3, extr. 1. Oros. 3, 18. Sabellicus 6, 4. Vinc. Bellov. spec. hist. 4, 45. Manlius, S. 230. Acerra 4, 35. Tragica, S. 173.

2, 4. Alexander magnus lest sich ein dirn regiern. (Xerxes palast angezündet.) Arrian 3, 18. Plutarch, Alex. 38. Diodor. Sic. 17, 72. Curtius 5, 7. Clitarch ap. Athen. 13, 37. Chronic. Ursperg. Regentenbuch 2, 7, 52. Hondorff 309.

2, 5. Königs Alexandri absterben. (Daniel 8.)

2, 6. Vom fürsten Parmenione. (Und dessen sohn Philotas,

der sich seiner geliebten gegenüber rühmt.) Arr. 3, 26; 27. Diod. 17, 79; 80. Curtius 6, 8—11; 7, 1, 2. Plutarch, Alex. 48, 49.

2, 7. Von Julio Cæsare. (Seine Ermordung.) Appius 2, 115. Plutarch, Caes. 63; Brut. 14; Anton. 13. Dio 44, 17. Livius 116. Sueton. 1, 81. Vellej. 2, 57. Flor. 4, 2, 95. Cicero, de divin. 2, 9, 23. Valer. Max. 1, 7, 2; 4, 5, 6. Vincent. Bellovac. spec. hist. 6, 41. Franck, Chron. 127^{b}. Carion Melanth. 246. Hondorff 259^{b}. Hans Sachs 5, 2, 300.

2, 8 Warmit der Cæsar sein kriegsvolck willig gemacht. (Macht es reich.) Sueton. 1, 38.

2. 9. Von Cajo Mario, einem römischen kriegsfürster. (Lebensabriß nach Plutarch, Mar.) Carion-Melanth. 236 u. s. w.

2, 10. Mehr von demselben. (Behandlung des kriegsvolks.) Ebendaher.

2, 11. Von Mario und Sylla. (Veranlaßung ihres streites etc.; summarisch.) Carion 97. Carion-Melanth. 70, 237. Hondorff 234 u. s. w.

2, 12 Pyrrhi, des künigs Epyri, miltigkeit. Fabricius. gold und elephant.) Plut. Pyrrh. co. Apophth. 10. Hedio, S. 33 Eus. Epidorp. S. 79. Acerra 4, 14. Histor. Handbüchl. S. 390, 71.

2, 13 Pyrrhus begert Rom zu sehen, und wer das verhindert. (Appius.) Liv. 13. App. Samn. 10. Plutarch, Pyrrh. 18, 19; An seni sit ger. resp. 21. Zonar. 8, 4. Cicero, pro Coel. 14, 34; Brut. 14, 55; 16, 61; Phil. 1, 5, 11; Cato 6, 16. Valer. Maxim. 8, 13. 5. Sueton. Tiber. 2. Florus 1, 18, 20. Justin. 18, 2. Ovid. Fast. 16, 203.

2, 14. Pyrrhi todt und untergang. (Kämpfender wolf und stier in Argos.) Plutarch. Pyrrh. 31 ff. Pausanias 1, 13, 7. Justin. 25, 5. Polyän 8, 68.

2, 15. Vergleichung M. Antonnii, des römischen keysers, und Demetrii, des königs Macedoniae. Plutarch.

2, 16. König Demetrius wil keine Klagschrift annemen (Wirft die Petitionen ins waßer.) Plutarch. Demetr. 24; 42.

2, 17. Von demselben Demetrio. (Begegnung mit petitionirendem weibe.) Plut. Demetr. 42.

2, 18. Xerxes richtet großen jammer an mit seiner hurerey und blutschand. (Xerxes und Artaneta.) Herodot, 9, 107.

2, 19. Blutschand Seleuci, königs in Asia. (Ein arzt erkennt die krankheit.) Lucian, de Dea Syr. 17. Plutarch. Demetr. 38. Plin. 29, 1. Appian, Bell. Syr. 59, 126. Valer. Max. 5, 7. ext. 1. Mesnewi 1, 67. Carion 68^{b}. Baudello-Belleforest 4, 9. Hammer, S. 163.

2, 20. Vom tyrannen Dionysio (Kirchenschänder etc., zuletzt schulmeister.) Plutarch Timol. 1, 13. Diodor. 16, 70. Athen. 12,

58. Aelian. 6, 12; 9, 8. Cicero. Tusc. 3, 12; de nat. deor. 3, 34, 83; ad fam. 9, 18, 1. Justin. 21, 5. Valer. Max. 1, 1, extr. 3; 6, 9; extr. 6. Amm. Marcell. 14, 11. Lact. div. inst. 2, 4. Demetr. Phaler. Herm. S. 252. Philo, de Joseph. S. 515, B. Jac. v. Cassalis 21ᵇ. Boccaccio, cas. illustr. 4, 4. Melander 3, 20. cf. Gesta Rom. lat. 8. Cento nov. ant. 6. Bromy. R, 1, 22. Vinc. Bellov. sp. hist. 10, 73. Eutrapel. 1, 215; 216. Albertinus 371.

2, 21. Vom selbigen Dionysio. a. (Von seinen töchtern rasirt.) Plutarch Dion. 9. de garrulitate 13. Cicero, Tuscul. 5, 20, 57. de offic. 2, 7, 25. Valer. Max. 9, 13. extr. 4. Amm. Marc. 16, 8. Aelian. 13, 34. Lyrum larum 278. Eutrapel. 1, 495. b. (Damocles.) Cicero. Tuscul. 5, 21. Philo ap. Euseb. Pr. Evang 8, 14. Macrob. Somn. Scip. 1, 10. Boethius, Con. Phil. 3; Pros. 15. Sidon. Apollin. 2, 13. Horat. Od. 3, 1, 17. Pers. Satir. 3, 40. Dion. Chrysost. Orat. 6, S. 97. Amm. Marcell. 129, 2. Arnoldus 1, 7, 1, 3. Holkot 70. Gallensis 1, 3, 1. Petrarcha, rer. mem. 3, 3, S. 441. Barlaam u. Josaph. (opp. S. 12; cf. Swan GR. 2, 458, note.) Rosweyde 6, S. 253. Golden Legend, bei Swan 2, S. 458. Gower, confess. amant. 1, f. 19ᵇ. (Swan 2, 458; Warton, CLXXX.) Vincent. Bellov. spec. hist. 123; spec. mor. 781. Bromyard, II, 2, 22. Gesta Roman. lat. 143; germ. 36; Scala celi 108ᵇ. spec. exemplor. G, 203. Rosar. 1, 48; 2, 8. Sermon. thes. nov. de temp. 53, P. Wright 102. Enxempl. 121, 223. Selentroist 141ᵇ. Jac. v. Cassalis 31ᵇ. Hubertus 30ᵇ. Lange, S. 17. Melander 1, 329; 3, 46. Gellert 1, S. 94. Hans Sachs, 3, 3, 46. Eyring 3, S. 17; 300. Regentenbuch 2, 5, 43. Eutrapel. 1, 178. Acerra 1, 92. Scherz m. d. warh. 4. Lyrum larum 320. Albertinus 332.

2, 22. Von könig Artos hoff, ritterspiel und der ehebrecher brucken. Montanus, Gartenges. 115. H. Sachs 1, 2, 172ᵇ.

2, 23. Von könig Carolo magno ein ware histori. (Hildegarde.) Crescentia, Schade, Berlin, 1853. Annal. Campidon. Vinc. Bellov. spec. hist. 7, 90. Diemer, kaiserchron. 347. Massmann, kaiserchron. 1136 8. Bareleta 45. Scala celi 32. Basile 22. Straparola 1, 4. Timoneda, Patrañ. 21. Selentroist 93ᵇ. Legrand 4, 45. Rosenplüt, Keller, fastn. 1139; 1433. Hagen, Ges.-Abent. 2. anh. 7. Hubertus 59. Gesta Rom. Ms.; Graesse. 2, 281, no. 8. Abr. a S. Clar. Lauberhütt 2, 100. Nic. Frischlin, comoed. Hildegardis. Jasander, no. 39. Happel 5, 161. Dunlop-Liebr. 265: anmerk. 383, 21. Haggenmüller, Gesch. d. Stadt Kempten 1840. Bd. 1. S. 20; nach chroniken. Adol. Erichius, Gül. chron. 4, 1.

2, 24. Ein kurtzer begrieff von Caroli magni leben. (Summarisch.)

2, 25. Miltigkeit keysers Maximiliani. (Diener stiehlt, kaiser läßt ihn noch einen griff thun.) Luther, Tischr. 479b. Hondorff 336. Camerar. op. subcis. 1, 65. Drexel. Nicet. 2, 10, 9. Lange 3, 19, S. 40. Weidner, S. 73, 2. Acerra phil. 5, 18.

2, 26. Maximiliano schenken die Venediger gläser. (Zerbrechen.) Pauli 623 (von Friedr. III). Ch. Brun. de legat. 5, 21 Castritius, S. 365. Zincgref 2; S. 8, 1.

2, 27. Einzug keyser Caroli V auff die krönung zu Bononia. (Beschreibung; ohne geschichte.) Seb. Franck, Chron. bl. 22..

2, 28. Belägerung der statt Wien. (Durch Soliman, 1529. Carion 214b. Seb. Franck, Chron. bl. 245. Seb. Münster 1298. Lewenklaw, S. 386; 442. Spangenberg 2, 242. Hondorff 245.

2, 29. Keyser Caroli zug von Bononia nach Augspurg (Festlichkeiten, 1530.) Seb. Franck. Chron. bl. 228.

2, 30. Türckenrüstung gegen die Christen. (1532.) Lewenklaw, S. 44; 390.

2, 31. Keisers rüstung gegen den Türcken. (1532; die Türken fliehen.) Ebendas.

2, 32. Städlein und schloß Güns. (1532 von den Türken belagert.) Carion 217. Lewenklaw, S. 390.

2, 33. Keiser Carolus V vor Witenberg. (Und Lucas Cranach, 1547.) Eutrapel. 1, 204.

2, 34. Ein anders, diesem nit gleich. (Meuchelmord dem kaiser gerathen.)

2, 35. Von dreyen gewaltigen königreichen. A, B. C b. (Gedicht: Hund und schatten.) item, 7, 129. Pauli 426. Franck. Sprichw. 1, 126b. Egenolf, Sprichw. 78b; 370b. Luther, Fabeln 5. bl. 271.

2, 36. Ein hund wird könig. (Frißt doch knochen.) Pauli 4.7 Saxo Gram. 7, 120. ed. Frankf. 1576. Liebrecht, in Heidelb. Jahrb. 1865, 1151.

2, 37. Von könig Alphonso. (Hofmann will ringe zweimal stehlen.) Castiglione 2. 73, S. 143. Camerar. Rhetor. S. 261. Melander 1, 235. Eutrapel. 1, 510. Wolgemuth 3, 78.

2, 38. König Alphonsi bericht von träumen. (Als er einen diener beschenkt hatte.) Castiglione 2, 82, S. 150. Democrit rid. S. 158. Exilium, S. 441, no. 53; 54.

2, 39. König Ludwig XI des namens in Franckreich ißet rüben. 2, 40. Abermahl von diesem könig. (Große rübe. pferd.) Lane, Arabian tales. S. 112. Raparius, S. Grimm Km. 3, S. 229. Convival. sermon. 1, 169. Nouv. contes à rire, S. 120. Scherz m. d.

warheit 2. Eutrapel. 2, 226. Helmhack, no. 136. L. H. v. Nicolay, die Traube. Grimm, Kinderm. 146; 3, S. 229. Merry tales and quicke answ. 23. Pasquils jests 51.

2, 41. Noch eine historia von diesem könig. 2, 42. Von diesem könig abermahl eine histori. (Laus und floh abgenommen.) Jac. Pontanus 2, 31, S. 392. Convival. sermon. 1, 170. Nugæ doctæ, S. 187. Scherz m. d. warh. 2ᵇ. Eutrapel. 2, 226. Merry tales and quicke answ. 24. Old Hobson 17.

2, 43. Von könig Heinrich 2 zu Franckreich. (Seine gestfreiheit.) Eignes erlebnis 1548.

2, 44. Noch ein lob dieses königs. (Begegnung mit schanzbauern, 1549.) Eignes erlebnis oder mündlich.

2, 45. Vom tod dieses löblichen königs anno 59. (Im turnier.) Hammer, S. 419.

2, 46. Wie könig Heinrich 2 zu Franckreich die auffrührischen Gaßconien gestrafft. (1548.) Eignes erlebnis.

2, 47. Von einem marquis auß Franckreich. (Markgraf Wilhelm von den Saracenen gefangen, entführt die Saracenenkönigin.) Aus einer alten handschrift. Firenzuola, nov. 1. Dunlop-Liebr. S. 272.

2, 48. Von hertzog Ludwig zu Meyland. (Kehrt den staub aus einem bilde der Italia.) Lewenklaw, S. 338.

2, 49. List und behendigkeit der königin in Arthemisia auß klein Asia. (Bohrt befreundetes schiff in den grund.) Herodot. 7, 99; 8, 68; 87; 93; 101. Polyän 8, 53. H. Sachs 5, 2, 320ᵇ. Zeißeler, S. 244.

2, 50. Lob Isabellae, etwan königin in Hispania. (Ohne erzählung.) Castiglione 3, 35, S. 199.

2, 51. Der Türcken wahlfart gen Mecca und Medina. (Beschreibung; ohne geschichte.) Lewenklaw, S. 304.

2, 52. Zu hohen ehren auff- und absteigen. (Achmet bassa.) Lewenklaw, S. 281; 366.

2, 53. Ehebruch begangen und bestrafft. (Achmet bassa.) Lewenklaw, S. 279. Carion-Melanth. 1013.

2, 54. Ein falscher prophet geboren. (1532 in Babylonien.) Hondorff 81.

2, 55. Von untergang der stad Rom, und derselbig historia summarie verfaßt. (1527.) Seb. Franck, Chron. 232. Egenolf, Chron. 121.

2, 56. Prophecey von solcher verwüstung der stadt Rom. (Von Johannes paptista.) Aventin. Chron. 2. Seb. Franck, Chron. 235. Hondorff 72.

2, 57. Sanct Peter und Paul roth gemahlet; warumb. (Von Raphael; sie schämen sich.) Castiglione 2, 76. S 145. H. Estienne 2, 315; 316. Weidner 363, 1. Eutrapel. 1, 509.

2, 58. Comportament auß dem urbinischen colloquio (Hauslehrer verlangt, daß sein bett gemacht werde.) Castaglione 2, 58. S. 131.

2, 59. (Mattonato-matto nato.) Castiglione 2, 58, S. 132.

2, 60. (Einäugig.) Castiglione 2, 59, S. 132. Cicero, de orat. 2, 246. Ens, Epidorp. S. 113. Weidner, S. 133, 1; 4, 492.

2, 61. (Ohne nase) Castiglione 2, 59, S. 132, 133.

2, 62. (Watsack vorn statt hinten.) Castiglione 2, 60, S. 133. Pontanus 1, 5, 95, S. 232 Abr. a S. Cl. Lauberhütt 1, 135. Eutrapel. 1 507. Lyrum larum 117. Vorrath 66.

2, 63. (Calfurnio; pro haereticis et schismaticis.) Castiglione 2, 62, S. 135. Weidner, S. 133, 5; 4, 493.

2, 64. (Ludovico da Canossa kann spiegel nicht leiden.) Castiglione 2, 62, S. 135.

2, 65. (Jemand fastet und betet gern.) Castiglione 2, 62, S. 135. Weidner, S. 134, 1.

2, 66. (Brauchbares pferd.) Castiglione 2, 62, S. 135. Eutrapel 2, 30.

2, 67. (Stoßen: Aufsehen!) Castiglione 2, 77, S. 146. Cicero de orat. 2, 279. Ursinus, mantissa 66. Abr. a S. Cl. Lauberhütt 3, 176. Lyrum larum 248.

2, 68. (Vorreiten!) Castiglione 2, 63, S. 135. Pontanus 1, 5, 96, S. 232. Nugæ doctæ, S. 89. Weidner, S. 135, 1. 4, 139; 187. Eutrapel. 2, 490. Lyrum larum 258. Memel 161.

2, 69. (Tre conti.) Castiglione 2, 63, S. 136.

2, 70. (Quot cœlum stellas, tot habet Roma puellas.) Castiglione 2, 61, S. 133. Ovid. art. amat. 1, 59. Weidner, S. 133, 3; 4, 493.

2, 71. Ein bischthumb wird verliehen. (Caglio; Proto da Luca.) Castiglione 2, 62, S. 134.

2, 72. Fünff nonnen beschlaffen. (Quinque talenta dedisti mihi.) Castiglione 2, 61, S. 133. Abstemius 104. Luscinius, no. 8 Weidner, S. 133, 4.

2, 73. Ein thumherr turnieret. (Mit den fäusten) Casseler geschichte; Juli 1535.

2, 74. Dreierley herrschafft in einer statt. (Bischof, weiber, teufel.)

2, 75. Ein münch fellt mit dem predigstul umb. (Über ein kleines werdet ihr mich sehen etc.) Mündlich.

2, 76. Von einem vollen pfaffen. («Grün ist geweblet».) Pauli, Anh. 36. Melander 642. H. Estienne 1, 542. Waldis 4, 31. Eyring 2, 271.

2, 77. Von einem opferman deßgleichen. (Im schlafe: Et cum spiritu tuo)

2, 78. Ein opffermann wil ein halb jar nachdienen. (Bis ein anderer gefunden ist.)

2, 79. Von einem sehr seltzamen pfaffen. (Kurze predigt in gegenwart zweier neugierigen fremden.) Vgl. 5, 60.

2, 80. Von einem geilen pfaffen. (Wird vom ehemanne gezwungen, sich selbst zu verschneiden) Hedio, Chronik 4. Tragica, S. 664. Hondorff, 307b.

2, 81. Von einem andern deßgleichen pfarrherrn eine lustige histori. (Im eierkasten versteckt und mit hunden gehetzt.) Joyeus. aventures citiert.

2, 82. Von einem ungelehrten papst esel. (Die vierzigtägigen fasten aufgehoben) Poggius 11, S. 425. Frey, Gartenges. 14 Cent nouv. nouv. 89. Malespini 2, 62. Gresset, Le carème impromptu, oeuvr. 1. Joyeus. aventur.

2, 83. Ein münch wil nicht arbeiten. (Wäre sonst nicht mönch geworden.) Eignes erlebnis, 15 Juli 1558.

2, 84. Von einem fräßigen münch. (Freßergeschichte.) cf. Pauli 249.

2, 85. Ein einäugigter mönch ist ein artzt. (Arznei einblasen, auge verlieren.) Umgestaltung von 1, 343. Joyeus. avent.

2, 86. Von etlichen andern barfüßern mönchen ein histori. (Ehezehnten.) Poggius 154. Frischlin, S. 13. Malespini 23. C. nouv. nouv. 32. Lafontaine, contes 2, 3. Passe-partout de l'eglise romaine 1717, 1, 347. Dunlop-Liebr. 296b. Montanus, Gartenges. 106. Brant, C5. Melander 8, 219. Roomsch. Uylensp. S. 482.

2, 87. Von einer wolffsgruben. (Ehebrecher gefangen.) Cent nouv. nouv. 56. Malespini 2, 1. Keller, Erzähl., S. 365. Rosenplüt, Keller faßn. 1195. Mone, anz. 8, 105.

2, 88. Zween cordeliers erschrecken vor einem kalb. (Als einem nächtlichen gespenste.) Joyeus. aventures.

2, 89. Von gottlosem aberglauben. (Die vier evangelisten: Mattheus, Marcus, Pilatus und Herodes.) Pennalpoßen, C6. Luther, Tischr., 276b. Eutrapel. 1, 564.

2, 90. Von demselbigen irrthumb. (Vier evangelisten beim gewitter.) Mündlich.

2, 91. Segen Kilian Srameßers und anderer. (Betrachtung, ohne geschichte.)

2, 92. Von einem gesegneten roßdieb. (Hielt sich für schußfest, wurde erschossen.) Anno 1559.

2, 93. Dessen ein exempel. (Schußfester nimmt sich die kugeln aus dem wamms, aber verbrennt mit einem pulverfaße.) Bräuner, Curiosit. S. 365. Luther, S. 109. Grimm, Sagen, 255.

2, 94. Extenuatio der zauberey. (Blose betrachtung.)

2, 95. Kilians segen. (Hinter einer elf fuß dicken mauer schußfest.)

2, 96. Vom strudel in der Thonaw. (Unter Linz; Beschreibung.) Happel I, 417.

2, 97. Von unnützen dräwungen. (Jemand bedroht die schiffsleute mit schlägen, wenn das schiff gesunken wäre.) Pennalpoßen, E1b.

2, 98. Verstorbene heiligen soll man nicht anruffen. (Petrus Paganus vertraut gott, nicht den heiligen.) Gritsch 7, L. Abstemius 21. Waldis 250. Wolgemuth 235.

2, 99. Sanct Christophori bildnus und heiligkeit (Maria heiliger als Christoph; der esel, der Maria und Christus getragen, am heiligsten.) Poggius 198, S. 473. Joh. Stygelius. Melander 3, 157. Frey, Gartenges. 81. Jac. Pontanus, S. 814. Weidner, S. 259, 6. Entrapel. 2, 705. Merry tales and quicke answ. 2. A bucke of merry riddles, 16, 7. Halliwell, literat. of the 15 and 16 cent. 1851, S. 73.

2, 100. Seine allegoria. (Der legende von sanct Christoph. Luther, Tischr. 511.

2, 101. Ein gelehrter redet schimpflich von gottes wort. (Hundertfache vergeltung; auch hundert frauen und geschwister?

2, 102. Ein einfeltige predigt. (Verkündigung Mariæ: »wie, tausend teufel, komm ich dazu?«)

2, 103. Von einem der ein kind taufft. (Der wärterin entgeht ein wind.) Bereits 1, 2, 94.

2, 104. Von einer andern kindtauff. (Aberglauben mit rosmarinkranz in Frankreich.) Eignes erlebnis, 1548.

2, 105. Von einem andern prediger. (Dessen concept von der canzel fliegt.) Mündlich.

2, 106. Wider von demselben. (Ausrüstung zur Frankfurter messe.) Mündlich.

2, 107. Ein pfarrherr ißet kirschenmuß. (Wagenschmier statt kirschenmuß.) Mündlich. Melander 3, 580.

2, 108. Weiter von demselben. (Singt durch die nase.)

2, 109. Noch mehr von diesem pfarrherrn. (Sein mauresel ist betrunken.)

2, 110. Mehr von demselben. (Dem esel brennesseln unter dem schwanz.)

2, 110. Mehr vom selbigen pfarrherrn, ein lustige histori. (Ein schalk erscheint 1541 als sein doppelgänger.) 106—111 einem genauen bekannten Kirchhofs passirt, also mündlich.

2, 112. Von einem pfarrherrn, der ein artzt war. (Recept eines wunderdoctors, 1544.)

2, 113. Von einem untrewen medico. (Der arzt des Pyrrhus erbietet sich, ihn zu vergiften.) Pauli 660. Plutarch, apophth. rom. Fabricius 4, 5. Amm. Marc. 30, 1. Val. Max. 6, 5, 1. Dio ap. Maj. S. 583, 563. Suidas v. ἀποστυγοῦντες v. Φαβρίκιος. Zonar. 8, 5, 6. Seneca, ep. 120. Florus 1, 18. Eutrop. 2, 14. Livius, ep. 13. Cic. de off. 1, 3, 40; 3, 22, 86; de fin. 5, 22, 64. App. Samn. 11. Erasmus Rot. D3. Exilium, S. 476, no. 45. Histor. Handbüchl.

2, 114. Von demselbigen. (Dieselbe geschichte nach Plutarch.) cf. 2, 113.

2, 115. Geschicklichkeit eines wundartzt. (Zwei augen gebühren nur dem adel.) Castiglione 2, 77, S. 146. Weidner, S. 138, 3.

2, 116. Ein esel heißt den andern sacktrager. (Quacksalber.) Casseler geschichte.

2, 117. Von Georg vom Hartz. (Ein anderer quacksalber schilt den vorigen.) Casseler geschichte.

2, 118. Abermal von Georg vom Hartz. (Und einem dritten Theriakskrämer.) Casseler geschichte.

2, 119. Von Johann Pierre von Senis. (Brod und wein.) Eutrapel. 1, 804. Wolgemuth 1, 77.

2, 120. Einer brockt sein hünern. (Steckt bei tische das brod in die tasche; bier dazu.) C merry tales, no. 20, S. 39. Zeitverkürzer 379. Weidner 4, 175.

2, 121. Wem die publicani und zöllner zu vergleichen. (Knochen unter dem tische des Juden.) Josephus, antiq. 12, 4, 9. Suidas, v. Πτολεμαῖος ὁ βασιλ. Disciplina cleric. 22, 1—3. Vincent. Bellov. spec. mor. 3, 4, 1, S. 1147. Jovin. Pontan., sermon. 6, 2, S. 1732. Poggius 59, S. 437. Lael. Bisciola. hor. subsec. 1685, 1, 18, 2. Lange, Democrit. rid. S. 78. Barlaud, B7. Giraldo Cinthio, Hekatom. 7, 6. Le Grand 2, 238. Sermon. convival. 1, 168. Parangon des novelles, bl. 22. Domenichi, facet., S. 121. Facéties et mots subtils, S. 186. Plais. journées de Favoral, S. 185. Eyring 2, 106 (von Socrates). Barland, B7. Jac. Pontan. S. 807. Memel 557. Eutrapel 1, 547; 731. 3, 165. Wolgemuth 3, 48. Schmidt, Disc. cler. 148. Gladwin, Persian monschee, 2, 35. Ellis, specim. 1, 139. Dunlop-Liebr. 280.

2, 122. Was friedfertig sein für nutz schaffe. (Henn Femel; die parteien vergleichen sich unterwegs.)

2, 123. Von einem zimmermann und meßerschmid. (Schmidt läuft auf den balken des zimmermanns hin.) Casseler geschichte.

2, 124. Von einem vatter, sohn und esel. (Der welt lauf.) Pauli 577; ferner: Lange 177. Schola curiositatis, S. 130. Exilium, S. 173, no. 53; S. 283, no. 5; cf. no. 6. Hebel, S. 11.

2, 125. Was die welt seye, eine kurze definition. (Gedicht, ohne Erzählung.)

2, 126. Von brillen aufsetzen. (In den Niederlanden trägt man brillen, um die augen zu schonen.) Ohne geschichte.

2, 127. Einer besihet ein schwein durch die brillen. (Da erscheint es ihm groß; später klein.) Wolgemuth 2, 84.

2, 128. Von handwerkern. (Und ihrer schlechten waare.) Ohne erzählung.

2, 129. Von einem warhafftigen schneider. (Curt Pfaltz in Cassel.) Langjähriger bekannter Kirchhofs.

2, 130. Vom lügenbuch. (Der verfasser weiss es auswendig.) Eignes erlebnis.

2, 131. Wunderlichkeit eines schneiders. (Die eltern streiten über den beruf ihres sohnes.) cf. 1, 371.

2, 132. Eine höfliche vexatio seiner selbst. (Ein wachtmeister anstatt des arrestanten geprügelt.) Casseler geschichte; mündlich.

2, 133. Von Jacob Plack und seiner banck. (Die er 18 meilen weit nach Cassel schleppt.) Mündlich.

2, 134. Mehr von demselbigen. (Nimmt einen grossen sack um drei gulden zu tragen.) Mündlich. Melander I, 571. cf. H. Sachs 5, 3, 346b. Zeitvertreiber 37. Weidner 4, 161.

2, 135. Von unnützem rühmen. (Diener mit kaiser und königen — draussen.) Mündlich.

2, 136. Von eim lederbereiter zu Parіß. (Tapeten von häuten; will nichts geliehenes im hause haben.) Wohl mündlich.

2, 137. Vom geltborgen. a. (Arm und ohne schulden vergnügt; mit schulden traurig.) Horat. 1, ep. 7, v. 46. Bromyard, D, 11, 28. Vinc. Bellov. 1, 3, 104, S. 572. cf. S. 1257. Specul. exempl. 9, 60. Scal. cel. 80b. Wright, no. 70. Specul. exemplor. 9, 60. Promtuar. T. 8, 9. Bareleta 79b. Guicciard. 136. Des Periers 81. Lafontaine 8, 2. Divert. cur. courr. fac. 36, 3. Lect. divert. Waldis 4, 82. Chasse-ennuy 242. Florian 2, 4. Weidner, S. 287, 7. H. Sachs, bei Neumann, S. 34.

Hagedorn 116 (2, 90). Meier, Volksm. 139. b. (Krähe mit fremden federn.) It. 7, 52.

2, 138. Von einem schmidt und seinem knecht. (Der meister macht um 9 statt um 7 feierabend, der gesell steht um 6 statt um 4 auf.)

2, 139. Schmidt sind balger worden. (Schlägerei.) Casseler geschichte; 1588.

2, 140. Müllenknappen und ihr gewohnheit. (Erhalten täglich nur Eine mahlzeit.) Mündlich.

2, 141. Ein schäffer rathschlagt mit seim stecken.) Ob er seinen herrn belügen soll, oder nicht.)

2, 142. Ein bauwer gewinnt ein ochsen. (Mit einer büchse, für welche er seine einzige kuh hatte verkaufen müssen.)

2, 143. Einer kan keines betens warten. (Bei tisch.) Casseler geschichte.

2, 144. Von einem, der nicht rath hielte. (Mehr warme stuben, als kalte tage.) Mündlich.

2, 145. Von einem deßgleichen. (Stirbt an der pest.) Mündlich.

2, 146. Von einem trunckenen Holländer. (Hält sich für todt.) Cent. nouv. nouv. 6. Malespini 2, 47. Boccaccio 3, 8. Bandello 2, 17. Grazzini 2, S. 117. Lafontaine, Contes 4, 7. cf. Gesammtabent. 45. Southern, The fatal marriage; Schmidt, Beitr. 24. Dunlop-Liebr. 228.

2, 147. Von einem jungen schlemmer. (Creditloser lässt den tod seines vaters bekannt machen, um sich geld zu verschaffen.) cf. Mori da Ceno, nov. 13.

2, 148. Ein naschmaul läufft übel an. (Trinkt aqua forte statt branntwein.) Casseler geschichte, 1578; mündlich.

2, 149. Dem eyß nicht zu vertrauen. (1583 trägt das eis den einzelnen nicht, aber viele helfende.)

2, 150. Ein mißgeburt. (1597 zu Reichensassen.)

2, 151. Von der wirkung der natur. (Haupthaar älter als barthaar.) Pontanus 1, 5, 35, S. 207. Democrit. rid. S. 133. Nouv. contes à rire, S. 152. Roger Bontems, S. 96. Nugæ doctæ, S. 93. Zincgref 1, S. 32. Exilium, S. 213, no. 195. Memel 242. Eutrapel. 1, 82; 676. Helmhack, no. 188. Wolgemuth 2, 28.

2, 152. Ungläublich ding aus eines menschen leib geschnitten. (Nagel, holz, messer etc.; bei Eichstädt in Fliegenstall.) Fincelius 2, G2ᵇ. Joh. Langius, epist. medic. 1, 28. Vierius, de præst. dæmon. 3, 8. Magica 115ᵇ; 117ᵇ. Ant. Benivenus, de abdit. morborum causis 8. Bodinus 142. Hondorff 84ᵇ.

2, 153. Montabur verbrannt. (1534.)

2, 154. Ein groß wasser und schlossen. (Einleitung zu no. 155.)

2, 155. Merck vorstehendes erklerung. (1534 bei Mainz.

2, 156. Unzieffer aus der lufft geregnet. (1593, in Cassel?)

2, 157. Holer ungehewrer berg. (Bei Amberg; 1525 kriechen 25 bürger hinein.)

2, 158. Ein trach thut schaden. (In der Schweiz; Winkelried tödtet ihn.)

2, 159. (Fehlt.)

2, 160. Etliche zufällige geschichten, anno 1540. (Chronikartige notizen.)

2, 161. Sonderlicher list der brenner. (In Wennfried wird ein mit pulver angefüllter beutel in die speisekammer gelegt.)

2, 162. Faßnacht in der Schlesien. (Da die gäste abschlagen, werden teufel geladen.) Nach einem 1540 erschienenen Pamphlet. Han, Kirchenbuch, S. 40. Fincelius 2, T2ᵇ. Magica 1, 45ᵇ. Hammer, S. 449. Zeißeler, S. 327. Lyrum larum 306.

2, 163. Wunderbare geschicht von einem gespänst. (1595; wirft mit steinen.)

2, 164. Seltzame fantasey eines krancken. (Guter und böser geist an der seite.) Casseler geschichte, 1596.

2, 165. Von einer seltzamen erscheinung. (Todter erscheint.) Casseler geschichte.

2, 166. Hüt dich vor bettlern. (Sie stehlen bisweilen.) Mündlich?

2, 167. Wild sauw, wo und wie die gefangen. (Räuberhauptmann, 1540.)

2, 168. Ein Sältzer erschlägt den teuffel. (Räuber in einer kuhhaut.)

2, 169. Listiger betrug eines botten. (Zieht einen fremden kostbaren pelz an und giebt vor, er habe die pest.)

2, 170. Ein behender diebstall. (Der dieb giebt sich für den vetter des betrunkenen aus.)

2, 171. Von einem deßgleichen. (Gestohlene kette ist unächt.)

2, 172. Einer bringt zwo ketten davon. (Und rühmt sie von seiner geliebten erhalten zu haben.)

2, 173. Von dreyen dieben ein histori. (Zwei ermorden den dritten.)

2, 174. Ein betrieger verkaufft zinn für silber. (1566 in Frankfurt.) Mündlich.

2, 175. Von einem andern betrieger. (Stellt sich ver-verwundet.) Mündlich.

2, 176. Einem wird sein tasch gestolen. (Meßgewand stehlen.) Pauli, Anh. 34. Exilium, S. 50, no. 75. Roger Bontems, S. 114. Convival. sermon. 1, 299. Memel 483.

2, 177. Einer, so gestolen, wil from werden.) Als ihm das leben geschenkt wurde.) Casseler geschichte, 1567.

2, 178. Von einem muttermörder. (1576.)

2, 179. Ein schändlicher mord eines ehemans. (Erhängt sich dann im gefängniss.) Mündlich.

2, 180. Große untreuw eines manns an seinem eheweib. (Stösst sie in eine grube. 1594 (1549) in Breidaw bei Sondra.)

2, 181. Mord und diebstal bey einander. (Schreiber getödtet und beraubt.) 1594.

2, 182. Einem edelmann seinen sohn entführt. (1595 zu Lemgaw im Lippischen.)

2, 183. Ein erbärmlicher kindermord, anno 95. (Eltern morden ihre tochter und werfen sie in die Werra.) Hessische geschichte.

2, 184. Mord zu Zehnder im ampt Homberg in Hessen. (Schwangere geliebte, 1597.) Hessische geschichte.

2, 185. Ein ander unthat hart gestrafft. (Bauer versucht seine ganze familie zu vergiften; 1597.)

2, 186. Ein mörder ist reiff. (Trinkt seinen mordgesellen am galgen zu.) Casseler geschichte.

2, 187. Listige dieberey eines Juden. (Stiehlt unter dem vorgeben, sich taufen laßen zu wollen.)

2, 188. Beraubung eines Juden. (In Obernmeldrich unter Fritzlar.) Hessische geschichte.

2, 189. Mutwil eines diebischen Juden. (Am halse oder an den füßen hängen?)

2, 190. Einer mit ruthen außgehawen. (Geht langsam.) Castiglione 2, 51, S. 126. Guicciardini, bl. 6. Bellefor. 22. Ens. 19. Pontanus 2, 176. Exilium 141, no. 50. Eutrapel. 2, 176. Helmhack, no. 124. Memel, 494.

2, 191. Freibeuter treffen unrecht an. (Werden überlistet; 1597 am Rhein.)

2, 192. Von einem unverständigen bawren. (Der pfarrer spricht die beichte vor; ist ein gottloser mensch.) Castiglione 2, 64, S. 136.

2, 193. Von einem ungehobelten bawren knebel. Ärztlichen rath suchend.)

2, 194. Von einem reichen nachläßigen. (Läßt aus geitz seine ländereien zu grunde gehen.) Mündlich.

2, 195. Von einem deßgleichen. (Hungerige ochsen können den pflug nicht ziehen, esel auch nicht, so trägt der herr ihn selbst heim.) Poggius 57, S. 436. Jac. Pontanus, S. 813.

2, 196. Von einem närrischen herrn und knecht. (Pferd tritt den diener an den schenkel und den herrn an den kopf.) H. Estienne 1, 26. Abr. a S. Cl. Huy, F4. Eutrapel. 1, 829. Merry tales, wittie quest. 1. Pasquil's jests, S. 15.

2, 197. Närrischer anschlag eines kundschaffters. (Läßt sich bei der belagerung von Troyes vor einem hinterhalte aufhängen.)

2, 198. Hunde zu verkauffen bringt ein bawer zu marckt. (Bringt große hunde, da er sieht, wie theuer schon die kleinen bezahlt werden.) Exilium, S. 289, no. 76. H. Estienne 1, 25.

2, 199. Auslegung des vorigen. (Ohne erzählung.)

2, 200. Chuntzs von Stöcken weißlichs bedenken. (Wie man aus der Schweiz herauskomme.) Bereits 1, 409.

2, 201. Triboulet, ein narr. (Lebe ruhig zu hause.) cf. 1, 408.

2, 202. Wunderliche anschläg dieses narren. (Will mit einem närrischen doctor tauschen.)

2, 203. Dieses narren bedencken vom krieg. (Beßer zu hause bleiben.)

2, 204. Von vergebener arbeit. (Narr Jochim; mohrenwäsche.)

2, 205. Kurtze erklärung des vorigen. (Mohrenwäsche. Aesop. Kor. 75, S. 45; Nevelet 75. Epigr. Graec. Lucian, lib. 2. Erasmus, Adag. 1, 4, 50. Camerar. 115. Cognatus 72. Themistios ap. Heus. S. 64. Aphthon. 6. Syntipas 41. Barth 4, 5; Lyricor. 2, 23. Alciatus 29, S. 273.

2, 206. Eines narren kluge antwort. (Der himmel sei ein schönerer bau, als der seines herrn.) Pontanus 2, 34, S. 393. Zincgref 1, 257, 3.

2, 207. Ein kurtzweiliger bawr. (Ciriacus; wird 1564 durch unbeschriebene zettel zu seinem herrn beschieden.)

2, 208. Von demselbigen bawren. (Als einen zarten ausdruck gebraucht er einen recht groben.)

2, 209. Von demselbigen. (Kleines und großes geflügel; nimmt die taube.) cf. 1, 213.

2, 210. Von demselbigen noch eins. (Ackern ist sicherer, als erz graben.)

2, 211. Noch eins von diesem bawrn. (Guckus-guckuck.)

2, 212. Von meister Hämmerlein. (Wird auff dem sterbebette von seiner frau erstickt.)

2, 213. Hans Wechter zum thorwart verordnet. (Läßt das gesindel ein und weist die geladenen gäste zurück.) Casseler geschichte. cf. Vita Aesopi.

2, 214. Todtengräber finden gelt. (Beim graben eines grabes.) Hessische geschichte.

Drittes buch.

3, 1–4. Von ankunft des weltlichen regiments und adels. (Ohne erzählung.)

3, 5. Marggrave Waldemars heyrath und abgang. (Hof in Rostock, 1320.) Lewenklaw, S. 243.

3, 6. Ein müller wil des reichs churfürst sein.

3, 7. König Heinrichs 3 auß Franckreich zug in Polen (Blose beschreibung.) Eignes erlebnis, 1573.

3, 8. Eines keysers hochlöbliche Gewonheit. (Ieden bittenden zu hören. Schmieren, abweichend.) Pauli 124. Nugæ doctæ S. 135. Exilium, S. 375, no. 93.

3, 9. Ein ander casus, diesem nicht ungleich und lustig. (Bauer schmiert seinen fürsten, bei tafel etc.)

3, 10. Von eines churfürsten bawen und miltigkeit. (Baumeister behält eine baustelle für sich.)

3, 11. Von landgraff Otto, genannt Schütz, ein histori. Winkelmann, Hessen und Hersfeld, 2, S. 318 u. s. w. Kinkel, Otto der Schütz.

3, 12. Landgraffe Philippus magnanimus kaufft undanck, etc. (Schenkt unerkannt einer frau geld, die es dem landgrafen glühend in den leib wünscht.) Melander 1, 742. Rommel 6, 9, S. 434. Dithmar, S. 14. Grimm, Sagen, 563.

3, 13. Dem landgraffen führet ein bauer holtz. (Sagt demselben unbekannter weise die wahrheit.) Rommel 6, 9, S. 434. Dithmar, S. 12.

3, 14. Von demselbigen fürsten. (Erlässt einem bauern eine leistung, weil er landgraf heisst.) Dithmar, S. 12.

3, 15. Ein anders hiervon. (Ein anderer will ebenfalls frei sein, wird aber abgewiesen, weil er nicht landgraf heisst.) Rommel 6,

9, S. 484. Dithmar, S. 13.

3, 16. Ein bawer leßt ein vogel fliegen. (Ist einem guten gesellen nie ein vogel fortgeflogen?) Melander 569. Dithmar, S. 13. Weidner 4, 162; 5, 120.

3, 17. L. Philippi magnanimi fürstliche bescheidenheit. (Einem bauern, der ihm grobheiten sagt, erlässt er zins.) Zincgref 1, 120, 7. Rommel, 6, 9, S. 134. Dithmar, S. 14.

3, 18. Recht christliche bedencken dieses hochlöblichen fürstens. (Über die weisheit in einsetzung der regierung.) Eignes erlebnis. Zincgref 1, 121, 1. Dithmar, S. 15.

3, 19. Wunderzeichen an dem wasser Fulda, feuwer und deren bedeutung. (1566.) Dithmar, S. 25.

3, 20. Landgrave Philipsen senioris absterben. (1567.) Dithmar, S. 25.

3, 21. L. Wilhelms gemahl verschieden. (Sabina, † 1581.)

3, 22. (Wunderzeichen bei ihrem tode.)

3, 23. L. Philips des jüngern tod. († 20 November. Wunderzeichen.)

3, 24. L. Wilhelms abscheid von dieser welt. (Am 7 December 1590. Zeichen.)

3, 25. L. Georgen tödlichen abgang. (1596, 8 Februar. Wunderzeichen.)

3, 26. Eines fürsten gerechter außspruch. (Als bauern eine lohnerhöhung des hirten dem einkommen des pfarrers abziehen wollen.) cf. 5, 68. Luther, Tischr. 276b. Hondorff 327. Hammer, S. 58.

3, 27. Von einer lustigen rennducken. (Ernst graf von Henneberg, 1545 in Münden.) Ohne erzählung.

3, 28. Religion veränderung. (Ein fürst stirbt 1590, am tage vor der rückkehr zum katholicismus.)

3, 29. Von vier fürsten ein historia. (Wer das schönste land besitze.) Manlius 211; 602. Zincgref 1, 116, 1. Eutrapel. 2, 569. Exilium, S. 157, no. 113. Helmback, no. 167. Kesner, Dichtung. 1834. S. 33. Gödeke D.D. 2, 455. Kerner, der reichste fürst. Zimmermann. Graf Eberhard im Bart.

3, 30. Historia von zweyen gebrüdern, die graven waren. (Wohlgerüstete besatzung als mauer.) Plutarch, Lykurg 19. 28. Apophthegm. Lac. Agesilaus 29, 30. Acerra 5, 22.

3, 31. Was der krieg seye, eine kurtze beschreibung. (Nur betrachtung.)

3, 32. Etlicher maßen beschreibung, unfalls einer

mit gewalt eroberten statt. (Ohne erzählung.)

3, 33. Summaria einer feldschlachtbeschreibung. (Ohne geschichte.)

3, 34. Etwas vom feldläger. (Einrichtung desselben.)

3, 35. Drey fürnemer plätz im läger. Erstlich, lerman platz. (Ohne erzählung.)

3, 36. Proviant platz. (Ohne erzählung.)

3, 37. Platz zur leibs notturfft. (Ohne erzählung.)

3, 38. Mumm- oder spielplatz. (Ohne erzählung.)

3, 39. Was spielen seye, und sein nutz. (Ohne erzählung.)

3, 40. Was außbeut die spieler gemeiniglich darvon bringen. (Wunden; ohne erzählung.)

3, 41. Wem der spielplatz am meinsten zutregt.) (Den feldscherern und profosen.) Ohne erzählung.

3, 42. Ware geschicht von mancherley balgen.) 1551 vor Blassenburg; die soldaten durften ihre streitigkeiten nur vor dem schlosse ausfechten.) Eignes erlebnis.

3, 43. Spielen sehr breuchlich im krieg. (Es wird mit pfeifen und trommeln dazu eingeladen.) Ohne erzählung.

3, 44. Spieler sehen kein person an. (1546 wurde vor Giengen auch Philipp magnanimus ein solcher mummenschanz gebracht.) Eignes erlebnis.

3, 45. Von falschen spielern und spitzbuben. (Nur allgemeines aus dem lagerleben.)

3, 46. Von predigten und gottes wort hören. (Im felde.) Ohne erzählung.

3, 47. Hochzeit im läger. (Wie gehalten.) Ohne erzählung.

3, 48. Kindtauffen bey den kriegsleuthen. (Ohne erzählung.)

3, 49. Zwene mißbrauchen der heiligen tauff. (Einer läßt ein kind neunmal taufen.) Hessische geschichte.

3, 50. (Der andere bittet jemanden zu gevatter, ohne ein kind zu haben.) Casseler geschichte.

3, 51. Troß und was der sey. (Ohne geschichte.)

3, 52. Hurnweibel. (Ohne geschichte.)

3, 53. Krancke knechte nachzubringen. (Ohne geschichte.)

3, 54. Nachzug oder nachtreiben. (Ohne geschichte.)

3, 55. Garthauffen. (Zusammengerottete nachzügler.)

3, 56. Langsame execution miltert den zorn und

raache. (Plündernde bauern entlaufen dem zorne des fürsten, auch der henker, der jene hängen sollte.)

3, 57. Kriegsleutten gebürt sich allezeit ehrlich zu halten. (Ohne erzählung.)

3, 58. Ein muthwill gestrafft. (Zwei taugenichtse müßen 1547 in Cassel spießruthen laufen.) Casseler geschichte.

3, 59. So auch: (Zwei Landsknechte werden enthauptet, die von den bürgern süßen essig und sauren zucker verlangen.) Mündlich.

3, 60. Ein ander exempel langsamer execution und eines wolbedachten urtheils. (1553 vor Schweinfurt. Angeklagter vom kriegsgericht fast verurtheilt, als der jüngste beisitzer die unschuld desselben nachweist.) Eignes erlebnis.

3, 61. Belagerung der statt Cassel. (1384.)

4, 62. Von einem grossen nacht lerman. (1546, 28. August vor Ingolstadt; von Sleidanus nicht ausführlich beschrieben.) Eignes Erlebnis. Sleidan, lib. 18. Dithmar, S. 17.

3, 63. Rahtschlag der einigungs verwandten etc. (Kampf am letzten August 1546.) Eignes erlebnis. Sleidan, lib. 18.

3, 64. Eine mannliche that eines jungen helden. (Die stalljungen machen einen angriff auf den kaiserlichen nachtrab.) Eignes erlebnis. Dithmar, S. 17.

3, 65. Zu dem landgraffen schickt der von Beveren. a. (Parlamentär, 3. Oct. 1546 bei Nördlingen.) Eignes erlebnis. Zincgref 1, 121, 2. Dithmar, S. 15. b. (Christus hatte nur einen verräther.) Exilium 445, 61. Eutrapel. 2, 514. Zincgref 1, 119. Weidn. 4, 25. Wolf. cent. 16. Dithmar, S. 16.

3, 66. H. Albrecht von Grubenhagen tödtlich verwund. (Nach dem 3, 65 erzählten auftritte.) Eignes erlebnis. Sleidan, lib. 18.

4, 67. Verzeichnuss etlicher tawren helden. (Unter Philipp magnanimus 1546.) Ohne erzählung. Dithmar, S. 19.

3, 68. Wilhelm von Schachten dem feind erschrecklich. (Bei Giengen wurden ihm drei pferde getödtet.) Dithmar, S. 19

3, 69. Von lieb und trew der hessischen unterthanen. (Versuch Philipp magnan. 1550 aus der gefangenschaft in Mecheln zu befreien.) Sleidan, lib. 22. Rommel, Urkundenbuch, S. 270. Dithmar, S. 21.

3, 70. Magdeburger nächtlicher ausfall. (Am 19. December 1559.) Sleidanus, lib. 22.

3, 71. Mehr hiervon. (Nähere Beschreibung. Eignes erlebnis.)

3, 72. Hertzog Georg von Meckelnburg gefangen. (An demselben tage.) Sleidan, lib. 22.

3, 73. Ein bericht hiervan. (Des Sleidanus darstellung berichtigt.) Eignes erlebnis.

3, 74. (Lärm in der folgenden nacht.) Gleichfalls.

3, 75. Trummeter kompt ins läger. (Verlangt aufgabe der belagerung.) Gleichfalls.

3, 76. Merck von den Magdeburgern. (Nehmen allen proviant fort.) Gleichfalls. Sleidan, lib. 22.

3, 77. Dreyer Magdeburger gefahr auff der Elb. (Ohne erfolg beschoßen, 1550.) Gleichfalls.

3, 78. Frantzosen werffen etliche schiff nider, anno 51. (Betrug, die segel streichen laßen und dann wehrlos plündern.) Sleidan.

3, 79. (Abweichende Darstellung eines augenzeugen.) Mündlich.

3, 80. Magdeburger fürsichtigkeit. (Schlagen bei der belagerung 1550--51 kupfernes geld, wechseln es aber später ein.)

3, 81. Von einem weisen rathsherrn. (Elf neue stadtthore in Florenz bauen laßen, um geld zu schaffen.) Castiglione 2, 52, S. 127, 128. Exilium, S. 186, no. 97. Helmhack, no. 174.

3, 82. Vergleichung dieses rahtschlags. (Peter Bernhaut rieth, auf hohem berge eine mühle zu bauen; für das waßer ließ er andere sorgen.)

3, 83. Geschwinder anschlag eines abts. (Grube graben; wohin mit der erde? größere grube.) Castiglione 2, 51, S. 126. Democrit. rid. S. 127. Schola curiositat. S. 171. Eutrapel. 1, 932. Exilium, S. 113, no. 52. Wolgemuth 3, 75. Taylor's wit and mirth, 12.

3, 84. Ein poss, den feind zu erschrecken. (Hauptmann droht, seine kugeln zu vergiften.) Castiglione 2, 52, S. 127.

3, 85. Frembd herrschafft den underthanen schädlich. (Meton widerräth den Tarentinern, Pyrrhus zu ihrem kriegsherrn zu machen.) Plutarch, Pyrrhus 13.

3, 86. Von dem weisen mann Cynia. (Cynias und Pyrrhus.) Plutarch, Pyrrh. 14. Dio Cass. Fragm. Guicciard. 174. Federm. 275.

3, 87. Zuviel loben verdächtig. (Camillo Porcaro lobt M. Antonio Colonna.) Castiglione 2, 65, S. 137.

3, 88. Von demselben. (M. A. Colonna verschafft zwei verdienten Hauptleuten platz bei tische.) Castiglione 2, 65, S. 138. Weidner, S. 135, 5.

3, 89. Rantzion eines Frantzosen. (Ob der gürtel ein wehrstück ist.) Cent nouv. nouv. 5. Les joyeus advent. S. 118b, 54.

3, 90. Glimpff in schweren sachen das beste. (Hochfahrender mensch wird durch einen traum gebeßert; einen baum mit den ästen voran ins haus zu schaffen.)

3, 91. Bescheidene antwort eines kriegsman. (Als ein landsknecht sich über Philipp magnan. beklagt; 1542.)

3, 92. Von vätterlicher ehre, wol zu merken. (Wolff Tiefstetter läßt seinen armen alten vater an seiner statt beim churfürsten sitzen.) Mündlich.

3, 93. Eltern unehrn wird gestrafft. (Einer, der vater und großmutter geschlagen hat, wird wahnsinnig) Hessische geschichte.

3, 94. Wie man bald zu großen ehren komme. (Dorf großen Ehren; 1577.)

3, 94. Von verachtung und vermeßenheit. (Zweikampf zwischen meister und schüler.) Pauli 311. Plutarch, qu. Gr. 13. Germania 7, 507. Barca 1, S. 25.

3, 96. Von einem fechtmeister und sein schüler. (Meister ist beleidigt, dass der schüler ihn verwundet.) Eignes erlebnis, 1547.

3, 97. Die pest steckt an, ein exempel. (Pestkranke wird gesund, fünf von ihr angesteckte sterben.) Cent nouv. nouv. 55, Malespini 2, 5. Joyeus. advent. 87, 36.

3, 98. Fünff in einem peltz vergifft. (1530 in Braunschweig.) Eignes erlebnis. Zeißeler, S. 570.

3, 99. Die pest steckt auch über jar an. (1598 in Spangenberg geschehen.) Eignes erlebnis.

3, 100. Strassenraub im Heuckenthal. (Durch zwei treulose reisegefährten, 1551.) Eignes erlebnis. Dithmar, S. 30.

3, 101. Gefährlichkeit des authoris dieses buchs. (Geräth in den verdacht, jenen straßenraub begangen zu haben und entdeckt die thäter.) Wie oben. Dithmar, S 30.

3, 102. Eim rephun widerfehrt große ehr. (Von Kirchhof gefangen; kommt als geschenk an den könig und die königin von Frankreich, 1552.) Eignes erlebnis.

3, 103. Ein hass schlägt lerman. (Trommelt; 1552 in Frankreich.) Eignes erlebnis.

3, 104. Von einem trunkenen und nüchtern. (Streit mit einem betrunkenen landsknecht.) Eignes erlebnis, 1555.

3, 105. Ein kleiner, doch scharpffer bawren krieg. (Kampf mit fünf bauern.) Eignes erlebnis, 22. Mai 1555.

3, 106. Von reuterey ein historia. (Entgeht sich 1556 einem hinterhalte.) Eignes erlebnis.

3, 107. Von feldwarnen. (Diener schläft im reiten; leugnet, bis er im traume schreit.) Eignes erlebnis 1557.

3, 108. Custodia des authoris zu Lützelburg. (Juni bis Juli 1558.) Eignes erlebnis. Dithmar, S. 32.

3, 109. T r i n c k g e l t e i n e s u n t r e w e n b a w r e n. (Hatte einen falschen weg gewiesen; geprügelt.) Eignes erlebnis, 1558. Dithmar, S. 35.

3, 110. U n t r e w b e k o m p t i h r e n l o h n. (Bauer will Kirchhofs pferde den hafer stehlen, wird zerbißen.) Jac. von Cassalis 31. Enxempl. 173.

3, 111. F e h l t.

3, 112. V o n m a n c h e r l e i g e r i c h t e n u n d e ß e n, w e l s c h u n d t e u t s c h. (Tischgespräch in Paris 1559.) Eignes erlebnis.

3, 113. D e m v o r i g e n z u e n t g e g e n. (Fortsetzung des vorigen.)

3, 114. T i s c h z u c h t e i n e s g r o ß e n h e r r n. (Frage eine sau um erlaubnis) Castiglione 2, 71, S. 142. Weidner, S. 51, 3.

3, 115. V o n g e w o n h e i t u n d s i t t e n. (Ein gesell lobt in Metz den deutschen tanz vor dem französischen.) Mündlich.

3, 116. V o n d e m s e l b e n. (Procession in Troyes 1588.) Eignes erlebnis.

3, 117. E i n s c h a f f p r e d i g t v o n s c h a f f e n. (Superintendent tadelt einen unfähigen prediger.) Pezel. Post. Mel. 3, S. 164. Melander 1, 250. Manlius 477. Zincgref 1, S. 177, 2. Wolgemuth 5, 66.

3, 118. L e r m a n u n t e r d e r p r e d i g t z u C a s s e l. (Falscher feuerlärm, 10. August 1538.) Casseler geschichte.

3, 119. E i n e d e l m a n n i s t l u t h e r i s c h. (Ißt an fasttagen fleisch.)

3, 120. E i n h i r s c h h o r n b l u t e t. (In Weimar.) Eigne beobachtung 1588. Birlinger, volksthüml. a. Schwaben 1, no. 375.

3. 121. E i n w i l d s c h w e i n b r i n g t e i n e m u m b s l e b e n. (1581 im Reinhartswalde.) Hessische geschichte.

3, 122. E i n w i l d s c h w e i n t h u t s c h a d e n i n S p a n g e n b e r g. (Kommt 1583 in die stadt.) Eignes erlebnis.

3, 123. A b e r m a l v o n e i n e r s c h w e i n h a t z. (Eine sau tödtet 1598 einen herrn von Berlepsch) Hessische geschichte.

3, 124. V o m h a u s s S p a n g e n b e r g. (Beschreibung.) Nach eigner beobachtung.

3, 125. G e f ä h r l i c h k e i t i m b r u n n e n a u f f d e m s c h l o ß S p a n g e n b e r g. (Ein herabfallendes brunnenseil läßt den untenstehenden arbeiter unverletzt, 1584.) Eignes erlebnis.

3, 126. V o n l a n g e n h o s e n. (Sind beßer, als die weiten ärmel.) Ohne erzählung.

3, 127. W e i t e e r m e l n. (Zeug genug, ein loch damit zu flicken.) Ohne geschichte.

3, 128. Gespräch eines fuchs und hanen. (Allgemeiner friede.) Aesop. Kor. 36; Furia 88; Camerar. 214, Romulus 4, 18. Bromyard 7, 8. Hollen 205ᵇ. Faernus 89. Stainhöwel 24. Poggius 79. Pant. Candid 9. Poggius, de gallo et vulpe. Desbillons 14, 27. Reinardus 2, 1175. Reineke 1, 4. Renart 1479. Goethe 40, 14. Sermon. conviv. 1, 121. Walch 4. J. Regn. 2, 32. Pavesio 34. Guicciard 98, 119. Verdizz. 25. Marie de France 52. Tardif 19. Haudent 36. Benser. 130. Lafontaine 12, 15. Mone anz. 4, 361. Haupt 5, 406. Luther. Tischr. 612ᵇ. H. Sachs 2, 4, 75. Franck, Sprichw. 1, 105. Eyring 2, 22. Waldis 4, 2. Eutrapel. 1, 736. Hagedorn 2, 167. Esopus 24. Grimm. Reinh. CXXII. Renart. 3. Egenolf 358ᵇ. Ambr. Metzger 77. 77, S. 127 Schupp 1, S. 781.

3, 129. Zungen verkauffen und behalten. (Gute verkaufen, schlechte behalten.) Vita Aesopi. cf. Bromyard, L, 5, 5. Scala celi 109. Wright 42. Enxempl. 179. H. Sachs 4, 3, 70ᵇ. Abrah. a S. Clara, Weinkeller, S. 506. Memel 802.

3, 130 Von guten und bösen Zungen. (Ohne geschichte.)

3, 131. Ein kurzer bericht von guten zungen. (Gedicht, ohne geschichte.)

3, 132. Volgt von bösen zungen. (Ebenso.)

3, 133. Ein doctor practicirt pro et contra. (In derselben sache.)

3, 134. Wenig juristen kommen in himmel. (Wie der sohn eines juristen sagt) C merry tales no. 59, S. 104.

3, 135. Einer verleuret seine magd und findet sie wieder. (Wem gehören die kinder, die eine rechtswidrig geschwängerte sclavin gebiert?) Andr. Alciati lib. agr. citirt.

3, 136. Von zweien Rahthsherren zu Florentz. (Altovito stimmt umgekehrt wie Alomanno, der noch gar nicht gestimmt hat) cf. 1, 158. Castiglione 2, 77, S. 146. Exilium, S. 348, no. 16.

3, 137. Gülden examen. (Examinand hat das dem examinator versprochene geld vertrunken.)

3, 138. Wie supplicationes zu übergülten. (Nach abschlägigem bescheid gold in die bittschrift gesteckt.)

3, 139. Scipio Nasica und Ennius laßen sich verleugnen. (Du glaubst mir nicht, und ich habe deiner magd geglaubt.) Cicero, orat. 2, 276. Castiglione 2, 75, S. 145. Ursinus Mantissa 63, Ens, Epidorp. S. 109. Barland 26. Mery tales and qu. answ. 12. Conceits etc. 140. Nasr-Eddin. 65. Timoneda, Alivio, 2, 62. Orient u. Occid. I, 438.

3, 140. Von einem studenten in Padua. (Beträgt des

bauer um seine capaunen.) Castiglione 2, 89, S. 158. cf. C merry tales no. 91, S. 145.

3, 141. Erzehlung wol lachens werth. (In Russland frieren die worte fest und thauen erst über dem feuer auf.) Castiglione 2, 55, S. 129. Plutarch. quomodo quis sentiat 7. Exilium, S. 248, no. 5. Memel 386. cf. Münchhausen.

3, 142. Aff ein guter schachzieher. (Schützt sich mit einem kissen.) Castiglione 2, 56, S. 130. Roger Bontems, S. 106. Exilium, S. 382, no. 11.

3, 143. Ein geschickte meerkatz. (Kann würfeln.) Eignes erlebnis, 1548.

3, 144. Ausdrückliche lüge keines glaubens werth. (Gespräch Fogliettas, ohne geschichte.) Castiglione 2, 72, S. 142. Weidner, S. 137, 1.

3, 145. Von einem, der musica unerfahren. (Posaunen in den mund und wieder heraus.) Castiglione 2, 53, S. 128. Exilium, S. 338, no. 35. Noch ietzt lebendig.

3, 146. Ein bawr verleurt sein esel. (Findet ihn in folge eines clystiers wieder.) Poggius 85, S. 443. Convival. sermon. 1, 182. C. nouv. nouv. 79. Malespini 81. Des Periers, no. 94; 3, S. 123. Joyeus. advent. 94, 41. Bouchet, sérées 10. Plaisantes nouvelles 58. Lafontaine, singe 1773, S. 66. Geiler, Narrenschiff, fol. 117. Scherz m. d. warh. 77. Frey, Gartenges. 23. Eutrapel. 1, 743. cf. Helmhack, no. 194. Wolgemuth 2, 95. Scoggin's jests 87.

3, 147. Eine schöne vergleichung. (des podestà mit einem verlorenen esel.) Castiglione 2, 51, S. 126.

3, 148. Klag eines taubenvogts. (Tauben dürfen nicht im geweihten begraben werden.) Castiglione 2, 75, S. 144. Ens, Epidorp. S. 218. Eutrapel. 2, 721. Weidner 5, 44.

3, 149. Ein mägdlein lebt ohne speiß und tranck. (1539 in Rödt bei Speier.) Mündlich. G. Bucoldianus, Narratio de puella quæ sine cibo et potu vitam per aliquos annos egit. In Schardii script. rer. germ. Melander 3, 70. Beyerling, Schaupl. menschl. lebens. Fincelius 2, J^b. Goltwurm 31. Hondorff 143^b. Happel 1, S. 76, mit ähnlichem. Acerra 3, 40. Hammer, S. 296, mit ähnlichem. Histor. Handbüchl. 3, S. 14 ff. mit einer reihe ähnlicher fälle.

3, 150. Diesem gleich. (Bruder Niclaus lebt 23 jahre ohne speise.) Poggius 248, S. 486. Stumpffius 2, 194^b. Frank, German. 270; Chron. 311. Acerra 3, 40. Hedio, S. 654. Hondorff 143^b. Fulgos. 1, 6. Melander 3, 229. Fincelius 2, J^b. Goltwurm, 30^b. (Car. Bovillus.) Happel 1, S. 75.

3, 151. Einer ist nicht zu sättigen. (Ein landsknecht unter Ludwig von Deben, 1549.) Eignes erlebnis. cf. Pauli 249.

3, 152. Von wäschhafftigem gesinde ein exempel. (M. Antonius als feind des Marius von Annius getödtet.) Appian, b. c. 1, 72. Valer. Maxim. 8, 9, 2; 9, 2, 2; vgl. 4, 9, 2. Vell. 2, 22. Plutarch. Mar. 44.

3, 153. Trew der knechten Cornuti. (Schützen ihn vor Marius wuth dardurch, daß sie einen leichnam an seiner statt aufhängen. App. b. c. 1, 73. Plutarch, Marius 43. Valer. Maxim. 6, 8, 6; 7. App. civ. 3, 43. Macrob. sat. 1, 11. Dio Cass. 47, 10. Zonar. 10, 17. Jac. v. Cessolis 20ᵇ.

3, 154. Von einem trewen hunde. (1595 bei Fritzlar erschlagener wird von seinem hunde aus dem waßer gezogen.) Hessische geschichte. cf. Eutrapel. 2, 670.

3, 155. Seltzamer fall, anno 1599. (Jemand stürzt in sein eignes schwert.) Casseler geschichte.

3, 156. Von dreien spielern. (Dem dritten wird eingeredet, er sei blind geworden.) Castiglione 2, 86, S. 153. d'Ouville 1, S. 235. Roger Bontems, S. 171.

3, 157. Ein münch reit mummen. (In der fastnacht; unfreiwillig hinter einem vermummten.) Castiglione 2, 87, S. 155.

3, 158. Von einem trunckenen pfarrherrn. (Ein knabe tödtet 1596 einen pfarrer, wird freigesprochen.)

3, 159. Hans Moßheimers erbärmlicher untergang. (Beim schneebällen, 1574.) Casseler geschichte.

3, 160. Ein ander exempel des schändlichen vollsauffens. (Die frau eines fluchenden säufers gebiert 1578 in Arnheim eine teuflische mißgeburt.) cf. 3, 167.

3, 161. Untergang einer hoffart. (Bricht den hals.)

3, 162. Eines fürwitzigen unweise rede. (Bin ich ein schelm, so falle dem glase der boden aus!)

3, 163. Große lästerung gestrafft. Jemand trinkt gott zu; in Neckershofen, 1 Juli 1580)

3, 164. Geschicht zu Heerfordern, anno 90. (Ein wirt verschwört sich beim spiel, des teufels zu sein, der in holt.)

3, 165. Auß truncken schertz kompt unglück. (Spielen mit schießgewehr.) cf. 3, 171. Casseler geschichte, 1584.

3, 166. Sauffer und gottslästerer gestrafft. Anno 95. (Drei fluchende musicanten in der Schweiz werden von drei teufeln geholt.)

3, 167. Geschicht zu Bacharach am Rhein, anno 96

(Frau eines fluchenden säufers gebiert mißgeburt.) cf. 3, 160. Exilium, S. 545, no. 123.

3, 168. Warnung für trunckenheit. (Drei betrunckene an einem tage ums leben gekommen.) Casseler geschichte, 1596.

3, 169. Hiervon weiter. (Nur betrachtung.)

3, 170. Merck. (In Spangenberg war 1600 der kälte wegen kein waßer zu bekommen.) Eignes erlebnis.

3, 171. Scherz bringt schaden, anno 96. (Unglück durch spielen mit schießgewehr.) cf. 3, 165. Casseler geschichte. Manlius 294.

3, 172. Von unzeitiger erbschafft. (Sohn legt in der hoffnung auf den tod seiner mutter trauerkleider an, stirbt aber früher, als sie.)

3, 173. Abermal von nutz der trunckenheit. (Gotteslästernder trincker springt nachts in einen brunnen.)

3, 174. Von einem protonotario und eines kauffmanns weib. (Werden beim liebesspiel von einem dachdecker beobachtet, der sie betrügt.) Joyeus. aventures.

3, 175. Ein finantzer zu Leon bulet einem kauffman sein weib. (Bis dieser dahinter kommt, und das geborgte geld behält.) Joyeuses aventures.

3, 176. Ein studiosus verbult sein rock. (Der gatte muß ihn zurückgeben.) Poggius, Anser venalis. Bebel 3, 88. Nugæ venales 78. Boccacc. 8, 2. cf. 8, 1. Malespini 2, 29. Legrand 3, 417 (4, 299); 3, 18 (3, 288). Méon 4, 181. Cent nouv. nouv. 18. d'Ouville 2, 136 (4, 243). Joyeus. advent. 56, 20. Contes à rire 1687, 2, S. 128. Nouv. contes à rire 159. Espiègleries par. M. St. Just 1, 138. Lafontaine, contes 3, 1. Rog. Bontems 96. Imbert, Historiettes 1781, v. 189. Divertiss. curieux S. 267. Arcadia di Brenta 159. Schmidt, beitr. 84. Pauli 1570, 179. Wolgemuth 3, 43. Waldis 4, 27. Wright, essays. 1, 167. Wolgemuth 317. Zachariä 70. Dunlop-Liebr. 244; Anmerk. 319[a]. F. Levertus, Mola (Del. poet. Belg.) 4, 371. Keller, erzähl. 334. Happel, Acad. roman 684. Lyrum larum 126. Chaucer, shipmannes tale.

3, 177. Ein frawenschänder bekompt sein lohn. (Timoclea; wirft ihn in einen brunnen.) cf. 1, 25. Plutarch. Alex. 12; de virtut. mulier. Tauchn. 227. Polyän 8, 40. Zonar. Ann. 4, S. 185[b]. Freinshem. suppl. Curt. 13, 26. Sabellicus 5, 6. Carion-Melanth. 183. Regentenbuch 2, 14, 70. Hondorff 302. Manlius 319. Tragica, S. 99. Exilium, S. 250, no. 10. Eutrapel. 2, 125. Histor. Handbüchlein, S. 248.

3, 178. Caji Lucil mißhandlung. (Von Trebonia erstochen.)

3, 179. Beschönung schändlichs ehebruchs durch vermeinte ehe. (G. Hortensius heirathet die frau Catos, der sie nach jenes tode wieder heirathet.) Plutarch. Cato 52. Appian. b. c. 2, 99. Strabo 11. 514. Lucan. Pharsal. 2, 328. Spalding. Quintil. 3, 5, 11; 10, 5, 13.

3. 180. Von raach eines ehebruchs. Anfang der von Caspar Gennep, Epitome 99 erzählten geschichte.)

3, 181. Seltzame geschicht eines malers und bawren. (Der maler läßt den bauern von seiner frau verführen, und nimmt ihm dann sein geld ab.) 1587.

3, 182. Von einem thumherrn, anno 88. (Ihm erscheint seine todte zuhälterin.)

3, 183. Ein ehebrecher bekompt sein lohn. (Wird nebst der frau vom gatten erstochen. Hessische geschichte. Hondorff 307[b].

3, 184. Honig lecken, bienen stecken. Unzüchtiger bauer gefangen; will ausbrechen, bricht beide beine.) 1600 passirt.

3, 185. Reichthumb hindern den schlaff. (Römischer kaiser vertheilt seinen reichthum unter seine obersten.) Cuspinian, Sigism. Regentenbuch 2, 14, 76[b]. Hondorff 395[b]. Frank, chron. 1:4. Castritius, S. 363. Zinegref 1, S. 45.

3, 186. Ein gehenckter wird wider lebendig. (In folge dessen der wucherer den scharfrichter ersticht.) 1274 in Basel geschehen. Stumpff 2. 399.

3, 187. Venediger schatz gestolen. (Von Sammatius Scariot, 1499.)

3, 188. Von einem geitzigen wucherer. (Will sich den strick bezahlen laßen, an dem er sich aufgehängt hat.) Castiglione 2, 70, S. 141. Exilium, S. 544, no. 118.

3, 189. Ein geitziger wil mehr haben. (Träumt von gold, ins bett.) Discipl. cleric. 35, 2—3. Vincent. Bellov. spec. mor. 3, 7, 2, S. 1262. Poggius 128, S. 455. Rimicius 8, S. 105. Dorpius. S. 165. Lange, Democritus ridens, S. 158. Nugæ doctæ, S. 46. Brant 1535, 136. Scherz m. d. warh. 76. Hans Sachs 2, 4, 70. Meisterges. A, 33. Rollwagen 48. Pauli 1570, 259. Frey, Gartenges. 77. Hagedorn 121. Schmidt, Petr. Alphons. S. 165. Gay, poems 1731, 2, S. 55. Merry tales and qu. answ. no. 28. Pasquil's jests, S. 43.

3, 190. Untrew überlistet. (Beim bierbrauen.)

3, 191. Eine warhafftige histori. (Kornwucherin ertrinkt.) 1576 geschehen.

3, 192. Wider die unbarmhertzigen. (Kornwucherer in Preußen versinkt in die erde, als er sieht, wie ein armer mit seiner familie sich erhängt hat.) Mündlich.

3, 193. Ein geitziger becker wird erschreckt. (Vorgeblicher teufel will ihn holen.) Aus dem Eichsfelde, 1587.

3, 194. Von einem dergleichen. (Korn verwandelt sich in fliegen und hornißen, die den wucherer tödten.) c. 1587 in Preußen. cf. Fincelius, 3 Q. Tragica, S. 129.

3, 159. Hiervon weiter. (Emblem mit inschrift.)

3, 196. Abermal von einem unbarmhertzigen geitzigen. (Verweigert seinem bruder korn, der seine vier kinder tödtet; dann hängt der geizige sich auf, weil sein korn lebendig wird und fortfliegt.) Sleidan. lib. 7, S. 209. cont. Schad. cf. Hammer, S. 290. Hondorff 335b.

3, 197. Ein geitziger schrapper kompt umb. (Doppelmord an einem wucherer und dessen frau.)

3, 198. Mehl in der erden funden. (Am 22 Mai 1590 bei Kaurschim in der nähe von Prag.)

3, 199. Weiter. (Eine ähnliche materie wurde im November 1594 bei Carlstadt am Mayn gefunden.)

3, 200. Weiter hiervon. (1597 auf dem Eichsfelde mehl in der erde gefunden.)

3, 201. Ein geitziger schrapper gestrafft, anno 97. (Der blitz schlägt in sein haus.)

3, 202. Ein heimlicher neid und mord. (Dorophorus und Philocalus.)

3, 203. Grausame marter trifft ihren erfinder. (Perillus.) Pauli 116. Goltwurm 97. Egenolf, chron. 11b. Regentenbuch 2, 12, 67b. Seb. Franck, chron. 24. Seume, Spaziergang nach Syracus.

3, 204. Ein bruder bringt den andern umb. (Am tage vor seiner hochzeit, 1569.) Casseler geschichte, 1569.

3, 205. Todschlag geringer ursach halben. (Bei einer wette um das beste hufeisen.) Casseler geschichte, 1579.

3, 206. Ein mägdlein bringt seine schwester umb. (In Frankershain, 1584.) Hessische geschichte.

3, 207. Verräthorey zu Wien in Osterreich, anno 1597. (Türkischer abgesandter verführt den artilleriemeister zum verrathe.)

3, 208. Von Aristotele ein kurtze historia. (Kleinste frau, kleinstes übel.) Plutarch, de amore fratr. 8. Luscinius, no. 50, D8 verso. Convival. sermon. 1, S. 313. Nouveaux contes à rire, S. 172. Lyrum larum 87. Eyring 3, 128. Eutrapel. 2, 950. Sinnersberg, no. 223.

Schreger 17, 114, S. 567. Wolgemuth 2, no. 30, S. 56. C merry tales, no. 63, S. 100. Certayne conceyts 14. Conceits 81. Compl. London jester, 1771, S. 65.

3, 209. Nota, ein anschlag zu freyen. (Oft sind die kleinsten weiber die schlimmsten.) Ohne erzählung.

3, 210. Wie die Catheier in India weiber nehmen. (Die mädchen werden producirt.) Seb. Münster, S. 1410.

3, 211. Von einer andern freyerey. (Die braut wird entführt; probenacht.)

3, 212. Von anschlag zu freyen, oder weiber nemen. (Ein freund ist zweifelhaft, ob er nach schönheit oder reichthum heirathen soll.) Mündlich.

3, 213. Ein bauren mägdlein kan nicht schweigen. (Ich hätte nicht geschwatzt.) Frischlin 10, no. 24. d'Ouville 1, S 19. Lyrum larum 136. Merry tales and quicke answ. 73. Taylor's wit and mirthe 55.

3, 214. Ein jung weib beßert böse sitten. (Durch die strenge des mannes.)

3, 215. Sanfftmuth eines weibs nutzt ihr viel. (Verschafft der geliebten ihres mannes beßern hausrath.) Heptameron, no. 38. Prologi, varii successi, Borromeo, S. 233, Ms. Erasmus, Colloq. Uxor Μεμψίγαμος. Albion's England, Will. Warner; Percy, relics 1, 3, 6. Dunlop-Liebr. 299.

3, 216. Eines weibs kluge antwort. (Geschlagene frau bleibt gütig.)

3, 217. Eine fraw bittet ihren mann umb ein seiden rock. (Erlangt ihn durch list und bescheidenheit.) Mündlich.

3, 218. Eine fraw errettet ihren mann. (Tödtet im streite den gegner ihres mannes.) Bei Freilndorf.

3, 219. Manliche thaten etlicher griechischen weiber. (Schlagen Philippus Demetrius bei der belagerung von Chio zurück.) Herodot. 6, 15. Plutarch. Demetr. Castiglione 3, 32, S. 197. H. Sachs 2, 3, 135b.

3, 220. Von denselbigen. (Machen durch ihren muth eine schimpfliche übergabe ihrer männer rückgängig.) Herodot 6, 26. Castiglione 3, 32, S. 197.

3, 221. Gefangene fraw zu Capua. (Rettet sich durch einen sprung ins waßer.) Castiglione 3, 47, S. 211.

3, 222. Exempel von einer Römerin. (Wird von ihrem liebhaber in der kirche ermordet.) Castiglione 3, 48, S. 213.

3, 223. Von einer schönen frawen, Camma genannt. (Soll

den mörder ihres gatten heirathen, vergiftet sich und ihn.) Aristo, Orlando furioso 37, 44 ff. Castiglione 3, 26, S. 190.

3, 224. Einer adelichen person heimliches leiden. (Ein mädchen stirbt aus liebe, da der vater die heirath nicht zugeben will.) Castiglione 3, 43, S. 207. Cent nouv. nouv. 98. Malespini 58. cf. Boccacc. 3, 8. Straparola 9, 2. Bandello 2, 17. Grazzini 2, 117 (1793). Lafont. contes 4, 7.

3, 225. Ein weib stirbt von trawrigkeit. (Als ihr erster mann aus langer gefangenschaft zurückkehrt, während welcher sie einen andern geheirathet hat.) Cent nouv. nouv. 69. Malespini 9. Gilblas 1, 10. cf. Bandello-Belleforest 3, 2. Southern, Tragedy of Isabella. Dunlop-Liebr. 297.

3, 226. Ein weib stirbt für frewden. (Als ihr mann, Thomas aus Pisa, von seinem sohne aus der gefangenschaft befreit wird.) Castiglione 3, 27, S. 192. Jac. von Cassalis 28.

3, 227. Keuschheit und jämmerlicher todt eines mägdleins. (Eine geschändete erträukt sich.) Castiglione 3, 47, S. 212. Bandello-Belleforest 2, 25, S. 385. Zeißeler, S. 184.

3, 228. Ein bawr hat eine keusche und kluge tochter. (Zieht dem verführer die stiefeln halb aus, daß er ihr nicht folgen kann.) Malespini 56. C. nouv. nouv. 24. Joyeus. advent. 70, 23. Manlius, coll. Hondorff 310. Weidner, S. 314, 1; 4, 211. Pency, relics 2, 3, 15.

3, 229. Von einer verschwiegenen frawen. (Leäna in Athen; eherner löwe ohne zunge.) Pausan. 1, 23, 1. Plin. 7, 23; 34, 8. Cic. de glor. 488 Or. Athen. 13, 596, F. Lactant. 1, 20. Boccaccio, mulier. clar. 48, bl. 33ᵇ. Castiglione 3, 23, S. 189.

3, 230. Von seltzamen gedancken einer edelfrawen. (Wie sie am jüngsten tage nackt erscheinen müße.) Castiglione 2, 54, S. 129. Pennalpoßen, B 2.

3, 231. Von zweyen ungleichen eheleuthen. (Schöne frau das paradies, häßlicher mann das fegfeuer.) Castiglione 2, 78, S. 147.

3, 232. Von zweyen zwillingen. (Schwarzer vater und weiße mutter erzeugen zwillinge; das eine kind ist schwarz, das andere weiß. Mündlich 1579.

3, 233 Eine spötterin mit spott bezalt. (Alf. Carillo hofft, durch heirath vom tode befreit zu werden.) Castiglione 2, 76, S. 145. Weidner, S. 138, 1. Eutrapel. 1, 515.

3, 234. Bulenbrieff überschrifft. (Die meiner pein ein ursach ist.) Castiglione 2, 78, S. 147. Weidner, S. 138, 4.

3, 235. Zwey liebhabende sterben mit einander. (Der jüngling stirbt vor wonne, das mädchen erdolcht sich; in Cesena.) Bandello-Belleforest 2, 22, S. 235.

3, 236. Von zweyen liebhabenden personen. (Die geliebte prüft ihren Gerhart, findet ihn untreu und heirathet einen andern.)

3, 237. Von einer fruchtbaren jungfrawen. (Kommt in der brautnacht nieder) Mündlich. Cent nouv. nouv. 29. Malespini 47.

3, 238. Zweyerley hochzeit zu Brüssel. (Junges armes, und altes reiches brautpaar heirathet irrthümlich kreuzweise.) Cent nouv. nouv. 53. Malespini 10.

3, 239. Ein lustige historia von einem listigen alten weib. (Vorgebliche heirath, um versprochene aussteuer zu erhalten.) Fortini, nov. 14. Firenzuola, nov. 7. Grazzini 2, nov. 10. Dunlop-Liebr. 272.

3, 240. Eine junge fraw wolt gern schön sein. (Wälzt sich nackt im thau; der esel läuft mit ihren kleidern fort.) Wahrscheinlich aus Joyeus. adventures, wie die vorausgehenden und folgenden stücke.

3, 241. Eine fraw verwirfft die observation des gestirns. (Macht künstlich schlechtes wetter, um ihres mannes zu genießen.) Des Periers, no. 95; 3, S. 127. Plaisantes nouvelles 14.

3, 242. Einen einäugigen ritter betreugt seine listige haußfraw. (Schließt das gesunde auge.) Hitopadesa 1, 6. Lancereau, S. 42; 217. Sendabar, VII Veziere. Castoiement, S. 81, c. 7. Petrus Alphonsus 10, 6—8, Schmidt; 7, 58 Paris. Vincent. Bellov. spec. mor. 3, 9, 5, 1394. Scala celi 86[b]. Adolphus 3; ap. Leyser, S. 2011. Gesta Rom. lat. 122; deutsch 77; Violier 146; Swan 2, 160. Wright 3, S. 176; stories 102. Sermon convival. 1, 27. Luscinius 179. Enxemplos 90. Ysopo 1644, colet. 13, S. 172[a]. Boccacc. 7, 6. Sabadino 1483, 4. Malespini 16; 1609, n. 44. Straparola 5, 4. Sansovino 1561. Sabadino 4. Bandello 1, 23; Keller, Ital. Novellenschatz 3, 172. Arcadia di Brenta 3, S. 129. Le Grand 3, 294 (4, 188). Cent nouv. nouv. 16. Heptameron 1, no. 6. H. Estienne, ch. 15. Moreau de Brascy, Mémoires, Veritop. 1735, 2, 42. d'Ouville, contes 2, 215; élite 1, 242. La Monnaye, œuvr. 1770, 2, 354. Nouv. recueil de bons mots 2, 216. Élite de bons mots 2, 290. cf Correspondance de Mme duchesse d'Orléans trad. par Brunet 2, 7. Stainhöwel colect. 13. Heinrich Julius, Holland, S. 275; 865. Dunlop-Liebr. S. 198; note 264.

3, 243. Von eines procuratoris geilen haußfrawen. (Spielt mit dem schreiber, das kind verräth es; über den strich gehen.) Bandello 53, 1, S. 342. Granucci. Malespini 88, 1, S. 240. Guicciard. Detti, S. 80. C. nouv. nouv. 23. Le Grand 2, 374 (3, 221; 249.) Méon 1807. Joyeus. advent. 64, 22, S. 88. Nouv. contes en vers, S. 43. Divertiss. curieux, S. 295. Biblioth. amusante 2, 324. d'Ouville 1, 184.

Nouv. contes à rire, S. 119. Facét. réveil. matin 316. Recueil de plaisanteries nouv. S. 124. Courier facét. 370. Sinner 3, 373, 4. Memel 606. Frey, Gartengesellsch. 76. Montanus, Gartenges. 103. Memel, 731.

3, 244. Ein bulerin ertrinckt. (Der mann läßt seinen maulesel drei tage lang dursten.) C. nouv. nouv. 47. Des Periers. no. 92; 3, S. 109. Guicciard. heures 28. Malespini 2, 16. Joyeus. advent. 82, 33. Eutrapel. 1, 611. Wolgemuth 1, 42.

3, 245. Betrug einer falschen frawen. (Die frau beichtet dem manne.) Jac. de Vitriaco; Scala celi, 49. Hollen 58. Boccacc. 7, 5. Bandello 1, 9, S. 69. Doni, Marmi 3, 27; Nov. 15. Malespini 1, 92, S. 248. C. nouv. nouv. 78. Le Grand 4, 90; 1779, 3, 232. Méon 3, 229. Roman de Flamenca, Rayn. lex. rom. 1, 1. Lafontaine, contes 1, 4. Pauli, 1570. 211. Schumann, Nachtbüchl. 1, 10. Montanus, Wegkürzer 58. Scherz m. d. warh. 79b. H. Sachs 4, 3, 7b. Keller, Erzähl. 232. Davenport, Dodsley, old plays 2, 318. Dunlop-Liebr. 240.

3, 246. Von einer geschwinden schälkin. (Mann aufs taubenhaus.) Sukasaptati 26. Hitopadesa, M. Müller, S. 90. Lancereau, S. 229. Tutinameh, Nachschebi, nacht 8. Syntipas 5; Sengelmann 90. Sandabar 14; Sengelm. S 60. Sindibad-namah (Asiat. Journ. 1841, 36, 5. VII Veziere, Scott, tales 77; 1001 nacht, Breslau 15, 6, S. 168. Gesta Roman. MS. Germ. Grässe 2, S. 150. Petr. Alphons. c. 12. Le Grand 2, 296; (1829) 4, 189. Poggius 10, S. 424. Boccaccio 7, 6. Loiseleur. essai 77, 100. Cent nouv. nouv. 27. Joyeus. advent. 65, 23. Dunlop-Liebr. 241; note 317. Keller VII sages, CXL; Diocletian, einl. 46. Hagen, Ges. Abent. 2, XXXII. Stainhöwel, collect. 16. Benfey, Pantschat. 1, 166. Eyring 3, 128. Merry tales and quicke answ. 51. Rowland, knave of clubbs, S. 25 Convival. sermon. 1, 199. Lyrum larum 161. Memel 673. Zeitverkürzer 480. Weidner 4, 208.

3, 247. Ein kind beschwetzt sein mutter. (Niemand als gott [der pfarrer] hat bei der mutter geschlafen.)

3, 248. Von einem geilen mägdlein. (Der pfarrer kann bezeugen, daß sie nicht mehr zu jung zum heirathen ist.) Eutrapel. 1, 825. Merry tales and quicke answ. 5.

3, 249. Von falscher buß und frommkeit. (Alt und häßlich gewordene buhlerin thut buße.)

3, 250. Ein mann und böß weib theilen. (Weib wirft den mann die treppe hinab; da hat er seinen theil.)

3, 251. Eines manns und weibs uneinigkeit. (Würgen beide an einem stricke.) Spangenberger geschichte.

3, 252. Ein erbärmliche geschicht. (Wittwe heirathet gegen

ihren eid zum zweiten male; kommt um.) Hessische geschichte. Eutrapel. 1, 282.

3, 253. Ein ander erschrecklicher fall. (Ebenso ein mann; der teufel holt ihn.) Hessische geschichte.

3, 254. Erschrecklich geschicht von einem gottlosen weibe. (Fluchendes weib vom teufel geholt und in der luft zerrissen, 1570 am 24 Juni in Mecklenburg passirt. Fincelius Q. Goltwurm 129. 137b. Tragica, S. 19. Hondorff 70; 71. Manlius 192.

3, 255. Schreckliche that eins bräutigams. (Ein von tollem hunde gebißener erwürgt seine braut in der hochzeitsnacht.) Hessische geschichte. 1591. Zeißeler, S. 311.

3, 256. Tobender hund beißet. (Ein gebißener wird toll, die anderen werden gesund.) In Gladebach passirt.

3, 257. Zauberin sol man verbrennen. (Eine zauberin will ihre freundin verführen.) Marburger geschichte.

3, 258. Von einer andern. (Die schwester der vorigen will ihre tochter verführen; beide 1583 verbrannt.) Marburger geschichte.

3, 259. Von einer andern frechen zauberin. (Lacht auf dem wege zum scheiterhaufen.) Mündlich.

3, 260. Wunderbarliche geschicht mit fliegen. (Einem knaben kommen 1590 gegen 800 fliegen aus dem auge.) In Allendorf.

3, 261. Wundergeschicht, der vorigen nicht ungleich, im selbigen jahre. (Dem bruder des vorigen werden 1500 stücke kalk aus dem auge genommen.) Wie oben.

3, 262. Wider der zauberey extenuanten. (Als ein der vorigen zaubereien verdächtiges weib gepeitscht ist, wird der scharfrichter lahm.) Wie oben.

3, 263. Ein kind hat ein kranck haupt. (Hat grillen im kopfe; 1595.) Casseler geschichte.

3, 264. Mißgewachs des obst im Hessen. (1595.)

3, 265. Proba, eine zauberin zu erkennen. (Wasserprobe. 1596.) In Cassel.

3, 266. Von einem angebunden teuffel. (In gestalt einer großen hummel; wird von einem taglöhner befreit.) Aus Wien, mündlich.

3, 267. Ungestümmer windt und regen. Anno 1599. In Hessen.)

3, 268. Ein newer prognosticant. (Adelbertus Termopteus verkündet den untergang der welt auf den 3 April 1590.)

3, 269. Eines gottlosen gottloser abscheid. (Daß ihm das höllische feuer hinten ausschlüge!)

3, 270. Zu Rom ein köstlicher schatz funden. (Unter der Peterskirche: vor ungefähr 60 jahren.) Seb. Münster, S. 215; 326.

3, 271—273. Zum beschluß. (Sarginschriften; ohne erzählung.)

Viertes buch.

4, 1. Candaulis des königs narrheit und untergang. (Zeigt dem könig seine gemahlin im bade.) Herodot 1, 2, 8. Guicciard. 44. Bellefor. 47. Federm. 65. Sabell. 3, 2. Hondorff 316b. Melander 3, 213. Ursinus 3, 86. Albertinus 186.

4, 2. Von könig Croeso und seinem traum. (Sein sohn Atys wird mit einem speere erstochen.) Herodot 1, 34—45. Diod. Sic. exc. de virt. p. 553. Valer. Maxim. 1, 7, extr. 4. Acerra 7, 30.

4, 3. Ein stumm wird redend. (Atys) Herodot 1, 85 Acerra 6, 24.

4, 4. Cyrus rathfragt den Croesum. (Getränke im lager zurücklaßen.) Bereits 1, 5.

4, 5. Cambyses gewinnt Memphis (Psammenitus weint nicht über seine familie, aber über einen bettler) Herodot 3, 14. Aristoteles, Rhetor. 2, 8. Carion-Melanth. 109. Hondorff 269. Exilium, S 283, no. 7. Acerra 1, 48.

4, 6. Cambyses schreibt bottschaft an die Mohren. (Deren könig bogen als gegengeschenck sendet.) Herodot 3, 21.

4. 7. Cambyses wil die mohren überziehen. (Giebt seinen vorsatz erst auf, als seine soldaten zur speise ausgeloost werden.) Herodot 3, 17—26.

4, 8. König Darius schändlicher geitz. (Grabschrift der Nitoris.) Herodot 1, 15, 187. Plutarch, Apophth. reg. Semiramis. Democrit. rid. S. 7. Eutrapel. 2, 443. Histor. Handbüchl. S. 376, 38. Lyrum larum 197. Albertinus 28.

4, 9. König Darius ist gegen seinen wolthäter danckbar. (Syloson, der ihm einen purpurmantel geschenkt hatte.) Herodot 3, 134 f. Strabo 14, 17. Aelian. var. hist. 4, 5. Valer. Maxim. 5, 2, extr. 1. Julian. ep. 29. Erasmus, adag. 1, 10, 84. Acerra 1, 45.

4, 10. König Darius strafft einen seiner landherrn. (Intaphernes' weib will ihren bruder retten, weil er allein unersetzlich ist.) Herodot 3, 113; 114. Exilium 140, no. 48. Eutrapel. 2, 212. Acerra 1, 38. Helmhack, no. 123.

4, 11. König Darius schickt an die Scythier. (Adantyrsus; warum fliehst du?) Herodot 4, 118. Carion-Melanth. 146. Zincgref 1,

S. 300, 2. Eutrap. 2, 650.

4, 12. Scythier könig antwort. (Indathyrsus schickt vogel, maus, frosch und fünf pfeile.) Herodot 4, 123 ff. Eutrapel. 2, 650. Ursinus, mantissa, S. 578.

4, 13. Von könig Xerxes und einem reichen bürger zu Celenen. (Pythius bietet sein vermögen dem Xerxes an.) Herodot 7, 27—29. Plinius, hist. nat. 33, 47. Schupp 1, S. 384. Ursinus 3, 140.

4, 14. Xerxis grewliche tyranney. (Pythius bittet einen seiner fünf söhne vom kriegsdienste zu befreien.) Herodot 7, 38—40. Seneca, de ira 3, 16. Lange 2, 60, S. 107. Ursinus 140, S. 338. Schupp 1, 384.

4, 15. Xerxes bedencken von seinem heer. (Als er es bei Abydos überschaut.) Herodot 7, 44 ff. Valer. Max. 9, 13, extr. 1. Justin. 2. Plinius epp. 3, 7. Erasmus Rot. F7.

4, 16. Xerxis des königs vermeßene hoffart. (Läßt das meer peitschen.) Herodot 7, 35. Carion 55. Fulgosus 9, 5. Hondorff 420. Schupp 1, 303; 515. Masinus, mant. 98.

4, 17. Bedencken der Griechen von der großen kriegsrüstung des königs Xerxis. a. (Thermopyle; Xerxes ist auch nur ein mensch.) Herodot 7, 202—239. Strabo 1, S. 10; 425. Plut. apoph lac. Leon. 13. Justin. 2, 11. Ael. var. hist. 3, 25. Frontin. stratag. 4, 2, 9. Pausan. 3, 4, 7. Manso, Sparta 1, S. 321. Mitford, S. 190. Niebuhr, S. 404. Thirlwall, S. 293. Valer. Maxim. 3, 2, extr. 3. Oros. 2, 9. — b. (Warnung des Artabanus.) Herodot 7, 45—52; 102. Carion-Melanth. 149. Bruso. 6, 5. Regentenbuch, 3, 1. Hondorff 424.

4, 18. Weissagung eines Persiers. (Thersander mit Mardonius bei Ataginus zu gaste.) Herodot 9, 15. Carion 57ᵇ. Carion-Melanth. 149.

4, 19. Stoltz Sennacheribs nimbt ein ende. 2 Chron. 32.

4, 20. Vermeßenheit eines trutzigen heyden. (Sesostris.) Herodot 2, 96. Jos. 8, 10. Carion-Mel. 3. Hondorff 456. Acerra 6, 61.

4, 21. Flavius Vespasianus, römischer keyser. (Urinsteuer.) Sueton. Vespas. 23. Dio Cassius 66, 14. Barland, A6. Fulgosus 11, 4. Luscinius 42. Convival. serm. 1, 288. Guru Paramartan 5ᵈ. Seb. Franck, Sprichw. 2, 34ᵇ. Manlius 367. Ens, Epidorp. S. 130. Hondorff 342ᵇ. Schreger 17, 145, S. 586.

4, 22. Titi, römischen keysers, schöner spruch. (Bittet die empörer, von ihrem vorhaben abzustehen.)

4, 23. Alexandri magni thorheit. (Haben die götter auch blut?)

4, 24. Ein anders von demselbigen Alexander. (Anexarchus fragt: Kannst du auch donnern?)

4, 25. Von Alexandro ein andere kurtze historí. (Nur allgemeines, namentlich nachsicht gegen verläumder.)

4, 26. Von gedult königs Alexandri magni. (Schüttet bei allgemeinem mangel einen ihm gebotenen trunk waßers aus.) Vincent. Bellov. spec. mor. 3, 8, 1, S. 1341 (bis). Dialog. creatur. 87. Rosarium 1, 20, O. Hollen, 98ᵇ (bis). cf. Eutrapel. 2, 535. Manlius 608. Fulgosus 4. Hondorff 436.

4, 27. Geistlich und weltlich regiment zu keyser Maximiliani zeiten. (Vergleichung des geistlichen mit einem trunkenen, des weltlichen mit einem gemsensteiger.) Luther, Tischr. 470.

4, 28. Von dreyerley königen. (Der keiser, der könig von Frankreich und der könig von England.) Luther, Tischr. 478. Manlius, S. 585. Eutrapel. 2, 664. Zincgref 1, S. 58, 59 (drei formen.) Memel 397.

4, 29. Keyser Maximiliani miltigkeit. (Kunz von der Rosen und der pfarrer.) Luther, Tischr. 478. Manlius, S. 450.

4, 30. Höflichkeit keysers Maximiliani des ersten. (Erhebt sich, als der dänische gesandte sitzend sprechen will.) Luther, Tischr. 479.

4, 31. Dem vorigen fast gleich. (Ermuthigt einen verlegen gewordenen redner.) Luther, Tischr. 479ᵇ.

4, 32. Maximiliani gedult gegen bewiesene untrew. (Betrügerischer diener spricht sich selbst das urtheil.) Luther, Tischr. 479ᵇ. Hondorff 336. Nugæ doctæ, S. 114. Exilium, S. 87, no. 30. Eutrapel. 2, 508. Zincgref 1, S. 58. Memel 436.

4, 33. Kayser Caroli V negligirte occasion. (Ließ mehrfach günstige gelegenheiten unbenutzt.) Luther, Tischr. 612.

4, 34. Man sol nicht zu viel vertrawen. (Gefangener vogel verspricht einen edelstein.) Barlaam, opp. S. 22, 6. Boissonade, anecd. 4, 79. Barlaam udgif. af. Keyser, cap. 45. Bidpai, hinter 1001 jours 448. Auvar-i-Suhaili. Livre des lum. S. 114. cf. Loiseleur, essai 71. Castoiem. Méon 2, 140. Vartan 13. Sineboth banefesh, bl. 42ᵇ. Petrus Alphons. 23, 1—6; Schmidt 150. Bromyard, M 11, 78. Dialog. creaturar. 100. Scala celi 7ᵇ. Fabul. rythmic. (Wright, select.) 2, 83, S. 170. Gesta Roman. lat. 167, germ. 80. Römer tat 49; Violier 136. Swan 2, 339. Histor. Lombart. c. 175; Graesse 180. Camerarius 213. Enxemplos 53. Pantal. Candidus, bei Schulze, 186, S. 207. Histor. litér. 23, 76. Le Grand 3, 113; 1829, 4. 26; deutsch 4, 104. Du Méril, poesies inédites, S. 144. Li lais de l'oiselet (Méon, 3, 114). Mystère du roi

Advenis (Parf. hist du théatre fr. 2, 475.) **Marie de France**, Roquef. 1, 314; 2, 324 Ysopo, 1644. colet. 6, fol. 163. **Selentroist** 14[b]. Stricker (Altd. Wäld. 2. 5); **Luther**, Tischr. 6:2. **Hans Sachs** 1. 4, 428 (1555. **Agricola** 201. **Haupt**, Zeitschr. 7, 343. **Keller**, altd. ged. S. 7. Grimm, Reinh. Fuchs, CCLXXXI. cf. Uhland in Pfeiffers German. 3, 140. Wieland, Vogelgesang (teut. Mercur, 1778: Werke 1796. 18, 315.) Benfey, Pantschat. 1, 381. Dunlop-Liebr. note 74. S. 484. **Nicolai**, ged. 1. 62. Liedersaal 167. **Lydgate**, the tale of the chorle etc. Lond. s. a. 4 (Ebert, 12554.) Way, the lay of the little bird (bei Swan 2, 507).

4, 35. **Ein klein beyspiel, aber gut.** Geld für die haut noch nicht gefangenen wildes.) Ausführlich schon 1, 87.

4, 36. **Christliche antwort Alphonsi.** (Wolte vor Cajeta keine grausamkeit üben.) A. Panormita 1, 15. **Luther**, Tischr. 476 Manlius, S. 273. Hondorff 277. Eutrapel 3. 307.

4, 37. **Von obvermelter tugent.** (Ebenso Friedrich, churfürst zu Sachsen, vor Erfurt.) Luther, Tischr. 476[b]. Melander 1, 632. Zincgref 1, S. 98, 4. Weidner. S. 22, 2.

4, 38. **Von dem mächtigen graven von sainct Paul.** (Unter Ludwig XI.) Commynes 1, 15; etc. 381—403. Guicciard. 44[b]. Federm. 75. Democrit. rid. S. 94. Eutrapel. 1, 309

4, 39. **Cominaei meinung von glücksfallen.** (Ohne erzählung.) Commynes 1, 403.

4, 40, 41. **Herzog Carol von Burgund belägert Neuß anno 1474.** (Nach einem gedichte von Christian Weigerstraß.) Commynes 1, S. 313.

4, 42. **Hertzog Carol wird geschlagen vor Granse, anno 1476.** (Am 3 März.) Commynes 2, S. 5. Seb. Münster, S. 619. Stumpffius 2, 252; 259; 435.

4, 43. **Eidgenossen erobern und plündern des hertzogen läger.** (Nach der schlacht.) Commynes, 2, S. 6.

4, 44. **Weiter bericht hiervon.** (Ebenso) Commynes 2 S. 20.

4, 45. **Hertzog Carol verleurt abermahl das feldt, im selbigen jar.** (Vor Morat.) Commynes 2, S. 27. Seb. Münster S. 620. Stumpffius 2, 435.

4, 46. **Von der letzten schlacht und todt dieses fürstens, anno 1477.** (Vor Nancy.) Commynes 2. S. 46. Seb. Münster. S. 261. Stumpffius 2, 437.

4, 47. **Epitaphia und gedenckzeichen dieser obvermelten dreyer feldtschlachten.** (Nach eigner anschauung 1548—49.)

4, 48. Von ermelten schlachten hat vorzeiten Jacobi Wimphelingii praeceptor Ludovicus Dringenbergius, in diesem disticho geschrieben. (Distichon mit übersetzungen.)

4, 49. An hertzog Caroli grab zu Nanse stehet nachgesetzt monostichon, darinnen die jahrzal der letzten schlacht begriffen etc. (Ohne geschichte.)

4, 50. Summarische beschreibung hertzog Caroli von Burgund leben. Commynes 2, S. 66.

4, 51. Titul, dessen sich der hertzog Carol gebraucht, auß eim andern authore. (Titel und characteristick.)

4, 52. Von großem reichthumb und pracht hertzog Caroli. (Während kaiser Friedrichs III aufenthalt in Trier.) Commynes 1, S. 167. Zincgref 1, S. 252, 2.

4, 53. Des herrn Cominaei bedencken von gesprech halten der fürsten und herrn. (Nicht immer nützlich.) Commynes 1, S. 163. Regentenbuch 3, 14 (auch die folgenden stücke.)

4, 54. Von ungleichem habit zweyer könige. (Heinrich von Castilien und Ludwig XI.) Commynes 1, ibid. ff.

4, 55. Osterreich und Burgund, wie gegen einander gesinnet. (Nach der zusammenkunft in Trier; unfreundlich.) Commynes 1, S. 167.

4, 56. Teutsche und Burgunder nicht wol an einander. (Das gefolge konnte sich nicht vertragen.) Commynes, ibid.

4, 57. König zu Engelland und hertzog Carol bey einander. (Zu sanct Paul in Artois; das gefolge kann sich auch hier nicht vertragen.) Commynes 1, S. 168.

4, 58. Pfaltzgraffe kompt zu hertzog Caroln. (Unfriede zwischen Deutschen und Burgundern.) Commynes 1, S. 169.

4, 59. Vom hertzogen zu Osterreich und Burgundt. (Sigmund von Oesterreich verpfändet das Suntgaw und Pfirt für eine tonne goldes.) Commynes, ibid.

4, 60. Franckreich und Engellandt halten ein gesprech. (Bei Amiens.) Commynes 1, S. 169.

4, 61. Fürsten sollen durch ihre legaten handeln. Commynes, ibid.

4, 62. Kurtzer beschlus hiervon. (Ohne geschichte.)

4, 63. Fürsten und herrn am besten zu vertragen. (Ernst von Sachsen und dessen bruder Albrecht laßen ihre händel durch einen von Einsiedel schlichten.) Luther, Tischr. 489b (falsch 479).

4, 64. Von dergleichen. (Churfürst Friedrich der ältere und herzog Wilhelm zu Sachsen schließen bei Leipsig frieden.) Luther,

Tischr. 480[b]. Manlius, S. 217.

4, 65. **Ein fürst und müller spielen.** (Hertzog Albrecht zu Sachsen auf dem reichstag zu Nürnberg.) Luther, Tischr. 468.

4, 66. **Gut auffsehens churfürst Friderichs zu Sachsen.** (Sein eigner rentmeister auf Claus Narren rath.) Seb. Franck, German 288. Luther. Tischr. 484[b]. Zincgref 1, 279 5. Weidner, S. 325, 6; 5, 38. Eyring 2. 195. Memel 340.

4, 67. **Der S. chur wapen deutung.** (Ohne erzählung.) Luther, Tischr. 486[b].

4, 68. **Lehr und verstand h. Johannis Friderici.** (Trinkt Alle daraus; nicht die priester allein.) Luther. Tischr. 488[b]. Zincgref 1, S. 104, 5. Eutrapel. 2, 461. Weidner 4, 10.

4, 69. **Titulus Johannis Friderici, electoris ducis Saxoniae, sub cruce militantis, ab ecclesia sibi inditus 1548.** (Ohne geschichte.) Luther, Tischr. 488.

4, 70. **Exempel christlicher tugent zu einem fürstlichen regiment Philippi magnanimi, weiland landgraven zu Hessen.** (Als dreizehnjähriger prinz.) Luther, Tischr. 472. Dithmar, S. 18.

4, 71. (Beständig im glauben.) Luther, Tischr. 472[b]. Dithmar. S. 18.

4, 72. (Hatte einen hessischen kopf.) Rommel 6, 3, S. 232. Eob. Hessus, Id. 6; 13. Dithmar, S. 19.

4, 73. (Seine feldzüge.)

4, 74. (Rede, im Sleidamus vermeldet.) Sleidan, lib. 5 (1525).

4, 75. (Für den hertzog von Wirtemberg.)

4, 76. (Kriegskosten.) Eignes erlebnis. 1559.

4, 77. (Feldzug 1545–46.)

4, 78. **Philippus magnanimus demütigt sich vor gott.** (Beim gewitter.) Zincgref 1, 121, 4. Dithmar, S. 12.

4, 79. **Ein christlich epitaphion diesem tewren hochermelten fürsten gestellet.** (Gedicht.) Dithmar, S. 23

4, 80. **Vaticinium Romae repertum in Vaticano.** (P. P. P. S. S. S. R. R. R. F. F. F.) Pauli 7.

4, 81. **Landgrave Wilhelm gibt einem bawren wiesen zinß.** (Da er die wiese verdorben hatte.)

4, 82. **Der hessischen landgraffschafft wappen beschrieben.** (Ohne erzählung.)

4, 83. **Eltern ehren bey den heyden löblich.** (Cleobis und Biton spannen sich vor einen wagen, um ihre mutter zu fahren. Herod. 1, 31. Pausan. 2, 20. Cicero, Tusc. 1, 47, 113. Plutarch. Sol

27; cons. ad Apoll. 14. Valer. Max. 5, 4, extr. 4. Stob. serm. 169. Servius et Philarg. ad Virgil. Georg. 3, 532. Hygin. fab. 254. Eutrapel. 1, 47. Hammer, S. 240.

4, 84. Ein hertzog von Geldern nimpt sein eigenen vatter gefangen. (Adolf von Geldern, 1474.) Commynes 1, 306. Tragica, S. 59. Bandello-Belleforest 6, 4. Convival. sermon. 2, 18. Francisci, S. 130. Hedio, S. 536. Hondorff 172.

4, 85. Von den wunderbaren glücksfällen eines graffen von Angiers. (Graf in Aillag.) Mündlich, 1601.

4, 86. Von hertzog Durando und Fortunata. (Fortunata erhöht und erniedrigt; Griseldis.) Nougier, hist. de Toulouse, S. 167. Boccaccio 9, 10. Olivier de la Marche, Parement des dames. Mistere de Griseldis, Ms. etc. Foresti da Bergamo, chron. Supplem. Petrarca opp. 1581, S. 540. Timoneda, Patrañ. 2. Le Grand 1, 289. Zeißeler, S. 108. Schiebel 1, S. 118. Chaucer Tales, Clerk of Oxenforde. The patient Grissel, 1599. Scherz m. d. warh. 25b. Abr. a. S. Cl. Gemisch 173. Dunlop-Liebr. 252.

4, 87. Von tyrannen, und wie sie in ihrer beywohnung zu halten. (Fuchs hat in der Löwenhöhle den schnupfen.) Camerar. 296. Luscinius, no. 43. Abr. a S. Cl. Huy, E2. Geiler, Evangelibuch 71b. Luther, Tischr. 623. Abr. a. S. Clara, Mercurialis, S. 228. Lyrum larum 57.

4, 88. Vom zorn zu erkennen. (Beim spiel; ohne erzählung.)

4, 89. Beschreibung des richterlichen ampts. (Ohne geschichte.)

4, 90. Seines beruffs sol keiner mißbrauchen. (Schultheiß richtet unwißend zu eignem schaden; kuh.) Luther, Tischreden 612. Manlius 626. Schreger 17, 64, S. 548. Lyrum larum 234.

4, 91. Tewere zeit zu Venedig. (Ein kaufmann verspricht korn, wenn er bei einer frau schlafen dürfe; der mann bleibt zugegen.) Luther, Tischr. 608. Welthändel, S. 416.

4, 92. Venediger list, rauberey außzurotten. (Schenkten den denuncianten die freiheit.) H. Estienne 1, 397.

4, 93. Etwas von dem schädlichen zug, so die Athenienser in Sicilien gethan. (Nicias und Alcibiades.) Thucydides 6, 9—23. Plutarch. Nic. 12 ff.; Alcib. 17 ff. Diodor. 12, 83. Boccaccio, cas. illustr. 3, 12.

4, 94. Extract des Nicias oration, wol zu mercken.

4, 95. Acibiadis antwort, voll alles unnützen ruhms und prächtigen geschwetzes.

4, 96. Welche ceremonien die heyden, so sie in krieg

ziehen wolten, gebraucht. (Fortsetzungen von 4, 93.)

4, 97. Exempel vom Hannibal. (Pflegte hinterhalte zu legen.)

4, 98. Gebrauch der Frantzosen mit ihren fähnlein. (Tragen die alten fahnen.)

4, 99. Von ankunfft der landsknecht orden. (Zur zeit Maximilians I.) Franck, Chron. S. 217.

4, 100. Landsknecht ist erschrecklich. (Beschreibung einer rheinischen frau.)

4, 101. Übermuth wird gestrafft. (Die Venediger unter Barthol. de Scabato durch eine pulverschlange vernichtet.) Luther Tischr. 548. Eutrapel. 1, 169. Sinnersberg, no. 519.

4, 102. Gardhauffen geschlagen. (Bei Fenlo in Geldern: ostern 1518.)

4, 103. Behendigkeit beßer, dann stärcke. (Wie der ichneumon den wallfisch tödtet.) Plinius, hist. nat. 8, 37. Ursinus 2, 129. Odo, Ms. Douce 16. Luther, Tischr. 131. Gatos 13. Hondorff 13?

4, 104. Von einem weißen fuchs. (Vor ungefähr 50 jahren in Westphalen gesehen.) Nach eigner anschauung; repetirt 7, 86.

4, 105. Von einer kunstreichen sackpfeiffen. (Ein kriegsmann läßt sich eine viertelmeile wegs von einem pfeifenden schäfer begleiten.) Mündlich.

4, 106. Das wenig sol man nicht verschmehen. (Bettler fordert statt eines halben käse den ganzen, erhält gar nichts.) Spangenberger geschichte.

4, 107. Reuterey und rechtfertigen. (Ein herr bewirthet gelegentlich einen räuber, und bleibt dafür später unbehelligt.) Luther Tischr. 547[b].

4, 108. Rechter adel hält sich adelisch. (Ohne geschichte.)

4, 109—117. Comportament, darin 16 puncten begriffen, ohne weitern besondern titul. (Reichhart von Trier, Ludwig bei Rein und Philipp magnanimus theilen sich nach der belagerung von Namstall 1523 in acht, Franz von Sickingen gehörige becher; es folgen die inschriften derselben.)

4, 118—123. Sprüche ohne erzählungen.

4, 124. (Anführung eines poetischen werkes von Hans Sachs.)

4, 125. De conviviis Plutarchus in convivalibus dicit. (Convivium debere esse sicut alphabetum.) Plutarch, Sympos. ? Luther, Tischr. 621[b]. Manlius 243. Eutrapel. 2, 948. Ens, Epidorp. S. 26.

4, 126. Einwurzelung des bösen woher. (Ernst zu Lüneburg und Wilhelm von Mecklenburg; die herren sollten dazu thun, daß das trincken abnähme.) Zincgref 1, S. 113, 2.

4. 127. Sauffen ein alt laster. (Darum laßet es jetzt nicht in abgang gerathen.) Luther, Tischr. 618. Weidner 4, 20.

4, 128. Zu sehr mild sein taug nicht. (Junger gesell will nicht mehr die gesellschaft tractiren.) Eignes erlebnis, 1543 in Dresden.

4, 129. Von fast dergleichen. (Warnung vor unnützer freigebigkeit.) Eignes erlebnis.

4, 130. Warnung für ungesundheit. (Ein Italiener stirbt an dem genuße von ungereinigtem käse.) 1584 in Spangenberg erfahren.

4, 131. Anmütigkeit des haffenkäß. (Ein mönch wird wolf gescholten.) Eignes erlebnis, 1559.

4, 132. Von sechs widerwertigen naturen. (Sechs männer, von denen jeder ein gericht nicht liebt, speisen zusammen.) Bekannte Kirchhofs.

4, 133. Ob artzney in kranckheit zu gebrauchen. (So wohl, wie eßen beim hunger.)

4, 134. Von einem krancken edelman. (Trinkt dem gebote des arztes zuwider, drei gläser wein und wird gesund.)

4, 135. Eines landsknechts schimpffliche rede vom tod. (Botz sacrament!)

4, 136. Eben ein solches. (Düwel ind liff.) Eignes erlebnis.

4, 137. Fast dergleichen. (Ick mag nid me sonpen!) Eignes erlebnis.

4, 138. Von einem mutterpferd und wolff. (Am hinterfuße lesen.) cf. 7, 43. Aesop. Nevel. 263; Kor. 259, S. 170, 171, 390, 391; Furia 134, 140. Babrios 122. Aphthon. 9. Gabrias 38. Bromyard, F, 7, 2. Mart. Polon. 230, J. Camerar. 165. Faernus 4. Baldo 27. Petrus Alphons. 5, 4. Camerar. 199. Extravag. 1, 423. cf. Reinardus 3, 6. Renard, 7521. Castoiement, S. 71. Ren. contraf. fol. 192b. Reinh. Fuchs, LXXV; CCLXIII; 428. Philelphus 25. Freidank 140, 11—12. Faern. 33. Remicius 48. Paulinus 28. Chytraeus 87. Renner, 1513. Cento nov. ant. 91. Fabb. rythm. 2, 9. Ysopo 3, 2; 5, 1. Hita 288. Enxempl. 128. Agricola 398. Daum 208. Mone, anz. 1836, S. 452. Waldis 3, 60. Lafont. 12, 17. cf. 6, 7. Rob. 2, 365. Hans Sachs 2, 4, 34. Schmidt, Beitr. 181. Kühn, Märk. Sagen, der dumme Wolf. Dunlop-Liebr. 214. Abr. a S. Clara, Judas, 2, 237, Den wysen ghek, Serrure, vaderl. mus. 1855, S. 252.

4, 139. Von dem artzt Democedes. (Heilt den könig Darius.) Herodot 3, 129; 131. Acerra 2, 1.

4, 140. Von urtheil auß physionomia. (Jemand beurtheilt den character eines philosophen nach dessen bild.)

4, 141. Von gebrächlichkeit des menschen. (Luther schenkt Justus Jonas ein glas; inschrift.) Luther, Tischr. 497. Eutrapel. 2, 777.

4, 142. Historia von sanct Augustino. (Seine bekehrung durch Rom. 13.) Augustin. confess. 9, 29; 30. Egnatius 1, 4, extr. Schupp 2, S. 380.

4, 143. Wanderschafft zweyer waldbrüder. (Wollen in einer stadt bleiben, die von teufeln heimgesucht wird, weil gute Christen darin wohnen müßen.) Enxemplos 360. Geiler, Evangelia 48, H6. Ludw. Lavater, von Gespensten, in Theatr. de veneficis, S. 178.

4, 144. Vom glück der bösen und creutz der frommen, kurtzer unterricht. (Fortsetzung; gottloser ist glücklich, frommer unglücklich; nur schein.)

4, 145. Die heyligen engel bewaren die kinder. (Ein kind liegt drei tage lang unterm schnee, bis ein engel es heim geleitet.) Luther, Tischr. 277b. Hier. Mencel. Postill. 2, S. 439, Hondorff 115. Melander 3, 148. Grimm, Sagen 361.

4, 146. Ermahnung zur dancksagung gottes. (Der teufel schlägt jemanden auf den mund, der bei den worten nicht niederfällt: Et homo factus est.) Specul. exemplor. 9, 75.

4, 147. Die rede und sprach des menschen edelste gabe. (Ohne geschichte.)

4, 148. Von erfindung der buchstaben und schrifft. (Ohne geschichte.)

4, 149. Von ursprung und nutzen des buchdruckens, kurtzer bericht. (Joh. Gutenberg, 1450.) Münsterus 706. Schupp 1, S. 731.

4, 150. Fürter etwas von den namen. (Ohne geschichte.) Stumpffius, bl. 23.

4, 151. Der glaub und vater unser, wie die Notkerus, ein mönch zu sanct Gallen auß dem latein verdolmetscht, anno 870. Maßmann, die deutschen abschwörungsformeln, Quedlinburg 1839. Hattemer, denkmahle des mittelalters, Bd. 1, 2.

4, 152. (Torgauer glaubensartikel 1218.)

4, 153. Von verenderung der sprachen. (Völkerzerstreuung ohne weitere erzählung.) Genesis 11. Josephus, antiq. 1, 6.

4, 154. Wo die sprach, insonderheit die teutsche, am besten. (Ohne erzählung.)

4, 155. Gott preiset seine lieb gegen Teutschlandt. (Deutsche bildung im auslande geehrt.)

4, 156. Zweyerley herrliche wolthat von Römern dem Teutschlandt widerfahren. (Die lateinische sprache.) Ohne geschichte.

4, 157. Von erfindung etlicher handwerck und künsten. (Allerlei vermischt.)

4, 158. Von der kleidung. (Ohne geschichte.)

4, 159. Wie der arm reich, und der reich arm wird. (Ohne erzählung.)

4, 160. Warumb die ufer schwalb immer auff dem waßer fliege. (Drei gesellen; 1: schiffbrüchiger kaufmann ist in eine schwalbe verwandelt.) Aesop. Kor. 248; Furia 123; Novelet. 252. Rimicius 72. Pant. Candid. (del. poet. germ.) 2, 110. Waldis 3, 71. Wolgemuth 259.

4, 161. Ursach, warumb die fledermauß den tag schewet. (2: war früher schuldenmacher gewesen.)

4, 162. Warumb die kleider an dornhecken behencken. (3: war leichtsinnig im ausleihen.)

4, 163. Erfahrung kompt mit dem alter. (Kind trägt kohlen auf der asche.) Eutrapel. 2, 704. Wolgemuth 1, 92.

4, 164. Von lands gewonheit. (Bei einem volke werden die verstorbenen eltern gegeßen, beim andern verbrannt.) Herodot 3, 38; 97. Lange 1, S. 88.

4, 165. Ein landt hat geschickter leut, denn das andere. (Pigres und Mastyes.) Herodot 5, 12 ff.

4, 166. Abermal von spinnerin. (An der westphälischen grenze spinnen die weiber beim viehhüten.) Eigne beobachtung.

4, 167. Ein anders, diesem gleich. (Die weiber aus Sontra in Hessen stricken fortwährend.) Ohne erzählung.

4, 168. Ein hundt wendet ein braten. (Bis er einen hasen sieht, dann thut er, wie die katze des Markolphus.) cf. 7, 140. Saadi, Gulistan. Aesop. Kor. 108; 169; 186. Phaedr. App. 3. Rosarium 2, 261, J. Eyring 118. Egenolf 81. Philelphus 8. Ces. Pavesio 11, 76. Arl. Maynard. 73. Guicciard. 224. Mar. de France 82; 103. Tardif 3. Haudent 90. Corrozet 47. Benser. 119. Rob. 1, 155. (Mar. de France, Ms.) Lafont. 2, 18.

4, 169. Recht trew darff nicht viel beschönens. (Albrecht Dürer liebte bunte gemälde nicht.) Luther, Tischr. 587.

4, 170. Ieder beruff erfordert fleiß. (Die magd darf keinen besen liegen laßen.)

4, 171. Irrende soll man zu recht weisen. (Ein wendischer bauer weist zwei schülern einen falschen weg.)

4, 172. Lob der Eidgnoßschafft. (Gefälligkeit der Schweizer.) Eigne beobachtung.

4, 173. Bewehrt die feldarbeit außrichten. (Die Schweizer tragen auch bei der arbeit waffen.) Eigne beobachtung.

4, 174. Von zweyen andern Eidgenoßen. (Ihre gastfreiheit.) Eignes erlebnis. Dithmar, S. 36.

4, 175. Von einer andern wolthat. (Eines schweizerischen schusters.) Eignes erlebnis. Dithmar, S. 36.

4, 176. Arme krancke knecht, wie in der Eydgnoßschafft gehalten. (Verpflegen kranke deutsche landsknechte.)

4, 177—181. Comportament von etlichen feinen sprüchen und rithmis der alten, etwas gebeßert. (Gedichte.)

4, 182. Von den streitbaren weibern, Amazones genennet. (Verkehr mit den Scythiern.) Herodot 4, 110. Spangenberg 1, 435b. Hedio, S. 429. Acerra 2, 58. Albertinus 55.

4, 183. Übelthat bleibt nicht verschwiegen. (Unzucht einer edlen Römerin in Rom verheimlicht, in Carthago auf den gaßen gesungen.) Schon 1, 342.

4, 184. Ein weib wil das regiment haben. (Bekommet schläge.) Eignes erlebnis, im Elsaß.

4, 185. Von zweyen dergleichen eheleuthen. (Die frau führt mit dem manne abwechselnd das regiment und die hosen; kommt dabei ins gefänguis.)

4, 186. Böses wünscht ihm niemand wieder. (Widerspänstige frau fließt den fluß aufwärts.) Pauli 142. Ferner: Schola curiositatis, S. 191. Nugæ doctæ, S. 194. Exilium, S. 522, no. 38.

4, 187. Von einem barbierer zu Amiens. (Der mann ist zufrieden, daß die frau sich ertränken will.) Eignes erlebnis. Roger Bontems, S. 141.

4, 188. Mann und weib ein leib. (Einer hält sich für geweiht, weil seine frau nonne gewesen ist.) Luther, Tischr. 484.

4, 189. Ein anders, diesem nicht ungleich. (Der mann meint, es sei genug, wenn Er gegeßen und getrunken habe, die frau thut dasselbe.) Luther, Tischr. 484b.

4, 190. Die größte plag auff erden. (Ein böses weib; ohne geschichte.) Luther, Tischr. 484b.

4, 191. Herrschafft reicher weiber. (Ohne erzählung.) Luther, Tischr. 434b.

4, 192. Warumb ehelich werden, freyen heiße. (Heirathe, oder heirathe nicht, es wird dich gereuen.) Meidinger 44.

4, 193. Ein bawren knecht wil freyen. (Obwohl das mensch arm ist.) Mündlich.

4, 194. Weiber überleben. (Der mann hatte 20 weiber, die frau 19 männer gehabt.) Luther, Tischr. 435b. Guicciard. 46.

4, 195. Ein weib wil wißen ihres mannes liebe. (Hat sie so lieb, wie ein gut schmeißen.)

4, 196. Weiber seind nicht all verschwiegen. (Schwester verräth den bruder, als er sie schilt.) Eyring 2, 51. Egenolf, Sprichw. Goedeke, Every man. cf. Gesta rom. lat. 124, etc.

4, 197. Ein schöne lehr. (Räthsel.)

4, 198. Kurtze beschreibung der statt Rom. (Viermal in Rom gewesen; schalk gesucht, gefunden, heimgebracht.) Luther, Tischr. 609. Eutrapel. 3, 419. Weidner, S. 218, 1. Memel 262.

4, 199. Von des papsts bildnuß. (Aus schiefer; 1538 bei Mansfeld gefunden.) Luther, Tischr. 343b. Seyfrid 446. (Sam. Fabricius.)

4, 200. Vom papst Hadriano. (Drei bilder mit inschriften.) Luther, Tischr. 337.

4, 201. Papst Paulus hat das papstthumb nicht umbsonst. (Hat es durch die buhlerei seiner schwester erlangt.)

4, 202. Schand für ehre, und ehre für schand gehalten. (Papst Julius verzieh einem cardinal seine unzucht, aber nicht seine verheirathung.)

4, 203. Papsts heyligkeit. (Bricht das bündnis mit Maximilian und Ludwig.)

4, 204. Vom römischen eyd. (Ein Deutscher will für 20 dukaten nicht falsch schwören.) Luther, Tischr. 553b.

4, 205. Von einem cardinal in Engelland. (Wolsea, ein metzgersohn; wird er papst, so dürfen wir in den fasten fleisch eßen.) Luther, Tischr. 337. Weidner 4, 263.

4, 206. Von cardinal Westmünster in Engelland. (Legt euch nur bald in euer prächtiges grab!) Durch Franc. a Segar, 1601.

4, 207. Eines Jüden zeugnuß von des papsts heyligkeit. (War vor der taufe in Rom gewesen.) Bereits 1, 2, 5.

4, 208. Etwas von dem römischen gottesdienst. (Ohne erzählung.)

4, 209. Vom rechten gebet. (Ohne erzählung.)

4, 210. Ungegründeter aberglaub vom fasten. (Mönch will 40 tage fasten, stirbt)

4, 211. Von der Mönche fasten. (Ist beßer, als anderer leute eßen.) Ohne geschichte. Luther, Tischr. 369.

4, 212. Schwalben und sperling der mönche contrafect. (Wie die prediger und barfüßer sich gegenseitig vorwerfen.) Luther, Tischr. 371b.

4, 213. Von almuß fordern. (Viele bettler vor den katholischen kirchen.) Ohne erzählung.

4, 214. Von almuß geben. (Geld zwischen einen bettlerhaufen geworfen.) Eignes erlebnis.

4, 215. Vom selbigen. (Ohne geschichte.)

4, 216. Unrechter almuß stifftung und geben, ein christlich exempel. (Philipp magnan. will einem verdienten soldaten eine hospitalstelle geben, er schlägt sie aus.) Hessische geschichte. Dithmar, S. 20.

4, 217. Ein diener zürnt über seines herrn freygebigkeit. (Graf von Bedford giebt aus versehen ein goldstück.) Mündlich.

4, 218. Diesem nicht ungleich. (Aehnlicher fall aus Kirchhofs bekanntschaft.) Mündlich.

4, 219. Von einem official und seinem vicario. (Der vicar bringt statt des strafgeldes zwei besen, daß ieder vor seiner eignen thür kehre.) Luther, Tischr. 348. Wolgemuth 5, 52.

4, 220. Ein predigt von sanct Peter. (Der prediger nennt Petrus einen dieb; ein bauer remonstrirt dagegen.)

4, 221. Ein pfaff zu Rom betreugt etliche Teutschen. (Giebt ihnen fünf beine des heiligen esels.) Luther, Tischr. 346. Hondorff 49b.

4, 222. Verkürtzte und gewisse beschreibung der gottlosen. (Auslegung der buchstaben M. N. M. G. M. M. M. M.) Luther, Tischr. 371b. Weidner, S. 74, 2. cf. Vita Aesopi.

4, 223. Einem ein ding zu erleiden. (1521 auf dem reichstage zu Worms hatte iemand die widerlegung der lutherischen lehre schon vor drei jahren gelesen.) Luther, Tischr. 621.

4, 224. Straff etlicher schänder göttlichs worts. Der erst. (Urbanus vom donner erschlagen.) Luther, Tischr. 368b. (falsch 168.)

4, 225. Der ander widersprecher göttlichs worts. (1529 stirbt ein evangelischer pfarrer, der seinen pfarrkindern eine procession anräth) Luther, Tischr. 368b. Hondorff 60b.

4, 226. Der dritte. (Ein mönch stirbt plötzlich, als er sanct Paulus beschimpft hatte.) Luther, Tischr. 368[b].

4, 227. Der vierde waghals. (Der pfarrer zu Künwald wird vom donner erschlagen, als er sich verfluchte.) Luther, Tischr. 368[b].

4, 228. Der fünfft heuchler. (Ein doctor stirbt, nachdem er das abendmahl in beider gestalt vertheidigt hat.) Luther, Tischr. 366[b].

4, 229. Von angemaster heiligkeit. (Ein altvater fragt, welchen heiligen er gleich geachtet werde: einem pfeifer und zwei weibern.) Geiler, Predigten, 1508, 139[b], Vv[b]. Agricola 218; 655. Jac. v. Cassalis 38[b]. cf. Eutrapel. 3, 181.

4, 230. Pfeiffer in bann gethan und warumb. (Ohne geschichte.)

4, 231. Unverstandt eines armen manns. (Wollte aus andacht nicht mehr harnen.) Luther, Tischr. 542[b].

4, 232. Vermeßenheit eines fürwitzigen weibs. (Will ihre gäste mit manna speisen.)

4, 233. Mancherley aberglauben der heiden, künfftige ding zu erfahren. (Mit beispielen.) Josephus antiq. 19, 7. Acerra 1, 62. Ursinus 2, 198.

4, 234. Ein warsager vogel wird erschoßen. (Von Mossolam; der vogel kennt sein eignes schicksal nicht.) Acerra 1, 61.

4, 235. Von verenderung des glücks. (Polycrates.) Pauli 635. Agricola 632. Exilium, S. 106, no. 23. Tragica, S. 410. Albertinus 265, u. s. w.

4, 236. Von aberglaub der Türcken. (Georg Castriot's leichnam.) Marin. Barletius Scodrensis, de vita moribus ac rebus gestis G. Castrioti. Argent. 1537, *fol.* S. 370. Albertinus 1091.

4, 237. Von demselben. (Die Türken gebrauchen Joh. 1, 1. als amuletinschrift.)

4, 238. Aberglaub und närrische geistlichkeit. (Stopfer; für gute erndte.) Seb. Münster, S. 767. Stumpffius 2, 309[b].

4, 239. Von dergleichen. (Allerlei aberglauben; ohne erzählung.)

4, 240. Von demselbigen. (Die völker in Calicut vermummen sich als teufel, um reiche erndten zu gewinnen.) Seb. Münster, 1415.

4, 241. Aberglaub erlescht nicht leichtlich. (Allerlei bisweilen begründeter aberglaube.) Selbsterlebte beispiele; cf. 1, 362.

4, 242. Gott warnet uns durch wunder und zeichen. a. (Bei der zerstörung Jerusalems.) Joseph. de bello jud. 6, 31. Goltwurm 69. b. (Ein weib verkündigt den krieg der Protestanten 1546.) Eignes erlebnis.

4, 243. Frucht des ehelosen lebens. (Gegen hundert kinderköpfe in einem römischen klosterteiche.) Hedio, hist. eccles. 8, 12. Luther, Tischr. 464. Fincelius 2, y[b]. Hondorff 289.

4, 244. Dem vorigen gleich. (In einem deutschen nonnenkloster fand man zwölf töpfe mit kinderleichen.) Luther, Tischr. 464.

4, 245. Pfaffen hurerey. (Wenn sie keine köchinnen haben, nehmen sie bürgerfrauen.) Luther, Tischr. 354[b]. Weidner 4, 181.

4, 246. Von einem thumherrn und des müllers esel. (Eselein statt Elslein.)

4, 247. Von einem andern bübischen pfaffen.) (Wird von einer ehrbaren frau beim frühstück überlistet.)

4, 248. Ein thumherr entführt eim edelmann seine haußfraw. (Der sie zurückholt und einmauert.) Luther, Tischr. 460[b]. Bandello-Belleforest 1, 4, S. 78. Ambr. Metzger 97, S. 151.

4, 249. Historia von einem verholen ehebruch. (Der gatte läßt den ehebrecher entwischen, um die ehre seiner frau zu retten.) Luther, Tischr. 459.

4, 250. Großer herrn schertz. (Ein großer herr findet eine jungfrau in seinem bette, und schickt sie unversehrt heim.) Gir. Cinthio 6, 3. Luther, Tischr. 482. Zincgref 1, S. 72, 3. Histor. Handbüchlein, S. 256. Dunlop-Libr. 280.

4, 251. Ein ander ehebruch eines thumherrn. (Wird vom ehemanne ertappt und später erstochen.) Luther, Tischr. 461. Hondorff 307.

4, 252. Vier mörde aus einem ehebruch erfolgt. (Drei männer bei einer frau.)

4, 253. Ein ander straff des ehebruchs. (Der mann tödtet ehebrecher und frau.) Luther, Tischr. 431. Manlius, S. 331. Spangenberg 2, 447. Hondorff 307[b]; 308.

4, 254. Unzucht grewlich gestrafft worden. (Pfaffenhure vom teufel geplagt.)

4, 255. Jungfraw Ursula zu Augspurg. (Ißt und trinkt nicht; betrug 1511.) Goltwurm 80[b]. Luther, Tischr. 542[b]. Histor. Handbüchl.

4, 256. Deßgleichen. (Ähnliche betrügerin zu Eßlingen 1539; vermauert.) Luther, Tischr. 542[b].

4, 257. Erschzecklicher mord eines weibs. (Weib tödtet ihren mann und läßt die leiche durch ihren buhlen ins waßer werfen; hat aber beide zusammengenäht, so daß der buhle ebenfalls hineinstürzt.)

4, 258. Von Arion, dem kunstreichen harpfenisten. (Vom Delphin getragen.) Herodot 1, 23. Plut. VII sap. Aelian 13, 45.

Plinius, hist. nat. 9, 8. Hygin 195. Gellius 16, 19. Ovid. Fast. 2. Vincent. Bellov. spec. hist. 2, 109. Probus, Virg. Georg. 2, 90. Brant, J5; germ. 161[b]. Geste Rom. lat. 148. Violier 121. Alciati 90, S. 385. Biogr. univ. 53, S. 304. Convival. sermon. 1, 100. Acerra 1, 93. A. W. Schlegel, Arion. Tieck, Arion. Krutzsch, dramatisch, 1855.

4, 259. Vorgesetzter mord nimpt selbst schaden. (Ein Schwabe will 1546 bei Donauwerth Bastian Schertel ermorden.) Eignes erlebnis.

4, 260. Böse that bleibt unverholen. (Mörder verräth sich selbst; 1553 in Gerlingshoven.) Wohl mündlich.

4, 261. Merckt. (Aehnliche, selbsterlebte fälle.)

4, 262. Mord, heimlich begangen, wird offenbar.) (Zwei mörder werden behorcht, als sie von ihrer that sprechen.)

4, 263. Von einem untrewen wirth. (Dessen mordanschlag von einem mädchen verrathen wird.) Luther, Tischr. 547. Hondorff 330.

4, 264. Ein dieb erlangt zu hencken, wo er will. (Marcolph.) Pauli 283. Peregrination 217.

4, 265. Von einem deßgleichen. (Wählt den neuen galgen.) Bereits 1, 300.

4, 266. Einer rathet einem dieb das beste. (Zur flucht.) Weidner 212.

4, 267. Ein dieb wil gehenckt sein. (Laßt ihr mich laufen, so thue ichs doch wieder.) Luther, Tischr. 467.

4, 268. Von einem fuchs und maus. (Fuchs will die maus freßen, die ihn aus der falle befreit hat.)

4, 269. Gleicher verdienst, gleicher lohn. (Hermotimus von Panonius castrirt.) Herodot 8, 104 ff.

4, 270. Ein reicher ist listig und neidisch. (Will seinen armen nachbar betrügen und wird selbst betrogen.)

4, 271. Von einem andern geitzigen narren. (Läßt katze hungern, die sich dann in der speisekammer labt, statt mäuse zu fangen.)

4, 272. Straff eines geitzigen. (Midas; was er berührt, wird gold.) Pauli 180. Albertinus 69.

4, 273. Ein geitziger betreugt sich selbs. (Zahlt die hälfte im voraus.) Convival. sermon. 1, 285.

4, 274. Straff der hoffart. (Der pfau und sein geschrei.) Phædrus 57. Capacc. 80. Ces. Pavesio 3, 137. Ysopo 64. Romulus 64. Nil. 30. Freitag 10. Marie de France 43. Ysopet II, 39. Haudent 167; 168; 256. Corrozet 86. Est. Perr. 19. Baif 68. Desprez 1. Benser. 48; 100. Desmay 14. Steinhöwel 64. Alberus 31. Esopus 64.

4, 275. Vom müller esel und seinem fürwitz. (Rühmt sich seiner biblischen ehren.) Aesop. Kor. 257, S. 168, 389; Nevelet 261; Furia 135. Gabrias. 6. Faernus 95. Alciati, Carolidas, Del. poet germ. 2, 185. J. Regn. 2, 36. Pavesio 86. Verdizz. 48. Sousnor 24. Benser. 208. Lafont. 5, 14.

4, 276. Ein wunderlicher fall. (Ein esel versinkt mit einem kahne; wer hat den schaden zu tragen?) Luther, Tischr. 571b.

4, 277. Eydschweren der heyden. (Verschiedene formen; ohne erzählung.)

4, 278. Samariter, woher und warumb so genennet. Joseph. antiq. 9, 14.

4, 279. Warumb die Samariter und Jüden einander haßen. (Treiben abgötterei.) Joseph. Antiq. 9, 14.

4, 280. Jüdenbekehrung. (Getaufter Jude nach seinem tode mit katze und maus in der hand abgebildet.) Luther, Tischr. 593. Schupp 2, 380. Weidner 4, 92.

4, 281. Jüden betrug mit ihrer artzney. (Halten es für gottesdienst, die Christen zu plagen.) Ohne erzählung.

4. 282. Zauberey der Jüden. (Herzog Albrecht zu Sachsen erhält einen apfel, der unverwundbar machen soll; probe.) Luther, Tischr. 594. Memel 199. Weidner 4, 11.

4, 283. Hakelberg jagt am Sölling. (Sage; Kirchhof hat c. 1558 auf dem wege von Eimbeck nach Uslar Habelbergs grab gesehen.) Grimm, deutsche Sagen 171. cf. Bürger, der wilde jäger.

4, 284. Verwegene wort fährlich. (Das hinterste pferd wird vom teufel geholt.) Luther, Tischr. 285. Hilscher, das wüthend Heer, 1702, S. 31. Hanauer landcalend. 1730. Grimm, Sagen 312.

4, 295. Ungleiche zuhörer göttliches worts. (Gesicht darüber.)

4, 286. Einer verkaufft seine seele. (Mit sattel und zaum.) Pauli 280. Luther, Tischr. 616. Tragica, S. 8. Zeißeler. S. 254.

4. 287. Der teuffel hat ungern, daß man betet. (Stört einen altvater durch grunzen.) Vitae Patr. Luther, 285b. Eutrapel. 1, 35.

4, 288. Von einem falschen cristallenseher. (Bund mit dem teufel.) Luther, Tischr. 293b.

4, 289. Vergeßliche künheit. (Einer läßt den teufel kommen; er bleibt ein ganzes jahr.) cf. 2, 162.

4. 290. Merckliche historia von des teuffels mörderey. (Bestrafung der absicht; gemalter tod.) cf. Pauli 293, 48.

Luther, Tischr. 295b. Hondorff 78. Grimm, Rechtsalterth. 678.

4, 291. Teuffel lohnet seinen dienern zu letzt grewlich. (Ein schußfester wird vom eignen schwager erstochen.)

4, 292. Einer mit eigner wahr bezahlet. (Stinkender kranz wird dem geber unter die nase gerieben.) Mündlich.

4, 293. Von Albrecht Narren. (Giebt den hunden, um selbst zu erhalten.) Manlius, S. 441.

4, 294. Eines narren kluge antwort. (Ist in der fastnacht traurig und in der charwoche fröhlich.) cf. 1, 426b; 7, 95; 148. Eutrapel. 2, 703.

4, 295. Einer fürcht sich vor dem tod. Altvater; gott richtet anders, als die menschen.)

4, 296. Kurtzer spiegel menschliches lebens gebrechlichkeit. (Räthsel der Sphinx.) Hesiod. Theog. 326. Eurip. Phoen. 806; 1023. Soph. Oed. R. 502; 1186. Auson. Id. 11, 38. Stat. Teb. 1, 66; 2, 507 etc. Brant, Jb, deutsch 158b. Hondorff 283. Acerra 1, 80. Eyring 2, 13; 3, 56.

4, 297. De miseria vitae humanae. D. M. L. (Die lebensalter, lateinisch und deutsch.) Luther, Tischr. 615.

4, 298. Freidanck vom tod und jüngsten tag, etwas gebeßert.

4, 299. Das gebet Mose, des manns gottes. (Psalm. 90.)

Fünftes buch.

5, 1. Des hochweisen und ehrnwürdigsten herrn Genadii Scholarii, weilandt zu Constantinopel (ietzt new Roma genennt) patriarchen von dem rechten waren christlichen glauben, bekäntnus wider die Agarener. Gennadius, confess. fidei, 1582. 4.

5, 2. Vom bekantnis des h. evangelii. (Churfürst Hans von Sachsen ist fest im glauben; reichstag zu Augsburg (1530.) Luther, Tischr. 486.

5, 3. Vom selbigen churfürsten. (Ausspruch an Hans von Mingwitz.)

5, 4. Hertzog Friderichs churfürsten urtheil von gottes wort. (Gottes wort steht fest.)

5, 5. Ein feiner spruch hertzog F., churfürsten zu Sachsen etc. (Die briefe der fürsten sol man öfter lesen, wie viel mehr die bibel.) Eutrapel. 3, 418.

5, 6. Exempel der bestendigkeit. (Ein in der Christenverfolgung freigelaßener jüngling klagt, daß er unwürdig sei, um Christi willen zu sterben.) Theodoret 3, 18. Hedio 281. Luther, Tischr. 216.

5, 7. Ein anders, diesem gleich. (Ein englischer präceptor wollte dem könige gern gehorchen, wenn es nicht wider gott wäre.) Sermon. conviv. 1, 126.

5, 8. Proba der bestendigkeit eines predigers. (Matthias de Vaj stellt sich auf ein pulverfaß, um die wahrheit des evangelium zu beweisen.) Luther, Tischr. 18b. cf. Jasander, no. 44.

5, 9. Von großer verfolgung der Christen. (Unter Diocletian.) Lactant. de morte persec. 11 ff. Eusebius, hist. eccles. 8, 2 ff. Luther, Tischr. 7b, Goltwurm 85b.

5, 10. Gott sorgt für die bekenner seines worts. (Die evangelischen gewinnen 1539 gegen 9000 von den katholiken geworbene knechte.) Luther, Tischr. 217b.

5, 11. Kurtzer und summarischer discurs Caroli V, weilandt römischer keyser etc., deren handlung mit den protestierenden ständen geführet. (Der krieg 1546; sein tod 1558.)

5, 12. Eigenschafft eines guten predigers. (Ohne erzählung.)

5, 13. Von vier nötigen predigten. (Ohne erzählung.)

5, 14. Von verachtung göttliches worts. (Wenn ihr ein faß bier in die kirche brächtet, würden wir kommen.)

5, 15. Verachtung der prediger bleibt nicht ungestrafft. (Der teufel erwürgt einen spötter zu Kemberg.)

5, 16. Anmuth zu gottes wort bringt weiter. (Kirchhof als knabe in der kirche.)

5, 17. Biblische historien, wo zu nutz. (Ohne erzählung.)

5, 18. Von ursprung der abgötterey, kurtze vermeldung. (Ohne geschichte.)

5, 19. Abgötterey, was die seye. (Ohne geschichte.)

5, 20. Gottesdienst ohne gottes befehl außrichten. (Ohne erzählung.)

5, 21. Abgötterey hart gestrafft. (An den Juden; ohne geschichte.)

5, 22. Frembder schad unsere warnung. (Die Juden in alle welt zerstreut; ohne erzählung.)

5, 23. Mehr hiervon. (Ohne geschichte.)

5, 24. Von Manicheis, den ketzern. (Ihre hauptlehren.)

Carion 116. Carion-Melanth. 72; 309; 365. Albertinus 650 etc.

5, 25. Von Pelagio. (Seine lehre.) Carion-Melanth. 364.

5, 26. Schifflein der römischen kirchen. (Beschreibung eines gemäldes.)

5, 27. Papst Alexanders historien und tugend. (Unthaten.) Summarisch.

5, 28. Von papst Julio. (Julius II; schlacht bei Ravenna.) Luther, Tischr. 338. Carion-Melanth. 1071.

5, 29. Papst Leonis geitz. (Wer kann so viel gewappneten widerstehen!) Pauli, 346. Luther, Tischr. 335; 370b.

5, 30. Von päpstlicher h. müntz. (Ablaß etc.; ohne geschichte.)

5, 31. Von der geistlichen geitz und schrappen. (C. M. B.-Kretzmer, müller und bräuer.) Weidner 4, 92.

5, 32. Von des papst rosenkräntzen. (Rosen aus dem munde eines betenden carthäusers.) Luther. Tischr. 351b.

5, 33. Papisten handlen wider sich selbst. a. (Ein wirth zu Oschitz bricht die fasten; hat ablaß.) Luther, Tischr. 346b. b. (Ein weib ohne seelenmesse begraben, weil ihre sünden schon vergeben waren.) Luther, Tischr. 346b.

5, 34. Betrug der stationierer. (Das loskaufgeld für vierzehn seelen wird zurückgenommen, weil die seelen nun im himmel sind.) Luther, Tischr. 345.

5, 35. Von wahlfarten. (Die Deutschen brauchen keinen ablaß.)

5, 36. Betriegerey mit heiligthumb. (Die ehestiftung zwischen kaiser Heinrich und sanct Kunigunde; Cicero's topica.) Luther, Tischr. 353b.

5, 37. Von einem andern buch. (Evangelistenbuch in Obern Kauffüngen.) Eigne beobachtung, 1571.

5, 38. Weltliche achten des evangelii nichts. (Der löwe ladet alle thiere zu gaste; die sau fragt nach kleie.) Scala celi 50. Spangenberg 2, 386. Odo, Ms. Douce 88, 32. Gatos 32. Luther, Tischr. 5. b (Pa—gans,) Pauli 334. Abstemius 134. Odo, Ms. Douce 88, 21. Mone, anz. 4, 356.

5, 39. (Andere einkleidung derselben fabel.)

5, 40. Die bibel vorzeiten der geistlichkeit unbekannt. (Ein bischof und churfürst sieht 1530 in Augsburg zum ersten male eine bibel.)

5, 41. Eines münchs urtheil von der bibel. (Die bibel richtet allen aufruhr an.)

5, 42. Nota. (Keinen auszug aus der bibel; ohne erzählung.)

5, 43. Halßstarrigkeit der papisten. (Ein bischof will lieber den coelibat, als die messe abthun.)

5, 44. Von dergleichen. (Ein cardinal giebt 1530 den evangelischen recht; aber die kirche könne ihnen nicht folgen.)

5, 45. Ein verfolger des evangelii bezeugt dessen warheit wider sich selbst. (Man darf die warheit nur den sterbenden sagen.)

5, 46. Papisten triegerey. (Bewegliches Marienbild, 1525.) Luther, Tischr. 359, cf. 346.

5, 47. Geschwindigkeit eines betrieglichen stationierers. (Heu aus der krippe des herrn mit kohle verwechselt.) Schon 1, 2, 77 erzählt.

5, 48. Untugent rühmt sich allezeit des guten. (Ohne geschichte.)

5, 49. Grausame that und mörderey. (Unter Leo X werden zwei mönche ermordet, die wider den papst predigen.) Luther, Tischr. 359b.

5, 50. Der vorigen unthat gleich. (Corfentius in die Tiber geworfen.) Luther, Tischr. 359b.

5, 51. Grewliche tyranney der papisten. (Ein frommer bürger 1537 in Paris gefoltert und verbrannt.) Luther, Tischr. 363b.

5, 52. Bestendigkeit h. Johannes, churfürst zu Sachsen. (1530 in Augsburg; zwei wege.) Luther, Tischr. 486. Zincgref, 1, 102, 3.

5, 53. Papisten ergernis am evangelio. (Wenn papst, fürsten und herren das evangelium predigen, so kann man es annehmen; 1530 in Augsburg.) Luther, Tischr. 487 (falsch 478).

5, 54. Rathschläg der cardinäl wider das evangelion. (Der narr des papstes räth sanct Paulus vom apostel zum heiligen zu degradiren.) Luther, Tischr. 26, 352. Weidner 4, 213.

5, 55. Allegoria und außlegung des geistlichen kartenspiels. (Ohne erzählung.)

5, 56. Ein schreckliche rede eines gottlosen. (Wenn er wüßte, daß er verdammt wäre, so wollte er zur hölle rennen, nicht fahren.)

5, 57. Ungelehrte im papstthumb. (Kurze beispiele von unkenntnis des lateinischen.)

5, 58. Ein pfarrherr kan nicht recht tauffen. (In nomine Christe.)

5, 59. Ein prediger nach der welt wolgefallen. (Ohne erzählung.)

5, 60. Eines predigers listiger fund. (Giebt vor, nicht predigen zu dürfen, weil zwei anwesende studenten im bann seien.) Vgl. 2, 79.

5, 61. Mancherley predigten. (Verschiedene mittel, die zuhörer aufzumuntern.) Ohne geschichte.

5, 62. Geschickter päpstlicher pfarrherr. (Predigt über unverstandenen text.)

5, 63. Drey laster ietzt gemein. (Geiz, schlemmerei und hoffart.) Ohne geschichte.

5, 64. Vergeblich und viel schwatzen, was es nutzt. (Gut über nichts sprechen.)

5, 65. Vom selbigen. (Im weisen steckt ein narr.) Weidn. 4, 92.

5, 66. Ungelehrte prediger seind bald fertig. (Weil sie die predigt auswendig lernen.)

5, 67. Wer nichts fordert, der kriegt nichts. (Bruder Matthes mahnt den churfürsten in der predigt an einen versprochenen pelz.)

5, 68. Unverstand einer gemein in bestallung des predigamts. (Den prediger können sie entbehren, den hirten nicht.) cf. 3, 26. Luther, Tischr. 270ᵇ.

5, 69. Bawren wöllen nicht beten. (Warum halten wir euch!) Joach. a Beust, postill. 2, S. 65. Melander 3, 353.

5, 70. Ein bawer sol den pfarrherrn beten. (Im wirthshause.)

5, 71. Ein bawer betet. (Schimpft mit dem bilde des heiligen Leonhard.)

5, 72. Gott fordert das hertze. (Redde mihi mediam lunam, solem et canis iram!) Maulius, S. 147. Acerra 6, 29.

5, 73. Weiter. (Dimidium sphere, spheram cum principe Romam.) Acerra 6, 29.

5, 74. Von krafft des gebets. (Die augen der belagernden Perser werden voll mücken, als der bischof von Nasili betet.) Hist. tripart. Theodoret 2, 30. Hedio 262. Enxempl. 267. Luther, Tischr. 49.

5, 75. Andächtig gebett eines münchs. (Liest die horen auf dem abtritt.) Succinius, no. 178. Luther, Tischr. 208ᵇ.

5, 76. Münchskappen krafft. (Der teufel lacht, als ein wagen voll mönche ertrinckt.)

5, 77. Ein weib zu Venedig beichtet. (Mönch verräth das beichtgeheimnis.) Luther, Tischr. 227. Hondorff 274ᵇ. cf. Pauli 302.

5, 78. Gereden fromb zu werden. (Beichtet nicht, weil er nicht lügen will.)

5, 79. Aberglaub. (Der blitz erschlägt den dritten gesellen nicht, weil er das evangelium Joh. nach der messe gehört hatte.) Geiler, Evangel. 13b. Evangelibuch 44b, Gvj. Luther, Tischr. 276.

5, 80. Vom aberglauben eine merckliche historien. (Gesell will das evang. Joh. gegen das wetter lesen; wird erschlagen.) Luther, Tischr. 276.

5, 81. Von vermeßenheit eigener gerechtigkeit. (Mörder wünscht gelebt zu haben, wie ein sterbender altvater.) Luther, Tischr. 198.

5, 82. Von des papsts bann. (Ceremonien dabei; ohne geschichte.)

5, 83 Weiter hiervon. (Am gründonnerstag werden die ketzer in Rom verbannt.) Bulle in coena domini, 1569.

5, 84. Kale entschuldigung des papsts, des verbottenen ehestands halb. (Ohne geschichte.)

5, 85. Von dreyerley ständen. (Ehe, staat uud kirche; ohne geschichte.)

5, 86. Weiber lob und ihr ampt. (Ohne erzählung.)

5, 87. Eheliche verwandnus was. (Ohne erzählung.)

5, 88. Hiervon weiter erklärung. (Ohne erzählung.)

5, 89. Warumb fromme eheweiber zu lieben. (Ohne geschichte.)

5, 90. Gelt bringt viel guts, auch args zuwegen. (Schöne junge frau einem reichen alten manne verheirathet.)

5, 91. Bild des ehestands seind alle creaturen. (Ohne geschichte.)

5, 92. Ehestand ist gottes segen. (Ohne geschichte.) Luther, Tischr. 437b.

5, 93. Eben dasselbig. (Ausspruch des churfürsten Johannes.)

5, 94. Mehr vom ehestand. (Hochzeitsgebräuche; ohne geschichte.)

5, 95. Von der weiber wolreden und klugheit. (Ohne geschichte.)

5, 96. Still sein gebürt den weibern. (Ob die weiber vor ihren predigten auch ein vaterunser beten?) Luther, Tischr. 443.

5, 97. Was vom ehestandt abschreckt. (Sechs stücke; ohne geschichte.)

5, 98. Ein weib ohne gebrechen. (Nur beim bildhauer oder maler zu finden.)

5, 99. Ein seltzamer fall eines bösen weibs. (Schulmeisterfrau will nicht leiden, dass ihr mann prediger wird.) Luther, Tischr. 451.

5, 100. Von einem weiber verächter. (Dr. Crotus, ein schänder der priesterehe.) Luther, Tischr. 464.

5, 101. Ein unzüchtig weib des manns hertzleid. (Ohne erzählung.)

5, 102. Ein gleichnus. (Der pfan hält seinen schatten für einen nebenbuhler.)

5, 103. Guts vertrags sein unter eheleuthen am besten. (Ohne erzählung.)

5, 104. Weiber und jungfrawen soll man ehren. (Ohne geschichte.)

5, 105. Summarische beschreibung und lob einer frommen rechtschaffenen haußfrawen. (Ohne geschichte.)

5, 106. Welche verlaßenschaft den kindern am besten. (Gottesfurcht.)

5, 107. Der kinder bestes erb und verlassenschaft. (Frömmigkeit.)

5, 108. Womit die kinder ihr brod verdienen. (Ohne geschichte.)

5, 109. Testament vor undankbare kinder. (Keule im kasten.) Pauli 435. Luther, Tischr. 67; 67b.

5, 110. Straff undankbarer kinder. (Kröte im gesicht.) Pauli 437. Luther, Tischr. 67.

5, 111. Nota bene. (Kasten mit steinen.) cf. 5, 109.

5, 112. Eltern fluch trifft. a. (Vater wünscht seinen sohn in die Elbe.) b. (Kinder zittern nach dem fluche ihrer eltern.) Luther, Tischr. 66b.

5, 113. Hiervon ein exempel. (Undankbarer sohn stürzt vom taubenhause herab.)

5, 114. Von gottes reichen segen. (Ohne geschichte.)

5, 115. Neid und geitz bei einander. (Wunsch, über regen und sonnenschein zu gebieten, um reich zu werden.)

5, 115. Unerforschliche fürsichtigkeit gottes. (Gott könnte bald reich werden, wenn er von der geistlichkeit steuern erhöbe.) Luther, Tischr. 31.

5, 116. Unablässige miltigkeit gottes. (Ohne erzählung.)

5, 118. Wie es gott mit uns macht, so taugs nicht. (Ohne geschichte.)

5, 119. Fische wachsen in Böhmen aus rasen. (Rasen

aus einem teich in den andern.)

5, 120. Welt thut nichts umbsonst. (Eselschatten.) Guru Paramantan 3, 1. Plutarch, vita x oratt, Demosthenes, am ende. Demosthenes de pace fin. Zenobius 6, 28. Diogenian 7, 1; 3, 43. App. Vatic. 4, 26. Arsen 458; 385; 3, 9, 77; 78; 41, 54. Apostol. 20, 4; 14, 22; 71; 18, 12; 12, 92; 17, 69. Macar. 6, 37; 7, 8. Synesius, Narr. Aegypt. Krabinger 159. Hesych. Albert. 764. Suidas, Phoc. 338. Dio Chrysost. or. 34. Gregor. Cypr. 3, 83. Schol. Arist. Vesp. 191. Schol. Plat. S. 317. Phot. Bibl. CCLXVI. Orig. c. Cels. 3. Mein. Menandri Rell. S. 57. Proverb. e Suida 11, 3; 77. Proverb. graecor. Ad. Schott 1612, Ὄνου σκιά Leutsch und Schneidewin, Paroemiograph. 1839, Ὄνου σκιά Luscinius, no. 7. Gast, sermon. convival. 1, S. 71. Franck, sprichw. 2, 102. Egenolf, sprichw. 93ᵃ. Hondorff 354. Ursinus 1, 33. Eutrapel. 1, 692. Acerra 2, 23. Barland, D7ᵇ. Democrit. rid. S. 28. Albertinus 352. Wieland, Abderiten, buch 4.

5, 121. Wie die welt wohlthat belohnet. (Schlange; karrengaul, hund, fuchs als schiedsrichter.) Petr. Alphons. 7, 4. Castoiement 3. Bidpai, Loiseleur, hinter 1001 jours, S. 479. Anvar-i-Suhaili 209. Livre des lum. S. 156. Cab. des fées 17, 373. Tutinameh, no. 29. Pantschantra, Dubois 49—54; Benfey 1, 113—120. Aesop. Kor. 170; Furia 130; 1658, S. 144. Babrius 42. Syntipas 25; Matth. S. 20. Phaedrus 4, 18. Berger de Xivrey 4, 19. Romulus 10. Nilant 11. Anonym. 10. Stainhöwel, Romul. 10. extr. 4. Gesta Roman. lat. 174; germ. 48. Violier 141. Scala celi 86. Rosar. 2, 83, G. Gritsch 13, R. Dial. creatur. 24. Bromyard, G. 4, 17. Cognatus 42. Philelphus 28, bl. 14. Past. Candid. bei Schultze 159, S. 163—167. Accio Zucco 10. Tuppo 10. Esopo 10. Ysopo 1648, bl 97ᵇ. Ysopet I, 10. Robert 2, 33. Marie de France, bei Le Grand 4, 193 (fehlt bei Roquefort). Benserade 8. Guill. Corroz. 7. Haudent 118. La Fresne, S. 645. Lafontaine 6, 13. Robert 2, 32. Charrons de la sagesse 1, 1. P. Despr. 49. Le Noble 13. Machault 10. Enxempl. 216. Archipr. de Hita, copl. 1322. Abstemius 136. Boner 71. Waldis 1, 7. Pauli 1563, bl. 15. Froschmeuseler 12, c. 19—22. Reineke Fuchs 1550, bl. 3, c. 4. Hagedorn 2, 50. Schmidt zu Petr-Alph. 118. Ogilby 16. Abr. a S. Cl. Gehab dich wohl 219. Luther, Tischr. 78ᵇ. Alb. Franck, sprichw. 2, 28. Alberus 48. Eyring 1, 598. Egenolf 40. Manlius, S. 231. Schupp 1, 784. Scherz m. d. warh. 15ᵇ. Gaal, Ungar. märch., no. 11.

5, 122. Erkenntnus der natur. (Magen und glieder.) Pauli 399. Plutarch, Agidis. Dio Chrysost. 2, 7. Reiske. Exilium, S. 535, no. 111. Schupp 1, 780; 793. Hondorff 265ᵇ.

5, 123. Vertragsbild. (Ein glied hat geduld mit dem andern.)

Ohne geschichte.

5, 124. Liebe der natur eingepflanzt. (Blinder und lahmer.) Auson. epigr. 134; 135. Anthol. graec. lib. 1. Bromyard, C, 12, 9. Scala celi 23b; 74b. Hubatus 48. Vinc. Bellov. spec. mor. 3, 2, 19, 971. Pelbartus, aestiv. 4, C. Gesta Roman. lat. 71. Violier 69. Alciati 161, S. 680. Desbillons 11, 10. Luscinius, no. 165. Th. Morus, de duobus mendicantibus. Moralité de l'aveugle et du boiteux par A. de la Vigne, Par. 1831. Florian 1, 20. Manlius 362. Schupp 1, 289. Geiler, Arb. hum. 108, 86. Waldis 4, 61. Melander 3, 16. Wolgemuth 322. Gellert 1, S. 39. Zachariae 86. Breitinger, dichtk. 1, 282.

5, 125. Von gedult. (Patientia ein kraut wider alle feinde.)

5, 126. Eine schöne lehr. (Gedicht ohne erzählung.)

5, 127. Gebt, so wird euch gegeben. (Kloster wird beim geben reich, ohne geben arm.) Mündlich. Luther, Tischr. 200b. cf. Vitae patrum 4, 13, 12, Rosweyde 616. Hieronym. 119b. Vinc. Bellov. spec. mor. 3, 10, 21, S. 1474. cf. Pelbartus, aestiv. 33, N. (Cæsarius.) Herolt, E. 12. Wright, 123.

5, 128. Von demselbigen. (Man soll nicht um der vergeltung willen geben.)

5, 129. Von einem reichen hospital. (Beschreibung, ohne geschichte.)

5, 130. Von einem andern deßgleichen. (Hospital in Amiens.) Eigene beobachtung, 1553.

5, 131. Vom Ölberg zu Speier. (Beschreibung einer steinarbeit; Judenspieß.) Zeitverkürzer 673.

5, 132. Jůden müßen christenblut haben.) (Tödten Christenkinder.) Ohne erzählung.

5, 133. Ein Jud, umb seine lästerung, bekömt lohn. (Maulschelle.)

5, 134. Etwas vergleichung der Hebräer und Christen Judenspieß. (Wucherspieß; ohne geschichte.)

5, 135. Nun weiter. (Wider den wucher; ohne geschichte.)

5, 136. Fürter. (Wie vorher.)

5, 137. Etwan in Sachsen, bey den weltkindern ein gemeiner spruch. (Wucher; ohne geschichte.)

5, 138. Billicher und rechter also: (Wie oben.)

5, 139. Freydanck vom wucher. (Ohne geschichte.)

5, 140. Etlicher weltmenschen gottloß reden. (Ich will Christum verlaßen, bis ich reich werde!) Ohne geschichte. Luther, Tischr. 75. Hondorff 345b.

5, 141. (Mit gewißen wird man nicht reich!) Ohne geschichte

Luther, Tischr. 75.

5, 142. (Hätte ich meine seele nicht vernachläßigt, wäre ich nicht reich worden!) Ohne geschichte. Luther, Tischr. 75.

5, 243. (Wollt ihr reich werden, so müßt ihr eure seele von euch thun!)

5, 144. Von einem geitzigen bawren. (Wollte 1538 sein korn nicht billig verkaufen, da fraßen es die mäuse.) Mündlich. Luther, Tischr. 75.

5, 145. Unrecht gut gedeyet nicht. (Adler frißt die jungen des befreundeten fuchses; opferfleisch mit kohle darin. (Aesop. Kor. 1, 1; 279, 280. Fur. 1. Nevelet. 1. Aristophanes aves 652. Syntipas 24. Camerar. 71. Phaedrus 1, 28; Burm, S. 95; Dressler 1, 39. S. 50. Anonym. 13. Nilant, S. 10, no. 14; S. 79, no. 11. Wright 1, 12. Neckam 23. Bromyard, N. 4, 4. Faernus, S. 100. Omnibonus ap. Du Méril, S. 194. Dialog. creaturar. 67. Dorpius, C2. Marie de France 10, Luther, Tischr. 84. Boner 16. Abstemius 81. H. Sachs 2, 4, 95. Waldis 1, 59. Wolgemuth 94. Schupp 1, 779.

5, 146. (Thaten acht großer helden, von Kirchhof ungefähr 1584 aus einer lateinischen comödie übersetzt. Gedichte.) Alexander Magnus.

5, 147. Hannibal Carthaginiensis.

5, 148. Scipio Africanus.

5, 149. Julius Caesar.

5, 150. Constantinus Magnus.

5, 151. Carolus Magnus.

5, 152. Scanderbeg.

5, 153. Mahometes.

5, 154. Kriegsmann. Geistlich und weltlich das feldt zu bestellen. (Gedicht Kirchhofs.)

5, 155. Keyser Maximiliani demuth in der kleidung. (Auf der jagd im jagdkleide.)

5, 156. Fürsten arbeit die größten und gefährlichsten. (Ohne erzählung.)

5, 157. Hierüber erklärung. (Ausspruch eines churfürsten

5, 158. Warnungs ebenbild an K. H. zu F. (Heinrich III von Frankreich ermordet.) Bloße hinweisung.

5, 159. Etwas von entleibung des h. zu Würtzburg. Melchior Zobels etc. Mündlich. Sleidan-Beuther, lib. 28 (1558.

5, 160. Eine wahrnung. (Ohne geschichte.)

5, 161. Widerwertigkeit des fürsten von Conde. (Am 19 December 1563 gefangen.) Sleidan-Beuther, lib. 28.

5, 162. Extract eines schreibens aus Antorff etc. Anno 82. (Empfang des herzogs von Alençon dort.)

5, 163. Von widerwertigem glück des printzen von Uranien. (Mordversuch.)

5, 164. Nächtliche wunderzeichen. (Nach diesem mordversuche war die luft wie blut.)

5, 165. Hertzogs von Alenzon gefahr. (Als angeblicher mitwißer des mordanschlags.)

5, 166. Endtlicher untergang des printzen. (Wird 1584 zu Delfft erschoßen.)

5, 167. Unversehen glück gebiert hoffart. (Ein schreiber wird bischof; unterschied zwischen natur und kunst.)

5, 168. Von einem zahmen hirsch. (Zur Locha bei Wittenberg; entläuft nach dem tode seines herrn 1525.) Luther, Tischr. 485.

5, 169. Getrewe räthe, köstliche kleinodt. (Beispiel eines aufrichtigen rathgebers.)

5, 170. Von Bellisario Narse, keyser Justiniani feldherrn. (Wird geblendet.) Carion-Melanth. 391. Egnatius 2, 2, extr. 5, 3, extr. 6, 9, extr. Zincgref 1, 294. Schupp 1, S. 126. Acerra 2, 80. Ursinus, mant. 134. Lauterbeck, Regentenbuch 2, 17. Zeißeler, S. 398 (falsch 198). Ambr. Metzger 82, S. 133. Happel 5, 761. Albertinus 715.

5, 171. Große meng nicht allezeit genug. (Mohnkörner und hanfsamen.) Pauli 509. Lambert, rom. d'Alixandre. Alex. v. pfaff. Lambrecht 1889, Weismann, S. 106. Lib. de preliis 6ᵇ. Babiloth (Ms. Dresd.) c. 36—39, Q17ᵇ—19.

5, 172. Von erfahrung des kriegs etc. (Ob Franzosen oder Deutsche beßere soldaten sind.)

5, 173. Ein stratagema in letzten nöthen. (Feldherr wirft eine fahne unter die feinde.)

5, 174. Dergleichen. (Ein Berner erobert allein eine fahne.) Stumpff 2, 250ᵇ.

5, 175. Eine stadt durch list zur übergabe gebracht. (Durch falschen siegesjubel.) Lewenklaw, S. 245.

5, 176. Fast dergleichen. (Die besatzung von Schweinfurt 1553 dasselbe.) Eignes erlebnis. Lewenklaw, S. 245.

5, 177. Kenn- und ehrenzeichen ritterlicher leuth in Ungarn. (Ohne geschichte.)

5, 178. Von den deutschen Cimbris, das ist kämpffer. (Und Marius.) Plutarch, Marius 20, 21. Vellejus 2, 12, 4. Oros. 2, 16. Carion-Melanth. 236.

5, 179. Von andern Teutschen. (Arminius und Varus etc.) Tacit. Ann. 1, 55; 57—70; 2, 7—23; 44; 88. Vell. Pat. 2, 107—120. Flor. 4. 12, 9. Dio Cass. 56, 18—24. Sueton. Aug. 23. Strabo Geogr. 7, 1. Carion-Mel. 3. Hondorff 294b. Albertinus 494 u. s. w.

5, 180. Von dem volck, die Gothen genennet. (Nur allgemein.)

5, 181. Von dem volck, die Wenden genennet. (Eudocia sucht hülfe bei Genserich.)

5, 182. Von dem ungerischen tyrannen Attila. (Aetius und Attila bei Tholosa.) Jordanus, de reb. Geticis 36. Gregor. Turon. 2, 7. Idat. Chron. 32. Presp. Aqu. Chron. 671. Cassiod. Chron. 230. Carion-Melanth. 361.

5, 183. Von dem ketzer Àrrio. (Kurzer abriß.) Stumpf 175. Hist. tripart. 3, 10. Eusebius 10, 13. Franck, Chron. S. 341b. Carion-Melanth. 73, 329. Hondorff 39. Albertinus 652 u. s. w.

5, 184. Von Mahomet und der Saracener reich. (Anfang seines reichs.) Carion-Melanth. 421, 435, 874.

5, 185. Weiter. (Die Saracener richtiger Agarener genannt. Ohne erzählung.) Carion 140. Carion-Melanth. 421.

5, 186. Ankunfft der Türken. (Ungefähr 1300.) Lewenklaw, S. 161. Carion-Melanth. 549. Happel 5, 139.

5, 187. Von der Türken geistlichen. (Ohne geschichte.) Lewenklaw, S. 192; 331.

5, 188. Von einer andern geistlichkeit der Türcken. Scheichs; ohne geschichte.)

5, 189. Närrischer aberglaub und andacht der Türcken. (Almosen an thiere.)

5, 190. Etwas von der Mahumetischen beschneidung. (Bloße beschreibung. Lewenklaw, S. 468 ff.

5, 191. Erklerung aus einer eltern historia. Lewenklaw 48 ff.

5, 192. Gemeiner leuth beschneidung. (Ohne geschichte.) Joh. Helfrich, kurzer bericht von der Reyß aus Venedig nach Hierusalem. Leipzig, 1589, 4°, sign. Y3.

5, 193. Beschneidung der verläugneten. (Ohne erzählung.)

5, 194. Etwas von den Mamelucken und ihrem namen. (Allerlei.) Carion-Melanth. 684; 1014.

5, 195. Von einem mörderischen türckischen münch. (Mordanschlag eines thorlack auf Bajazet.) Lewenklaw, S. 330, 332.

5, 196. Kurtze beschreibung Zizims flucht vor seinem bruder Bajasit. Lewenklaw, S. 301.

5, 197. Von Zemi nachgelaßenem sohn. (Wird als Christ mit seinen söhnen getödtet.) Lewenklaw, S. 304.

5, 198. Wie sultan Selim seinen vatter Bajasit hab hingericht. (Nach der beschreibung eines Genuesers.) Lewenklaw, S. 364. Carion-Melanth. 1020.

5, 199. Von des Selims grausamkeit in summa. Lewenklaw, S. 365. Carion-Melanth. 1021.

5, 200. Von dreyerlei wünsch sultan Soleimans. (Aquaduct wiederherstellen, zwei brücken restauriren und Wien erobern.) Lewenklaw, S. 352, 353.

5, 201. Etwas von der insul und statt Rhodis. (Amadeus von Savoyen 1310; belagerung der Türken 1480.) Lewenklaw, S. 282; 283; 285.

5, 202. Von dem großen Christen sieg auff dem ionischen meer wider den Türcken, den 7. Octobris 1571. Seb. Münster 4. Carion-Melanth. 1009. Hondorff 110.

5, 203. Von allerley des türckischen hoffs gelegenheit und desselben fürnemen emptern, geschrieben von Constantinopel anno 1582. Auß demselben lateinischen exemplar verteutscht.

5, 204. Abschrifft des allerprächtigen, voller nichtigen unnützen ruhms, des sultan Solymanni tituls. Formular und titular buch von neuem practiciert. Francfort s. a. fol. bl. 39. cf. Happel 4, 643.

5, 205. Trutziger absagebrieff eines türckischen bassa. (Assam bassa an den pfarrherrn zu Siseck.)

5, 206. Krönung der alten griechischen keyser. (Krönung des Basilius durch kaiser Michael.) Lewenklaw, S. 355.

5, 207. Von der kron der alten griechischen keyser und ietzigen sultanen. (Calyptra; beschreibung.) Lewenklaw, S. 355.

5, 208. Pracht der bassa am türckischen hoff. (Beschreibung des Kepeneck oder regenmantel.)

5, 209. Schuldthurm zu Constantinopel. (Zollpächter.) Lewenklaw, S. 414.

5, 210. Von der newen und alten stad Alkair ein kurtze vermeldung. (Neu-Cairo.) Lewenklaw, S. 374. Happel 2, 685.

5, 211. (Alt-Cairo.) Lewenklaw, S. 374.

5, 211. Von kirchen und spittälen zu Cairo. (Morstamo.) Lewenklaw, S. 374.

5, 213. Summarische verzeichnus aller beglerbegen, land und herrschafften des türckischen reichs. Lewenklaw. S. 431.

5, 214. Genoveser unbesonnenheit. (Schiffen unter papst Eugen IV die Türken nach Europa.) Lewenklaw, S. 246, 257.

5, 215. Friedbruch könig Vladislai. (Gegen die Türcken.) Carion-Melanth. 987. Hondorff 65[b]. Albertinus 1085.

5, 216. König Vladislaus wird erschlagen. (In der schlacht bei Varna, 10 November 1444.) Lewenklaw, S. 256. Carion-Melanth. 989. Hondorff 65[b].

5, 217. Persianer namens erklärung. (Sophilar von sophi, wolle.) Lewenklaw, S. 241; 347.

5, 218. Orden der kriegsleut bei den Persianern. (Türkmanlar, cortzi, kurcki.) Lewenklaw, S. 227.

5, 219. Von mancherley Tartarn, erstlich die zu nechst an die Moscaw stoßen. (Tartari Crimnenses.) Vinc. Bellov. spec. hist. 27, 71—88. Carion-Melanth. 833.

5, 220. Die Tartarn Cassan. (Seit einiger zeit ausgerottet.) Daselbst.

5, 221. Andere. (Magaji.) Daselbst.

5, 222. Tartar Han begert könig in Polen zu werden. (Versprach nur pferdefleisch zu eßen und glaubensfreiheit zu gewähren.) Lewenklaw, S. 348.

5, 223. Küne that zu Crakaw in Polen. (Ein tollkühner mensch steigt bei der einholung Annas, der braut Sigmunds von Polen, am 29 Mai 1529 auf den knopf des höchsten thurms.)

5, 224. Unzucht h. Steffans zu Boßna. (Die herzogin flieht nach Ragusa.)

5, 225. Von comoedien und deren nutzen. (Ohne erzählung.)

5, 226. Singens und fechtens übung. (Ohne geschichte.)

5, 227. Vogelgesang bringt verlorenes wider. Mündlich, aus Hannover.

5, 228. Vier lustige räthsal oder fragen, auch a minori ad majus referendo. (Die breitesten waßer.)

5, 229. (Stein im waßer.)

5, 230. (Holz im wald.)

5, 231. (Wein im keller.)

5, 232. Unter dem bösen das best zu erwehlen. (Hund bringt fleisch vom metzger.) cf. 2, 35. Pauli 425.

5, 233. Von einem bösen gewißen. (Dieb am dochte.) Luther, Tischr. 617. Lyrum larum 262. Memel 122.

5, 234. Von demselben. (Stein auf den ehebrecher.) Luther. Tischr. 617. Manlius 442. Pauli 1570, 211. H. Sachs 1, 5, 506. Nouv.

contes à rire, S. 97. Memel 5. Schreger 17, 1, S. 518. Lyrum larum 260. Vorrath 20.

5, 235. Warnung für sicherheit. (Ein bruder rühmt sich, ohne anfechtung zu sein.)

5, 236. Einer raufft den haußknecht zu grob. (Lüge: 6000 gulden unbemerkt im ermel.)

5, 237. Der warheit ehnlicher, denn das vorige. (Scherzhafte störung eines liebesgesprächs.) Scherz Kirchhofs in Cassel.

5, 238. Verdienter lohn wird bezalet. (Wer wie ein hund handelt, wird wie ein hund geschlagen.) Casseler geschichte.

5, 239. Ein becker macht sein wahr zu schwer. (Zu leicht; als das heiße brod zur erde fällt, sagt er, es sei zu schwer.)

5, 240. Zween diener rechnen und bezahlen sich selbst. (Berauben den herrn, der ihnen den lohn vorenthält.)

5, 241. Gottes heimliche wirckung unerforschlich. (Aristoteles stürzt sich ins meer, weil er die ursache von ebbe und fluth nicht erforschen kann.) Justin. Mart. Paraenet. ad gentes, S. 34. Gregor. Nazianz. 1, S. 79. ed Col. Vincent Bellovac. specul. mor. 3, 3, 2, S. 999. Manlius 137. Ursinus 1, 50.

5, 242. Meerwunder zu Rom gefangen. (Spricht mit dem papste.) Luther, Tischr. 57. Fincelius, Z7ᵇ. Goltwurm 107ᵇ. Happel 2, 11.

5, 243. Ein ander waßerwunder. (Wie ein mönch gestaltet; der könig von Dänemark läßt es malen.) Luther, Tischr. 57. Fincelius Q4. Seyfrid 552. Happel 2, 15, mit ähnlichem.

5, 244. Der päpstler anbildung. (Meerwunder als bischof.) Luther, Tischr. 57. Happel 2, 12.

5, 245. Von einem andern teuffels gespenst. (Meerfrau, mit einem schiffer verheirathet.) Vinc. spec. natur. 3. Gaufr. Artesiodor. Paul. Frisius, von Hexen, in Theatr. de venef. 226. Luther, Tischr. 57ᵇ. Magica 1, 15ᵇ; 46ᵇ. Manlius, collectan. Hondorff 74.

5, 246. Teuffels art und list. (Hamster erwürgt das stärckste pferd.) Luther, Tischr. 81ᵇ.

5, 247. Der teuffel dienet einem edelmann. (Führt dessen pferd auf einen thurm.) Luther, Tischr. 297. Magica 1, 49ᵇ. Agricola, 301. Grimm, Sagen 174. Hondorff 78ᵇ.

5, 248. Auff den strauch reiten. (Reißt den pferden der feinde die hufeisen ab.) Luther, Tischr. 297. Magica 1, 51ᵇ. Hondorff 78ᵇ. Agricola 301. Grimm, Sagen 174.

5, 249. Teuffels betriegliche hülffe. (Führt seinen herrn durch die luft, aber läßt ihn fallen, als er den namen gottes ausspricht.)

Luther, Tischr. 297b. Magica 1, 52. Agricola 301. Grimm, Sagen 174. Hondorff 78b.

5, 250. Von einer frechen künheit. (Teufel in der rockfalte des ritters.) Pauli 93. Luther, Tischr. 297b.

5, 251. Von verwegenen mäulern. (Verschiedene flüche.) Mündlich.

5, 252. Von einem münch und teuffel. (Reisen zusammen.) Luther, Tischr. 297b.

5, 253. Von zweyen münchen. (Der teufel zupft sie im wirthshaus, daß ieder meint, der andere habe es gethan; dann dient er ihnen im closter.) Luther, Tischr. 297b. Magica 1, 50b. Hondorff 78b.

5, 254. Zauberey zu Erffurt. (Die geliebte eines studenten wird durch zauberei zu ihm geschafft; als sie dort stirbt, fährt der teufel in die leiche.) Luther, Tischr. 299. Hondorff 71b.

5, 255. Zween verstorbene gehen irr. (Und dictiren einen brief.) Mündlich. Luther, Tischr. 299b.

5, 256. Teuffels list, kinder zu zeugen. (Erscheint als die verstorbene frau eines ritters, lebt mit ihm und gebiert kinder.) Luther, Tischr. 300. Theatr. de veneficis, S. 11. Magica 1, 44. Sabin. Ovid. metam. 10. Hondorff 72b. Hammer, S. 146. Praetorius, Weltbeschreib. 1, 357. Grimm, deutsche Sagen 94.

5, 257. Historia von einem wechselbalg. (Seine lebensweise.) Luther, Tischr. 300b.

5, 258. Ein ander historia von dergleichen. (Wechselbalg wird zu einem andern teufel ins waßer geworfen.) Luther, Tischr. 300b. Bräuner, Curiositaten 9. Hondorff 72. Happel 4, 333. Bodinus 132. Theatr. de venef. 13. Hildebrand, Endeck. d. zauberei, S. 109. Fischart. Teufels-Heer. Grimm, deutsche Sagen 82.

5, 259. Von einem wunderlichen gespenst. (In den Niederlanden; hund riecht die menschen an, die sterben sollen.) Luther, Tischr. 306b. Hondorff 78.

5, 260. Eine zauberey bezalt die ander. (Der eine klauen, der andere ein hirschgeweih.) Luther, Tischr. 308.

5, 261. Von zweyen zauberinen. (Über sie geschüttetes waßer gefriert.) Luther, Tischr. 307b. Godelman-Nigrin, von Zauberern 5, 1, S. 83. Hondorff 85. Lerchheimer, S. 50. Grimm, Sagen 250.

5, 262. Zauberey durch zauberey geplagt. (Milchdieb mit dreck vertrieben.) Luther, Tischr. 307b.

5, 263. Von milchdieben. (Sollten verbrannt werden; ohne geschichte.) Luther, Tischr. 308. Jac. v. Liechtenberg, Entdeckung der zauberey, in Theatr. de venef. S. 316.

5, 264. Zauberey auff theologisch abmahlet. (Ohne geschichte.) Luther, Tischr. 308.

5, 265. Ein epicurer stirbt. (Ohne buße.)

5, 266. Eins F. seligs absterben. (Vertraut auf gott.)

5, 267. Welche am frölichsten sterben. (Kinder unter sieben jahren.) Ohne erzählung. Weidner 4, 52.

5, 268. Von verachtung des tods. (Sanct Vincentius spricht mit dem tode.) Luther, Tischr. 499b.

5, 269. Deßgleichen. (Ebenso sanct Martin.) Luther, Tischr. 499b.

Sechstes buch.

6, 1. Unterricht an den leser. (Vorrede.)

6, 2. Gott ist ein ursach alles guten. (Ohne geschichte.)

6, 3. Ἑξάσστυχος ἐνδεκασύλλαβος χρόνικον, Eusebii, ad lectorem. (Mit übersetzung.) Eusebius, chronic. S. 1.

6, 4. Warzu historien lesen nützlich etc. auß Johann Carione. (Ohne geschichte.) Carion-Melanth. vorrede, tafel.

6, 5. Folget im selben weiter, warumb die herrn historias lesen sollen. (Fortsetzung.) Daselbst.

6, 6. Von historischen exempeln, die einem iedern dienen. Daselbst.

6, 7. Historien zu gottesforcht uns zu erwecken nützlich. Daselbst.

6, 8. Was hierauß die heyden geschloßen. Daselbst.

6, 9. Merck. (Unterschied zwischen der bibel und der profangeschichte.) Daselbst.

6, 10. Der heyligen schrifft historien. (Ohne geschichte.) Daselbst.

6, 11. Mehr hiervon. (Ohne geschichte.) Daselbst.

6, 12. Was monarchien seyen und wie weit sie sich erstrecken. (Ohne geschichte.) Daselbst.

6, 13. Nutz der historien aus der chronick Phil. M. (Ohne geschichte.) Daselbst.

6, 14. Weiter. (Ohne erzählung.) Carion-Melanth. 37.

6, 15. Le lieutenant Mestaier aux esprits humains. Jean Carion, Histoire ou chronique trad. par Le Blond, Lyon, 1609, S. 1.

6, 15a. Joannes Blondus ad lectorem. ibid.

6, 16. Lui mesme au lecteur. ibid.

6, 17. Maistre Guilaume Saulnier, secretaire de monsieur de Eureux, au traducteur de Carion. ibid.

6, 18. Le mesme au lecteur de Carion, ou on void par les lettres capitales le nom du traducteur. ibid.

6, 19. Joannes Vergerianus ad Flavum de suo libello.

6, 20. Franciscus Serianus de libello Flavi.

6, 21. Roberti Feretii Clavillæi distichon in laudem historiae.

6, 22. Thucydidis meynung von den historien. (Sie seien im schatz.) Thucyd. 1.

6, 23. Von nutz und frommen, so durch historien zuwegen bracht werden; auch von dem lob und rhum derselbigen, auß Diodoro Siculo. Diodor. Sicul. 1.

6, 24. Es redet die histori weiter. (Gedicht.)

6, 25. Wer zum ersten historien beschrieben. (Cadinus, Pherecides, Hecateus etc.)

6, 26. Angelus Politianus über den Suetonium sagt von dem lob der historien also:

6, 27. Politianus weiter.

6, 28. Mehr folgt daselbst.

6, 29. Unterscheid zwischen der poesie und arte oratoria.

6, 30. Herodotus vermeldet, warumb er seine historien geschrieben. Herodot 1, 1.

6, 31. Ein warnung für unbeständigem glück. (Ohne erzählung.)

6, 32. Bernhardi Schöfferlein, etwa doctor in keyserlichen rechten, vorred in die bücher Titi Livii.

6, 33. Derselb von der rechten wahren römischen historien.

6, 34. Ein ander lob der Livianischen historien Ivonis von Hamelburg etc.

6, 35. Von Flavio Josepho.

6, 36. Von demselben. (Seine vorrede.) Joseph. antiq. 1, 1.

6, 37. Eygenschafft eines historienschreibers auß Josepho etc. Joseph. de bello Judaic. praefat.

6, 38. Folgt weiter auß Josepho. (Bloße hinweisung.) Joseph. Appion. 1.

6, 39. Von den Commentarien Cominaei. (Französisch, lateinisch und deutsch.)

6, 40. Johannis Sleidani seligen meynung von diesem buch Cominaei. Cominaeus, Sleidan. procem.

6, 41. Johannes Sleidanus vom lob und nntz der historien. Sleidan. epist. nuncup. init.

6, 42. Hievon weiter. (Lob des Sleidanus von Israel Achatius.)

6, 43. Valentinus Martius Meiningensis. (Verse.)

6, 44. Ein ander redet auch nicht unbequem von historien.

6, 45. Von erfindung der buchstaben und schrifft, auch deren unaußsprechlichen nutzen. (Ohne geschichte.)

6, 46. Erklärung Ciceronis. (Vom nutzen der schrift.)

6, 47. Nota. (Deutsche wörter mit griechischen buchstaben.) Stumpffius I, 8.

6, 48. Erinnerung des auctoris dieses buchs. (Bloße betrachtung.)

6, 49. Von der Römer ursprung und ihrem namen (Aeneas, Turnus, Lavioia.) Livius 1, 1—3. Dionys. Hal. 1, 70. Virg. Aen. 7, 52; 6, 761.

6, 50. Von Numitore und Amulio. (Amulius stürzt Numitor vom thron und schickt dessen tochter Rhea Ilia in ein kloster.) Livius 1, 3. Dionys. Hal. 71. Plutarch. Rom. 3. App. Reg. 1.

6, 51. Romulus und Remus geboren. (Von Ilia.) Livius 1, 4. Dionys. Hal. 1, 76. Plutarch. Rom. 3; de fort. Rom. 8. Aurel. Vict. vir. ill. 1; de orig. gent. Rom. 19. Servius zu Virg. Aen. 1, 273, 277. Flor. 1, 1. Eutrop. 1, 1. Justin. 43, 2. App. reg. 1. Cicero de div. 1, 20; 40. Varro 5, 144. Solin, Pol. 1. Aelian, var. hist. 7, 16. Acerra 2, 38.

6, 52. Weiter hievon. (Romulus und Remus von Lupa aufgezogen.) Livius 1, 4. Plutarch, Rom. 4. Dionys. Hal. 1, 79. Lactant. Inst. 1, 20. Hedio, S. 15. Albertinus 171 u. s. w.

6, 53. Romulus und Remus viehe hirten. (Setzen Numitor wieder ein und erbauen Rom.) Livius 1, 5; 6. Dionys. 1, 76; 78—86. Plutarch. Rom. 7—9. Valer. Max. 2, 29. Aurel. Vict. vir. ill. 1; de orig. g. r. 19.

6, 54. Romulus erschlägt Remum zu todt. Livius, 1, 7 etc.

6, 55. Verbeßerung des regiments Romuli. (Wird zum könig erwählt.) Livius 1, 8 etc.

6, 56. Wie Rom an volck zugenommen. (Asyl.) cf. 1, 12. Livius 1, 8 etc.

6, 57. **Ohne weiber mag keine gemeine bestand haben.** (Raub der Sabinerinnen.) Livius 1, 9. Dionys. Hal. 2, 20. Plutarch, Rom. 14.

6, 58. **Der entwendten frawen halber ein krieg.** (Tarpeja mit kleinodien erschlagen.) Livius 1, 11. Dionys. 2, 38—40. Propert. El. 4, 4. Valer. Maxim. 9, 6, 1. Plutarch, Rom. 17. Zonar. 7, 3. Flor. 1, 1. Aurel. Vict. vir. illustr. 2. Varro 4, 41. Serv. ad Aen. 1, 450; 8, 348. Tertull. de spect. 6. Suidas, *Τάτιος*.

6, 59. **Durch wen dieser krieg gestillet.** (Die frauen werfen sich zwischen die kämpfenden.) Livius 1, 13 etc. Acerra 2, 57.

6, 60, **Freyheit der römischen frawen.** (Werden zum lohne mit vielen freiheiten begabt.) Livius 1, 13. Plutarch, Romul. 19.

6, 61. **Von Horatio, seinem glück und unglück.** (Horatier und Curiatier; der sieger tödtet seine schwester.) Bereits 1, 18.

6, 62. **Horatius umb dieser that willen vor gericht gestellet.** (Der vater erbietet sich, für den sohn zu sterben.) Livius 1, 26. Dionys. 2, 21; 22. Fest. v. Soror. tigill. 297. Paul. Diac. 307, Müll. Aurel. Vict. vir. illustr. 4. Zonar. 7, 6. Plutarch, parall. min. 16. Valer. Maxim. 6, 3, 6; 8, 1, 1. Flor. 1, 3. Cicero, pro Mil. 3, 7. Schol. Bob. 277, Or. Victorin, Cic. de Juvent. 1, 30, 48. Cic. de Juvent. 2, 26, 78.

6, 63. **Metius Suffecius wird umb seine untrew gestrafft.** (Bei Fidena.) Livius 1, 27, 28. Valer. Maxim. 7, 4, 1. Oros. 2, 4. Varro, fr. S. 240, Bip. Virg. Aen. 8, 642.

6, 64. **Klugheit dieses königs, die feinde zu bezwingen.** (Tullus Hostilius straft die anhänger des Metius nicht.) Livius 1, 29.

6, 65. **Von könig Tarquinio Prisco und seinem end.** Livius 1, 39; 46. Dionys. Hal. 3, 46.

6, 66. **Von Tarquinio Superbo und seinem sohn Sexto.** (Lebensabriß; mohnköpfe.) Livius 1, 54. Dion. Halic. 4, 55, 56. Frontstrat 1, 1, 4. Flor. 1, 7. Plinius, hist. nat. 19, 53. Acerra 1, 46 (drei formen).

6, 67. **Von der häußlichkeit und lob Lucretien.** (Spinnt.) Livius 1, 57. Abr. a S. Cl. Etwas für Alle 2, 623.

6, 68. **Sextus Tarquinius begehet eine schändliche that.** (An Lucretia.) Livius 1, 57. Augustin, de civ. dei 1, 19. Vinc. Bellov. spec. doctr. 4, 100. Hans Sachs 1, 2, 184; 184b; 3, 2, 1. Gesta Rom. 135. Violier 113. Ein schön spil von der geschicht der edlen Römerin Lucretia, Straßb. 1550. 8°. Eutrapel. 1, 92. Acerra 2, 51. Histor. Handbüchl. S. 247. Albertinus 279.

6, 69. **Lucretia klagt ihrem vatter und mann den ge-**

walt, ihr angelegt. Livius 1, 58. Dionys. Hal. 4, 64. Cicero, de fin. 2, 20, 66. Valer. Maxim. 6, 1, 1. Ovid. fast. 2, 761. Aur. de vir. illustr. 9.

6, 70. Was sich weiter derhalben begeben. (Sextus muß fliehen.) Livius 1, 60.

6, 71. Tarquinius unterstehet durch verrätherey wieder in Rom zu kommen. (Will sich sein vermögen ausliefern laßen.) Livius 1, 60.

6, 72. Auffrichtung eines newen regiments zu Rom. (Hinweisung auf Livius 1, 60.)

6, 73. Martii Corioliani, des thewren Römers mercklíche, ganz voller Affecten geschichte. a. (Die ganze erzählung 6, 73—6, 82.) Valer. Max. 5, 4, 1. Dio Cass. exc. Vat. 16, S. 148. Aur. de vir. ill. 19. Holkot 175. Gritsch 31, I. Gesta Roman. lat. 137; germ. 89. Viol. 115. Rosarium 1, 120, M. Abr. a. S. Clara Lauberhütt 1, 301. Acerra 2, 17. Albertinus 291. Shakespeare, Coriolan. b. (In die verbannung geschickt.) Livius 2, 35. Dionys. Hal. 8, 1. Plutarch 22.

6, 74. Weiter hievon. (Coriolan rückt vor Rom.) Livius 2, 35 ff. Dionys. 8, 3 ff. Plutarch 27; comp. Alc. 2. Zonar. 7, 16.

6, 75. Oratio Martii Minutii. (An Coriolan) Livius 2, 39.

6, 76. Antwort Martii Coriolani. Livius 2, 39. Dionys. 37. Plutarch 31. App. Ital. 5, 2.

6, 77. In was noht Rom gebracht worden. (Die geistlichkeit wird entsandt.) Livius 2, 39. Dionys. 38. Plutarch 32. App. Ital. 5, 2.

6, 78. Weiber rahten auch. (Die mutter und gattin Coriolans abzusenden) Livius 2, 40. Dionys. 39. Plut. 33. App. Ital. 5, 3.

6, 79. Martii mutter, der Veturnia, oration. Livius 2, 40. Dionys. 48—53. Plutarch 35.

6, 80. Martii antwort auff seiner mutter anbringen.

6, 81. Veturnia weiter.

6, 82. Beschließliche antwort Martii. Dionys. 57. Plut. 36. Zon. 7, 16. App. 5, 3—5.

6, 83. Exempel ehrngeitzigen und unrühigen geistern. (Spurius Cassius wird den Tarpejischen felsen hinabgestürzt.) Dionys. Hal. 8, 78. Livius 2, 41.

6, 84. Fabula Phaetontis. (Vom himmel herabgestürzt.) Euripid, Hippol. 735. Apollon. Arg. 4, 598. Lucian, D. D. 25; Salt. 55; Elect. 1, 2; Tim. 4. Astrol. 19; Ver. hist. 1, 12. Hygin, fab. 152; 154; astr. 2, 42. Virg. ecl. 6, 62; Aen. 10, 190. Ovid. Met. 1, 755. Cicero, de off. 3, 25; de nat. deor. 3, 31.

6, 85. Von großer vermeßenheit etlicher römischer bürger. (Die Fabier werden vernichtet.) Livius 2, 50. Dionys. 9, 19. Ovid. Fast. 2, 197 ff. Zonar. 7, 17. Plutarch. Camill. 19. App. Ital. 6. Flor. 1, 12. Aur. Vict. de vir. ill. 14. Eutrop. 1, 16. Oros. 2, 5. Dio fr. Reimar. 26. Fest. Scelerata porta; Religioni. Sil. Pun. 6, 637; 7, 44. Serv. zu Aen. 6, 846; 6, 837. Gellius 17, 21. Macrob. Sat. 1. 16. Seneca, de benef. 4, 30.

6, 86. Wie die stadt Rom gewonnen und zerstöret ward. (Im jahr 365; drei römische gesandte zeigen den Galliern fliehend den weg.) Livius 5, 38.

6, 87. Weiter hiervon bericht. (Gänse retten das capitol.) Livius 5, 47. Dionys. 13, 11. Diodor. 14, 116. Plut. Cam. 27. Zonar. 7, 24. Tzetz. chil. 3, 102. Gell. 17, 21, 24. Acerra 3, 42.

6, 88. Von abzug der feinde. (Ankunft des Camillus.) Livius 5, 49. Acerra 3, 43. Hedio, S. 21. Regentenbuch 3, 4. Albertinus 338.

6, 89. Auffruhr Marci Manlii und seine wohlverdiente straff. (Vom felsen herabgestürzt.) Livius 6, 11; 14—20. Gellius 17, 21; 24. Fest. M. Manl; Manliae. Quinctil. 5, 9, 13. Cicero, de rep. 2, 27, 49; Phil. 2, 44, 114; dom. 38, 101. Plutarch. Cam. 36. Dionys. 14, 6. Diod. 15, 35. Dio Cass. fr. 81. App. Ital. 9. Zonar. 7, 24. Boccaccio, cas. illustr. 4, 1. Hondorff 424.

6, 90. Dedali und Icari fabel. (Icarus fiegt der sonne zu nahe.) Pauli 175.

6, 91. Titus Manlius Torquatus läßt sein eygen sohn enthaupten.) Livius 8, 3—12. Cicero, de offic. 3, 31, 113; de finib. 1, 7, 23. Valer. Maxim. 1, 7, 3; 2, 7, 6. Aurel. Vict. vir. ill. 28. Dio Cassius, fragm. vat. 29. frag. 34. Gellius 1, 13. Zonar. 9, 25. Sallust. lat. 52. Dionys. 8, 79. Hondorff 177[b]. Albertinus 409. Sabellicus 3, 3.

6, 92. Von Hannibals ankunfft, seiner guten und bösen gewonheit. Livius 31, 1; 25, 19. Polyb. 3, 11. App. 6, 9; 7, 3. Nep. Hann. 2. Valer. Maxim. 9, 3, ext. 3. Aurel. Vict. de vir. ill. 42. Martial 9, 44. Flor. 2, 6, 2. Orosius 4, 14. Sil. Ital. 1, 81.

6, 93. Carthaginenser heben den krieg wieder an. (Während der belagerung von Sagunt.) Livius 31, 6 ff. Polyb. 3, 16. Appian 6, 10. Zonar. 8, 21.

6, 94. Weiter. (Römische gesandte in Carthago.) Livius 21.

6, 95. Carthago prophezeyet von ihrem selbs untergang. (Hanno.) Livius 21, 10; 23, 12; 30, 42. Valer. Maxim. 7, 2, extr. 16. Zonar. 8, 22; 9, 2.

6, 96. Worinnen sich Hannibal gröblich übersehen. (Winterqartiere in Capua.) Livius 21, 5.

6, 97. Von deßgleichen. (Maharbals rath, Rom zu erobern.) Livius 21, 51; 30, 20.

6, 98. Löbliche that Publii Cornelii Scipionis. (Führt in Canusium 8000 Römer zur Pflicht zurück.) Livius 22, 53. Valer. Maxim. 5, 6, 7. Orosius 4, 17. Silius Ital. 10, 426.

6, 99. Die leibeygen knecht behalten das feld. (Titus Gracchus verspricht die freiheit für den kopf eines feindes.) Livius 24, 14 ff. Zonar. 9, 4. Valer. Maxim. 5, 6, 8.

6, 100. Eine seltzame straff der ungehorsamen. (Die feigen mußten stehend eßen.) Ibid.

6, 101. Tarentum die mächtige stadt wird von Hannibal durch verrätherei eingenommon. Livius 26, 6. Polyb. 8, 27. Diodor. 20, 104. Plutarch. Fab. 21.

6, 102. Behendigkeit der römischen reisigen. (Nehmen fußvolk hinter sich auf die pferde.) Livius 26, 16 etc.

6, 103. Fabius Maximus bekompt mit listen die stadt Tarentum. (Durch ein liebespaar.) Livius 26, 6. Polyb. 8, 27. Diodor. 20, 107. Plut. Fab. 21.

6, 104. Hannibals list gehet über ihn auß. (Hinterhalt bei Metapontum.) Livius 27, 16.

6, 105. Stratagema mit betrieglichen brieffen. (Des erschlagenen consul M. Marcellus siegel; versuch, Salapia zu überrumpeln.) Livius 24, 20. Appian, B. Hann. 45 ff., 51.

6, 106. Lob Scipionis bescheidenheit. (Zugleich mit Hasdrubal als gesandter, bei Syphax von Numidien.) Livius 24, 48; 30, 25.

6, 107. Scipio stillt und strafft die meutmacher. (Lässt die rädelsführer in Neucarthago gefangen nehmen.) Livius 26, 42. Polyb. 10, 8. App. 6, 20. Zonar. 9, 9.

6, 108. Q. Fabii Maximi dissuasoria et dehortatoria oratio. (Gegen Scipio.) Livius 29, 7—10.

6, 109. Defensiva oratio Scipionis. Ibid. Plut. Cat. 3.

6, 110. Von der Römer danckbarkeit. (Eine gesandtschaft von Sagunt überbringt gefangene.) Livius 21, 10.

6, 111. Von Hannibals abzug auß Italien. (Zur Hülfe gerufen.) Livius, 30, 9.

6, 112. Hannibal schickt kundtschaffer auß. (Die von Scipio im lager umhergeführt werden.) Livius 30, 2.

6, 113. Scipio und Hannibal halten sprach mit einander. Livius 30, 30.

6, 114. Scipio antwortet dem Hannibal. Livius 30, 31.

6, 115. Der von Carthago bottschafft zu Rom. (Hasdrubal Hedus, antwort über meineid.) Livius 30, 42. Appian 8, 49 ff.

6, 116. Scipio und Hannibals ander gespräch etc. (Die drei größten feldherrn; gespräch bei Antiochus in Ephesus.) Livius 35, 14. Appian 10, 10. Plutarch, Flavius 21.

6, 117. Dreyer hochberümbten feldhauptleut untergang. (Hannibal, Scipio Africanus und Philippomenes sterben in demselben jahre.) Plutarch. Phil. 18. Pausan. 8, 51, 5; 4, 29, 12. Polyb. 24, 12. Nep. Hann. 13. Liv. 39, 56; 50. Oros. 4, 20. Zonar. 9, 21.

6, 118. Warumb die altvätter so lang gelebt haben. (Die künste nicht unter 600 jahren zu erlernen.) Joseph. Antiq. 1, 4. (1, 8.)

6, 119. Weiter aus Josepho. (Fortsetzung; ohne geschichte.) Ebenda.

6, 120. Erinnerung. (Vielerlei speisen schädlich.) Ohne erzählung.)

6, 121. Neben dem eßen ist auch vom trincken zu sagen. (Ohne geschichte.)

6, 122. Von nutz und schaden des weins. (Gedicht.)

6, 123. Le mesme en François. (Aehnlich.)

6, 124. Tselve in Duytsche. (Niederdeutsch.)

6, 125. Hoch teutsch. (Übersetzung.)

6, 126. Vom thurm zu Babel. Joseph. Antiq. 1, 6 (1, 9).

6, 127. Etwas mehr hiervon. (Sybilla erwähnt denselben.) Ibid.

6, 128. König Alexandri magni geschichte kurtz summarie verfaßt. (Nur andeutungen.)

6, 129. Von Ptolomeo Philadelpho. (Abriß.) Joseph. Antiq. 12, 2.

6, 130. Keyser Vespasiani gütigkeit. (Nimmt den Juden das bürgerrecht nicht.) Joseph. Antiq. 11, 3.

6, 131. Herodis kranckheit stehet nicht zu zehlen. Joseph. Antiq. 17, 8 (17, 9).

6, 132. Herodes bestellet, wie die Jüden um ihn trawren sollen. Joseph. Antiq. 17, 8 (17, 19).

6, 133. Erinnerung. (Ohne geschichte.)

6, 134. Herodis leichbestattung. Joseph. Antiq. 17, 10.

6, 135. Von einem falschen Alexandro. (Vorgeblich sohn des Herodes.) Joseph. Antiq. 17, 14 (17, 11). Egesipp. 2, 2.

6, 136. Warumb alle Jüden auß Rom vertrieben. (Jüdische

betrüger verführen Fulvia zum übertritt.) Joseph. antiq. 18, 5 (18, 7).

6, 137. Tyberii des keysers gewonheit. (1, ließ gesandte nicht gleich vor; 2, bestellte selten neue amptleute; 3, ließ die übelthäter nicht gleich richten.) Joseph. antiq. 18, 8 (18, 13).

6, 138. Erklärung der ersten proposition. Joseph. ibid.

6, 139. Erklärung der andern proposition. Joseph. ibid. Pauli 186.

6, 140. Weiter hierüber erklärung durch exempel. (Fliegen an geschwüren.) Joseph. ibid. Pauli 186. Eyring 1, 617; 3, 45. Schupp 1, S. 782. Vincent. Bellov. spec. doctr. 7, 23. Chron. aventin. Hondorff 326; 400b.

6, 141. Derwegen auch. (Vespasian hatte in den 32 jahren seiner regierung nur zwei landpfleger in Judäa.) Joseph. ibid.

6, 142. Erklärung der dritten proposition. Joseph. ibid.

6, 143. Von beständigkeit der Jüden und Petronio dem landpfläger. (Caligula befiehlt, sein bild im tempel von Jerusalem aufzustellen.) Joseph. antiq. 18, 11 (18, 15). Carion 105. Carion-Melanth. 268.

6, 144. Appio verklagt die Jüden. (Daß sie dem kaiser keine ehre beweisen.) Joseph. antiq. 18, 10 (18, 14).

6, 145. Cajus Caligula ein grewliiche bestia. (Gegen die Juden.) Joseph. antiq. 19, 2; de bell. Jud. 2, 17 (2, 9). Carion-Melanth. 268.

6, 146. Nota. (Philo von den tugenden des Caligula; ironisch.)

6, 147. Mehr von Caji Caligulæ lastern. (Josephus hat sie nicht genugsam beschreiben können.) Joseph. antiq. 19, 2; de bell. Jud. 2, 17 (2, 9).

6, 148. Hiervon auch Suetonius. (Alle kaiser namens Cajus durchs schwert umgekommen.) Sueton. Calig. 56—58. Dio 29. Zonar. 10, 6. Seneca, de const. 18. Aur. Vict. cons. 3. Hedio, S. 101.

6, 149. Caji ehegemahl Cesonia. (Giebt ihm einen liebestrank.) Sueton. Calig. 50.

6, 150. Danckbarkeit des königs Agrippa. (Goldene fessel zur erinnerung.) Joseph. antiq, 18, 8; 19, 5. Schiebel 2, S. 281.

6, 151. Miltigkeit könig Agrippæ gegen seinen verleumbdern. (Gegen Simon.) Joseph. antiq. 19, 7.

6, 152. Etwas vom keyser Nerone. (Erst milde, dann grausam.) Joseph. antiq. 20, 6 (20, 10). de bell. Jud. 2, 22 (2. 11).

6, 153. Warnung für auffruhr könig Agrippæ an die Juden. (Rede.) Joseph. de bell. Jud. 2, 18 (2. 11).

6, 154. Lob der oration des königs Agrippa. (Gedicht.)

6, 155. **Etwas von übung der alten Römer in kriegs sachen.** (Ohne geschichte.)

6, 157. **Zum andern von ihrem lägerschlahen.** (Ohne geschichte.)

6, 158. **Zum dritten, wie sie auff sein, und von ihrer zugordnung.** (Ohne geschichte.)

6, 158. **Was sie in guter ordnung gehalten.** (Ohne erzählung.)

6, 159. **Wunderbarlicher glücksfall Josephi etc.** (Nach der eroberung der stadt Jotapara. (Joseph. de bell. Jud. 3, 24 (3, 14). Egesipp. 3, 15.

6, 160. **Mehr hiervon.** (Gerettet; von Nicanor Vespasian vorgestellt.) Joseph. ibid.

6, 161. **Titi red zu den belägerten etc.** (In Jerusalem.) Joesph. de bell. Jud. 6, 34 (7, 13). Egesipp. 5, 46.

6, 162. **Kurtze historia der stadt.** (Jerusalem.)

6, 163. **Christliche erinnerung zur einigkeit.** (Der kleine Leo Byzantius.) Plutarch, Praec. pol. 804. Philostrat. Soph. 1, 2. Athen. 12, 550, F. Suidas, s. v. Regentenbuch 4, 16.

6, 164. **Gott läßet seine feinde nicht empor kommen.** (Hadrian zerstört 120 das jüdische land.) Dio Cassius 12—14. Euseb. hist. eccl. 4, 6.

6, 165. **Hiervon weiter ein exempel.** (Kaiser Julianus will 365 den tempel wieder aufbauen.) Ammian. 1, 2. Hist. trip. 6. Carion-Melanth. 342.

6, 166. **Was der Römer mächtigkeit geschwächt.** (Ohne geschichte.)

6, 167. **Pompejus kommt zu Cratippo.** (Nach der schlacht bei Pharsalis.) Plutarch. Pomp. 75.

6, 168. **Vom keyser Anthonio Pio.** (Ein Römer sagt ihm, man müße in einem fremden hause nicht nach allem fragen.)

6, 169. **Vom keyser Severo.** (Tod. omnia fui et nihil mihi prodest.) Dio 15. Herod. 15. Carion-Melanth. 292.

6, 170. **Testament des keysers Severi.** (Sendet die rede des königs Micipsae aus Sallust.) Sallust, Jug. 10. Carion-Melanth. 292.

6, 171. **Von keyser Caro und seiner mäßigkeit.** (Empfängt im kriege gegen Arsacidas die gesandten bei erbsenmuß.) Eutrop. 9, 14. Aur. Vict. vir. ill. 39. Zonar. 2, 32.

6, 172. **Constantini Magni weißliche that.** (Wirft auf der synode zu Nicäa ein bündel geistlicher bittschriften ins feuer.) Carion 119. Hammer, S. 443.

6, 173. Von Zenone, dem vollen keyser. (Habe sich zu tode getrunken, oder sei von seiner gemahlin erstickt.) Evagr. 3, 29. Theophan. S. 209. Chron. S. 607. Zonar. 1, 1. Cedren. S. 622. Cassiodor. Chron. S. 234. Marc. C. S. 302. Vict. T. S. 351.

6, 174. Von keyser Dietrich von Bern. (Erscheinung des getödteten Symmachus.) Hist. Eccl. 3, 8, 14. Hedio, S. 459. Carion-Melanth. 383.

6, 175. Lob Justiniani des keysers. (Befiehlt Belisar, sich aller grausamkeit und plünderung zu enthalten.) Carion-Melanth. 379. Happel 7, 355.

6, 176. Ein ander lob dieses keysers. (Drei rühmliche werke.) Carion-Melanth. 398.

6, 177. Erinnerung. (Ohne geschichte.)

6, 178. Lob der fränckischen könige. (Carl Martell, Pipin, Carl der große und Ludwig der Fromme.) Ohne geschichte.

6, 179. Von dem frommen Tyberio. (Summarisch.) Carion-Melanth. 414.

6, 180. Wunderzeichen, gesicht und böse träum keysers Mauritii. (Komet, mönch, traum.)

6, 181. Von keyser Mauritii todt. (584 von Phocas ermordet.) Chron. Pasch. Theophyl. 8, 12. Zonar. 14, 3. Theophan. Cedren. Carion-Melanth. 415.

6, 182. Phocas wird wieder bezahlet, Sieben jahre später von Priscus ermordet.) Ib. Carion-Melanth. 418.

6, 183. Nutz und schad bey einander. (Heraclius; sieg über Cosroen und anfang der mahometischen secten.) Carion-Melanth. 428.

6, 184. Von unbeständigkeit des glücks. (Unglück Carls des dicken; ohne geschichte.) Carion-Melanth. 512.

6, 185. Von keyser Arnulpho. (Summarisch.) Carion-Melanth. 514 ff.

6, 186. Erinnerung. (Ohne geschichte.)

6, 187. Vom nebenkeyser Hertzog Rudolph von Schwaben. (Gegen kayser Heinrich IV; summarisch.)

6, 188. Hiervon weiter. (Sein tod.)

6, 189. Keyser Heinrichs höffliche antwort von seiner feinde begräbnus.) (Wünscht allen seinen feinden ein herrliches begräbnis.)

6, 190. Von keyser Heinrich V. (Krieg gegen seinen vater 1097.)

6, 191. Raubschlößer zerbrochen. (Beschluß des reichstages zu Erfurt.)

6, 192. Vatter und kinder wider einander. (Albert, landgraf zu Thüringen und markgraf zu Sachsen bekriegt seine zwei söhne.) Summarisch.

6, 193. Von keyser Rudolph etc. (Behielt stets das beste für sich und die seinen.)

6, 194. Erinnerung. (Löwentheil, blose hinweisung.) Ausführlich 7, 24; cf. 23.

6, 195. Günther, graffe zu Swartzburg. (Summarisch.) Carion-Melanth. 930.

6, 196. H. Friederich von Braunschweig zum keyser erwehlt. (Summarisch; 1400 ermordet.)

6, 197. Von antiquiteten. (Alte inschriften.)

6, 198. Keysers Sigismundi etliche feine sententz und sprüche. (Nescit imperare qui nescit dissimulare.) Castritius 366; 369. Eutrapel. 2, 557.

6, 199. Wieder die heuchler. (Attentatorem se odisse tamquam pestem.)

6, 200. Mehr vom selben. (Gegen die heuchler.)

6, 201. Regieren iederman anmütig. (Regieren die schwerste kunst.) cf. 1, 35.

6, 202. Absonderung der bösen von den guten. (Fürsten sollen die stolzen diener entlaßen.) Eutrapel. 2, 105.

6, 203. Welches die besten amptleut. (Im glück nicht übermüthig, im unglück nicht verzagt.) Castritius 358.

6, 208. Von schmachred auff den keyser. (Nachsichtig dagegen.)

6, 205. Von geringer belohnung der empter. (Daher unterschleif.)

6, 206. Feinden gnad zu erzeigen. (Aus einem feinde einen freund machen.)

6, 207. Serenitas. (Bildniß der aufrichtigkeit.)

6, 208. Cyri, des königs in Persien tugentsame sitten. (Summarisch; nach Xenophon.)

6, 209. Merck. (Brief Heinrichs II von Frankreich 1552; blose hinweisung.) Sleidan, lib. 24.

6, 210. Hertzog Moritz churfürst. (Schreiben an die stände des reichs; hinweisung.) Ebenda.

6, 211. Marggraff Albert. (Schreiben an die reichsstände, ebenso.) Ebendaher.

6, 212. Joannes Fraxinaeus. (Rede zu Passau, 1552; gleichfalls.) Ebenda.

6, 213. Von ankunfft des löblichen fürstlichen haußes

zu Hessen etc. (Um 1138.)

6, 214. Von landgraff L., sanct Elisabethen gemahln. (1223 ins gelobte land.) Carion-Melanth. 788.

6, 215. Marggraff Dietherr von Meissen. (Bei Friedrich Barbarossas erniedrigung vor papst Alexander.)

6, 216. Marggraff Friederich gefangen und erlediget. (Von marggraf Waldemar, 1313.)

6, 217. Praerogativa eines fürsten und herren, die äußerlich zieren. (Ohne geschichte.)

6, 218. Innerliche zierden eines fürsten und herrn. (Ohne geschichte.)

6, 219. Händel ins bapsthumb gehörig. (Papst Hadrian von einer fliege erwürgt.)

6, 220. Bapst Clementis zu Arimon krönung, und was sich drüber begeben.

6, 221. Erinnerung. (Ohne geschichte.)

6, 222. Wer den priestern die ehe verbotten. (Gregor VII.)

6, 223. Werhalben diß gebott geschehen. (Ohne geschichte.)

6, 224. Klag über des bapsts tyranney. (Der heilige Gregorius.)

6, 225. Mysterium. (Steininschrift zu Mainz: Verte et invenies.)

6, 226. Von untergang des ordens der tempelherrn. (1311 in Frankreich.) Summarisch.

6, 227. Erinnerung. (Ohne geschichte.)

6, 228. Weiter hiervon. (In Deutschland wurden sie milder behandelt.)

6, 229. Eine histori von Sesostri, könig in Egypten. (Vier besiegte könige vor goldenem wagen; einer blickt nach dem rade.) Eutrapel. 398. Acerra 1, 68. Helmback, no. 187. Wolgemuth 2, 7.

6, 230. Grawsamkeit des Cagani. (Besiegt bei Commentioli das heer des kaisers Mauritius; grausamkeit in Ungarn.) Carion-Melanth. 476.

6, 231. Subtil disputieren schädlich. (Ohne geschichte.)

6, 232. Widerlegung ergerniß. (Trost über die erfolge Mahomets; ohne geschichte.)

6, 232. Mardelosen recht belohnung. (Strafe bei der beschneidung von apostaten; 1582.)

6, 234. Von etlichem der Türcken närrischen aberglauben. (Freiwillige verwundungen; 1584.)

6, 235. Von einem Mose Cretensi. (Falscher Moses will die Juden durchs meer führen.) Carion-Melanth. 369.

6, 236. Von geitz und untrew ein exempel. (Plancianus und kaiser Severus.) Dio Cassius 75, 40. Carion-Melanth. 293.

6, 237. Wunderbarliche fäll zwischen Artaxerxe und seinem sohn. (Aspasia, Tyribazus.) Plutarch, Artax. 26—29. Justin 10, 1 ff. Carion-Melanth. 158.

6, 238. Paulina, eine edle Römerin mit list geschwecht. (Unter dem scheine des gottesdienstes; von Decius Mundus.) Joseph. antiq. 18, 4 (18, 7). Hegesipp. 2, 4. Zonar. 6, 5. 1001, Tag, 110. Vinc. Bellov. sp. hist. 7, 4. Morlino, no. 69. Boccaccio 4, 2; mulier. clar. 89, bl. 63[b]. Casti, nov. galanti 13. Masuccio 1, 2. Bandello-Bellefor. 3, 12. Enxempl. 329. H. Estienne 1, 507. Biogr. univ. v. Girard 17, 448. Jac. von Cassalis 25. Goltwurm 115[b]. Ludw. Lavater, von gespensten, in Theatr. de venef. S. 122. Ayrer, der verlarfft S. Franciscus. Melander 2, 126. Scherz mit der warheit 55. Hondorff 301. Lyrum larum 229. Wegkürzer 31. Schmid, beitr. 37. Dunlop-Liebr. 232. cf. Somadeva 12; 1, S. 128, Brockh.

6, 239. Persianer legen ihren könig gefangen. (Cabades. um 494.) Carion-Melanth. 393. Hondorff 407.

6, 240. Cabadis gemahlin lieb und trew. (Verwechslung der kleider im gefängnis.) Carion cf. 1, 382. Hammer, S. 155. Carion-Melanth. 393.

6, 241. Straff des ehebruchs bey den alten Sachsen. (Verbrennung.) Guil. Malmesbur. 1, 64. Tragica, S. 103. Carion-Melanth. 439. Schupp 1, S. 484. Happel 2, 781.

6, 242. Weiber trew und lob. (Die weiber von Weinsberg, 1140.) cf. 1, 383. Thuanus 10, 293. Carion 181. Bodinus, method. histor. S. 5. Manlius, S. 263. Guicciard. 202. Bellefor. 184. Federm. 319. Franck, German. 177[b]. Carion-Melanth. 719. Hedio 10, 3. Regentenbuch 3, 3, 96. Alciati, S. 816. Hondorff 298. Lossius, Epigr. S. 278. Melander 2, 66. Histor. Handbüchl. 40, S. 289; 46, S. 347. Cölner Chronik 1499, 169. Montanus, Gartenges. 82. Goltwurm 106. Lyrum larum 274. Memel 812. Eutrapel. 1, 286. Zeißeler, S. 150, mehrere formen. Meidinger 67. Pfister, Gesch. v. Schwaben 2, 192. Grimm, Sagen 481.

6, 243. Ein tyrann, unzüchter und mörder empfahet sein lohn. (Gonzaga, statthalter zu Mailand.) Gir. Cinthio, Hecatom. 8, 5; Epitia. Masuccio 4, 7. Egnatius 6, 1, extr. 103. Seb. Franck. Germ. 99[b]. Tragica, Isleb. 1597, 1, S. 107. Lipsius, monita et exempla 1613, cap. 8. Lange 2, 17, S. 33. Hondorff 359[b]; 360[b] (Luther). Regentenbuch 2, 15. Spangenberg, Eheteufel. Hammer, Rosenöl 2, S. 251, no. 119. Hans Sachs 1, 2, 189. Manlius, S. 290. Hammer, S. 158. Shakespeare, maaß für maaß. Weidner, S. 32, 1. Commynes, ed. Godefroy, Brux. 1723, 5, S. 55. H. Estienne, Apologie 1, 370. Bouchet, Ann. d'Aquitan. 1644, S. 543. A. Marechal, le jugement equitable 1643. Goulart, Thresor d'histoire 1, 300; 304; 3, 373. G. Whetstone, Heptameron 1582; Promus und Cassandra 1578. Cooke, Vindication of the professors 1640, S. 61. Reynold, God's revenge, Waldburgh und Belanca. Manley, wonders 1678, 3, 29. Burton unparalleled varieties, S. 42. Spectator, no. 491. Lupton, Too good to be true 1580. Douce, illustr. of Shakesp. 1, 156; 2, 273. Dunlop-Liebr. 278. Simrock, quellen des Shakesp. 1, 95; 3, 175.

6, 244. Dreyerley merckliche schaden der Christenheit. (Ohne geschichte.)

6, 245. Artige und eygentliche der trunckenheit beschreibung. (Bild eines knaben mit hörnern etc.; teufel dahinter.) Hans von Schwartzburg, memorial der tugend citirt.

6, 245[a]. Erklärung. (Auslegung des bildes.)

6, 246. Freydanck vom vollsauffen; doch gebeßert.

6, 247. Ein trunckener kein gut helfaß. (Josephus macht einen feindlichen boten betrunken, um ihn auszuforschen.) Joseph. Vita.

6, 248. Narses hat undanck zu lohn. (Als eunuche ins frauengemach; rache.) Procop. Goth. 2, 13. Egnatius 5, 3, extr. Regentenbuch 2, 17. Albertinus 736.

6, 249. Narses thut seinen worten genug. (Führt 568 die Longobarden nach Italien.) Procop. Goth. 3, 35; 4, 33. Egnatius 6, 8. Franck, Chron. 160. Carion-Melanth. 389. Hedio, S. 241. Regentenbuch 2, 17. Ambr. Metzger 252, S. 736. Gibbon 1586.

6, 250. Falsch eydschweren gestrafft. (Einer erstickt an einer fliege, der andere zerfleischt sich selbst, dem dritten gehen die eingeweide ab.)

6, 251. Von andern meyneydigen. (Bauern legen erde in ihre schuhe und schwören, sie ständen auf Ms erde; 1601.) Bremische geschichte; mündlich. Brant 93[b], 5. deutsch 148. Memel 146. Scoggin's jests 144. Makenzie, Aulglas 1860, S. 40.

6, 252. Großer herren ungehorsam etwa gestrafft. (Bei den alten Deutschen.)

6, 253. Straff der abtrünnigen bei den Persiern. (Müßen ein unzüchtiges weib tragen.)

6, 254. Meyländer begehren gnad, und wie. (Nach

der eroberung durch Friedrich Barbarossa; bloße Schwerter um den hals etc.

6, 255. Lob unsern vordern Teutschen. (Ohne geschichte.) Zu dem liede vergl.: Aufruf deutscher nation gegen die Türken; bei Görres, Meisterl. 257. Dithmar, S. 54.

6, 255. Mehr hiervon. (Ohne geschichte.)

6, 257. Erinnerung. (Ohne geschichte.)

6, 258. Von einem unverschampten kriegsman. (Zeigt an einem festtage den Juden den hintern.) Joseph. de bell. Jud. 2, 20 (2, 11).

6, 259. Von einem andern unflat. (1554 auf der Fuldabrücke.) Casseler geschichte.

6, 260. Etwas bericht von der gewaltigen und namhafftigen schlacht auff dem Peiner bruch. (9 Juli 1553.)

6, 261. Ein wunderbarlicher fall. (Zwei erschießen sich gegenseitig; am tage nach der schlacht.) Mündlich.

6, 262. Fast diesem gleich. (Plünderer wird geplündert.)

6, 263. Frembd einfallend kriegsvolck thut schaden. (Bande in Montpeligard, Januar 1588.)

6, 264. Eine list betreugt die ander. (Wegelagerer wird beraubt.)

6, 265. Reinberg auffgeben. (Im jahre 1601.)

6, 266. Von einem Juden, der ein fechter war. (Preisfechter muß zahlen.) Mündlich.

6, 267. Bawren wöllen ein bärn fangen. (Halten einen der ihrigen für den bären und fliehen.)

6, 268. Göttlicher segen am getraid im Elsaß. (Nach dem frieden 1593 wird überjähriges korn geerntet.) Mündlich.

6, 269. Fast dergleichen. (Auf dem abgebrannten lager vor Blassenburg wächst 1554 korn.) Mündlich.

6, 270. Von einer wunderbaren sandgruben. (Die sich stets wieder füllt.) Joseph. de bell. Jud. 2, 16 (2, 9).

6, 271. Von einem wunderbaren waßerfluß. (Zwischen Arcas und Raphaneas; verschwindet nach sechs tagen und erscheint am achten wieder.) Joseph. de bell. Jud. 7, 13 (7, 14). Cornel. a Lap. ad Cant. 4, 15. Hammer, S. 466. Ursinus 1, 43.

6, 272. Von großen wunderzeichen. (Nach der verwüstung Italiens unter Justinian; ähnlich 1550 zu Boethelheim.)

6, 273. Von einer schrecklichen pestilentz zu Athen. Carion 69. Carion-Melanth. 156. Franck, Chron. 141.

6, 274. Wieder die vergiffte lufft ein mittel. (Hippocrates

läßt die wälder abbrennen.) Franck, Chron. S. 141. Carion 69. Carion-Melanth. 156.

6, 275, 276. Von der fliegen adel uod vortheil, und: der flohe antwortet. (Fliege und floh.) Phaedrus 84 (4, 24). Burm. 3, 23. Dressl. S. 99. Anonym. 36. Romulus 2, 17. Nilant 27, S. 23. Vinc. Bellov. 15; spec. doctr. 4, 119. Dorpius, B3. Galfr. 37. Morlin. 17. Camerar. 186. Acc. Zucch. 37. Guicc. S. 100. Bellefor. 94. Federm. 158. Tuppo 37. Ysopo 37. Mar. de France 86. Ysopet I, 36; Rob. 1, S. 226. Haudent 141. Corrozet 30. Est. Perr. 21. Desprez 34. Le Noble 63. Bromyard, M, 8, 30. Lafont. 4, 3. Stainhöw. 4, 37. Waldis 1, 30. Hans Sachs 2, 4, 74; 4, 3, 231. Eyring 2, 6. Esopus 86. Boner 41. Wolgemuth 68. Gleim 2, 19.

6, 277. Eobanus Hessus in Tyrannos. (Gedicht.)

Siebentes buch.

7, 1. Apologus. Was er, von wem und warumb also genennet. (Ohne erzählung.)

7, 2. Wie und mit was nutz solche Apologi zu lesen. (Ohne erzählung.)

7, 3. Vom hanen und perlen. (Korn lieber.) Bidpai 3, S. 187. Sadi, Graf, S. 101. Aesop. Camerar. 188. Phaedrus 3, 12. Burm S. 202. Dressl. S. 73. Romulus 1, 1. Anonym. 1. Nilant 1, no. 1, rep. Nil. S. 67, no. 1. Dorpius, A. Galfr. 1. Pantal. Candid. 122. Barth 4, 6. Camerar. 172. Bromyard, A, 26, 32. Vinc. Bellov. 30. Mar. de France 1. Ysopet 1, 1. Rabelais 1, Prolog. Haudent 112. Corrozet 1. Desprez 14. Benser. 1. Le Noble 74 (bis). Lafont. 1, 20. Acc. Zucch. 1. Tuppo 1. Pavesio 112. Guicciard. 56. Bellefor. 56. Federmann 83. Verdizz. I4. Ysopo 1. Axtius 1. Stricker (altd. wäld. 2, 3). Alberus 1. Eyring 3, 354. Lessing, fab. 2, 9. Haupt, Zeitschr. 7, 381. Luther, fab. 1. Schupp 1, 778. Boner 1. Stainhöw. 1. Esopus 1. Hagedorn 70; 71 (2, 67; 2, 57). Waldis 1, 1. Wright 1. Wolgemuth 1.

7, 4. Philippi Melanchthonis piae memoriae, lob und der apologen. (Ohne erzählung.)

7, 5. Kurtzer inhalt der fabeln Aesopi, von Philostrato beschrieben. (Ohne erzählung.)

7, 6—9. Von der stärcke des weins etc. (Darius fragt, was das stärkste sei; wein, weib, könig, warheit.) cf. 2, 3. Esra 3, 4. Luther, Tischr. 534[b]. Die vier stärksten dinge, s. l. 1649, 4°. Schupp 2, S. 38. Hammer, S. 488. Abr. a S. Clara Gehab dich wohl 148.

7, 10. Beschreibung des weingötzen Bacchi und der wollust garten etc. concipirt anno 1549. (Gedicht.)

7, 11. Drey ding dieser welt fürnemlich zu suchen. (Durch vier andere; lebensregeln.) Holland, S. 21.

7, 12. Was dem menschen fürnemlich nutz sey. (Dieb bei armen; mehl im ärmel; muß sein geld ebenfalls zurücklaßen.) Calila und Dimna, Silv. de Sacy 3, 4. Wolff, S. XXVII. Knatchbull, S. 55. Sim. Seth, S. 32. Possinus, cap. 6, S. 554. Joh. de Capua, A3. Ulm 1483, A5ᵇ. Holland, S. 5. Raimond de Bezièrs, bei Du Méril, S. 221, note. Baldo 5. Nugæ doctæ 41.

7, 13. Ein zimmermann findet gelt. (800 gulden verloren.) Pauli 115. Eyring 1, 736.

7, 14. Ein ander geschicht, wol zu mercken. (Reisender verscheucht eine räuberbande durch scheinbare commandos.)

7, 15. Von belohnung der warheit, ein fabel. (Goldene, silberne und eiserne axt.) Aesop. Kor. 44, S. 28; 302; Nevelet. 44. Furia 127. Hauptm. S. 291. Camerar. 97. Mich. Apostol. paroem. S. 186. Faernus 95. Cognatus 70. Brus. 1, S. 133. Posth. 44. Ysopo-Rem. 13. Pavesio 96. Verdizz. 91. Rabelais, liv. 4, prol. Haudent 240. Benser. 91. Le Noble 56. Lafontaine 5, 1. Rimicius 74. Stainhöwel-Rem. 13. Barth 3, 3. Faern. 42. Desbillons 1, 20. Agricola 188. Eyring 2, 487; 3, 35. Egenolf 110. Waldis 3, 72. Chytraeus 78. Esopus-Rem. 13.

7, 16. Von straff der lügen, ein fabel. (Ein anderer versucht es gleichfalls.) Ende des vorigen.

7, 17. Trawen und bawen. (Bauer ruft die heiligen an, statt selbst zuzugreifen.) Aesop. Kor. 335; 264; 62; Babr. 20. Fur. 308. Camerar. 267. Plutarch de superst. 22; 23. Apophth. Laced. 16. Av. 32. Promtuar. exempl. O. Nic. Pergam. 58. Faernus 74. Capaccio 93. Guicciard. S. 107. Verdizz. 54. Bellefor. 99. Federm. 167. Ens 137. Paves. 84. Rabelais 4, 23. Haudent 202; 286. Baïf 134. Benserade 204. Lafontaine 6, 18. Dorpius, E. Cognatus 37. Desbillons 5, 28. Eutrapel. 1, 443. Eyring 3, 13. Waldis 2, 14. Ogilby 41. Wolgemuth 259. Zachariä 90. Dorpius, E.

7, 18. Ehrsucht verflucht. (Der fuchs wirft der löwin vor, daß sie nur Ein junges gebäre.) Loqman 11. Aesop. Kor. 215. Nevelet. 219. Furia 106, 189. Rimicius 63. Cognatus 96. Hans Sachs 1, 4, 379 (Kempt.). Waldis 3, 66. Wolgemuth 207. Zachariä 27. Lessing, wesen der fabel. Pfeffel 7, 10.

7, 19. Eygen lob nichtig. (Pardel preist dem fuchse gegenüber sein buntes fell.) Aesop. Kor. 159. Nevelet. 162. Furia 13. Camerar.

259. Avian. 40. Rimic. 24. Pant. Cand. 87; ap. Schultze 135. Babrios 101; 133. Plutarch VII sap. 12; An vitiositas anim. 2. Dorpius, E2. Pant. Candid. (del. poet. germ.) 2, 147. Desbillons 4, 23. Cognatus 8. Paulin. 46. Erasmus, chil. 4, 71. Guicciard. 101. Federm. 236. Bellefor. 136. Valla 11. Schulze 135. Arigonius, ibid. Barth 3, 7. Waldis 2, 20. Wolgemuth 141. Anderes bei Robert 2, 201.

7, 20. Von einem löwen und mäußlein (Netz.) Aesop. Kor. 217; Furia 98; Nevelet. 221. Babrios 107. Julian, ep. 8. Dositheus 2. Nilant, S. 14, no. 18; S. 86, no. 16. Phaedrus, Dressl. 7, 3. Burm. app. 4. Romul. 18. Romul. Nil. 10, S. 86; 18, S. 14. Anonym. Nevel. 18. Baldo 24. Vincent. Bellov. specul. hist. 3, 3; spec. doctr. 4, 120. Dialog. creaturar. 24. Scala celi 40b. Bromyard 2, 5, 4. Neckam 41. Wright 1, 17. Dorpius, A4. Barth 3, 2. Abstemius 52. Camerar. 244. Pant. Candid. 65. Jongh 6. Melander 287. Freitag 12. Aesop. 152. Marie de France 17. Ysopet 1, 18; Rob. 1, 131. Ysopet 2, 39; Rob. 1, 134. Mer des hist. 9. Clém. Marot, G. Haudent 125. Corrozet 14. Lafontaine 2, 11. Acc. Zucch. 18. Ces. Paves. 8. Tuppo 18. Ysopo 18. Hita 1399. Est. Perr. 20. Jul. Mach. 18. Baïf fol. 16. Desprez 3. Benser. 16. Bours. és. 3, 1. Du Méril fabl. inéd. S. 210, note 5. Desbillons 5, 30. cf. Pantschatantra, Benfey 1, 324 ff. Dubois, S. 42. Boner 21. Waldis 1, 14. Geiler, Evangelibuch 207. Keller, Erzähl. S. 518. Stricker, altd. wäld. 3, 175. Francke, sprichw. 109b. Fischart, Garg. 41. Eyring 1, 215; 571; 668. Egenolf 363. Federmann 53. Wolgemuth 63. Eutrapel. 1, 688. Schupp 1, 787. Abr. a S. Clara, Bescheid-eßen, S. 281. Esopus 18.

7, 21. Von eines Camels glück und unglück, und 7, 22. Hiervon weiter. (Dem kranken löwen wird camelfleisch empfohlen.) Pantschatantra 1, 11; Dubois 104; Benfey 2, S. 80; 1, S. 230; 1, 16. Benfey 2, 103; 1, 250. Somadeva. Wolff 1, 78. Knatchbull 138. Sim. Seth, S. 25. Joh. de Capua d3. Ulm 1483, F1h. Holland, S. 47. Span. übers. 17, 6. Firenzuola 57. Doni 54. Anvar-i-Suhaili 153. Livre des lum. 118. Cab. des fées 17, 294. Hitopadesa 4, 2; M. Müller, S. 168. Bahar Danush 2, 19. Loiseleur, essai, S. 37, note. Lancereau, S. 253.

7, 23. Ein löw, rind, geiß und schaff halten gesellschafft. (Löwentheil.) Phaedrus 1, 5, S. 119; Burm. S. 25; Dressl. S. 36. Anonym. 6. Galfr. 6. Camerar. 173. Romulus 1, 6. Nilant 6, S. 72; no 9, S. 7. Bromyard M. 9, 2. Stainhöwel 1, 6. Neckam 9. Vincent. Bellov. spec. hist. 3, 2; spec. doctr. 4, 116. Dialog. creaturar. 20. Dorpius, A. Abstemius 186. Faern. 83. Robert 1, 32. Marie de France 11; 12. Ysopet I, 6; Rob. 1, S. 34; II, 9; Rob. 1, 36. Haudent

116; 173. Corrozet 5, 64. Desprez 7, 26. Le Noble 12. Lafontaine 1, 6. Ysopo 6. Acc. Zucch. 7. Tuppo 6. Ces. Pavesio 13. Verdizz. 58. Boner 8. Stainhöw. 6. Keller, Erzähl. S. 516. Waldis 1, 5. Wolgemuth 6. Alberus 7. Luther, Fabeln 6, bl. 271. Barth 1, 16. Gœdeke, Mittelalter, 641. Lessing II, 26. Wright 1, 6; 7. Esopus 6.

7, 24. Eine wunderbare Gesellschafft. (Löwentheil; Esel wird zerrißen; Fuchs theilt beßer.) cf. 6, 194. Aesop. Kor. 38; 225; S. 147. Nevelet 38; 229. Furia 109; 233; 299. Aphthonius 20. Saidas, Λίς, λάχος. Babrios 67. Gabrios 5; cf. 52. Barland, D. Bromyard, E, 8, 25; D, 12, 16. Wright 58, S. 54. Erasmus, Adag. 1, 7, 89. Camerar. 94. Cognatus 71. Abstem. ap. Nev. 612. Convival. sermon. 1, 158. Dorpius D. Faernus 3, 99. Guicciard 108 (209). Bellefor. 192. Federm. 330. Desbillons 4, 4. Keller, Erzähl. S. 514. Reineke, Hoffm. 5394, 5412. Mone, anz. 4, 356. Grimm, Reinh. F. 358; vgl. CCLXII. Renart 4851. Marie de France, ap. Le Grand 4, 360. Goethe 40, 182. Manlius, S. 386. Odo de Cerington. Ms. Douce 88, 20. Gatos 15. Luscinius 59. Geiler, Alphabet 27b. Waldis 1, 73. Luther, Fabeln 7. bl. 271b. Eyring 1, S. 138. Wolgemuth 105. Alberus 11. Pantschatantra, Benfey 1, 534.

7, 25. Von einem krancken und fräßigen löwen. (Fuchs sieht fußspuren.) cf. Pantschatantra 3, 14; Benfey 2, 268; 1, 381. Syntipas, Matth. 38. Loqman 38. Sadi 16. Vartan 3. Tutinameh. Rosen 2, 125. Aesop. Furia 91; Kor. 137; Nevelet 137; Babrios 103. Camerar. 145. Aphthon. 8. Syntip. 37. Plato, Alcibiad. 1, 123; Hauptm. 329. Plutarch, de virtut. prof. Hptm. 329. Horat. ep. 1, 1, 70. Phaedrus, Burm. app. 30. Dressl. 7, 12. Romulus 4, 12. Romul. Rob. 5; 2, S. 548. Nilant, S. 55, no. 59; S. 129, no. 43. Dorpius, B6. Desbillons 2, 20. Hubertus 12. Dialog. creaturar. 44. Vinc. Bellov. spec. hist. 28; spec. doctr. 4, 123. Nic. Pergam. 44; 110. Cognat. 21. Stainhöwel 72. Barth 2, 26; 5, 4; lyricor. 2, 20. Brant, G4, deutsch 149. Faernus 74, S. 124. Geiler, Narrensch. 40 (Scheible). Alberus 37. Eyring 1, S. 136. Fischart, Gargantua 36. Zincgref 1, S. 32. Abr. a S. Cl. Huy, S. 138. Schupp 1, S. 780. Wolgemuth 71. Ogilby 38. Esopus 72. Ces. Pavesio 69. Guicciard. detti 208. Verdizz. 84. Ysopo 72. Marie de France 58. Haudent 154. Lafont. 6, 14.

7, 26. Ein löw wird durch ein fuchs betrogen. (Zum brunnen geführt, sein bild zu bekämpfen.) Pantschatantra 1, 8; Dubois 82; Benfey 2, S. 62; 1, S. 179. Hitopadesa 1, 10; Lancereau 232; M. Müller, S. 92. Wolff 46. Knatchbull 117. Sim. Seth 18. Joh. de Capua, C5b. Ulm. 1483, E2a. Holland, S. 38. Span. übers. 14b. Firenzuola 43. Doni 62. Anvar-i-Suhaili 124. Livre des lum. 99. Cab. des fées, 17, 286. Baldo 4. Livre des merveilles, bei Du Méril, poes. inéd. 234. Suka saptati 31. Or. und Occid. 1, 80.

7, 27. Von einem alten löwen. (Selbst vom esel verachtet.) Phaedrus 1, 21; Burm. S. 77; Dressl. 1, 23, S. 46. Anonym. 16. Romulus 1, 16. Nilant 16, S. 12; 14, S. 83. Anonym. 27. Vinc. Bellov. 3, 3; spec. doctr. 4, 117. Dorpius, Aiij. Bromyard, H, 4, 8; S, 5, 3. Dialog. creatur. 110. Galfr. 16. Pant. Candid. 62. Camerar. 179. Acc. Zucch. 16. Pavesio 115. Tuppo 16. Ysopo 16. Marie de France 15. Ysopet I, 16. Rob. 1, S. 208. Haudent 123. Corrozet 12. Desprez 33. Benser. 13. Boursault, Es. 4, 3. Le Noble 58. Lafontaine 3, 14. Boner 19. Stainhöw. 16. Waldis 1, 12. Wolgemuth 74. Keller, Erzähl. 516. Alberus 27. Gleim 2, 10. Esopus 16.

7, 28. Erinnerung. (Moral der vorigen fabel.)

7, 29. Von einem fuchs und storch. (Flasche mit engem halse.) cf. 7, 121. Aesop. Fur. 397; Kor. 326. Plut. quaest. sympos. 1, 1. Hauptm. S. 260. Phaedrus 1, 26. Dressl. 1, 28. Romulus 2, 13; Nilant. 63. Cognatus 22. Camerar. 185. Galfr. 33. Pant. Candid. 89; 2, 198. Dorpius, B3. Anonym. 33. Camerar. 149. Faernus 56, S. 94. Dorpius, Biij. Barth 5, 5. Manlius, S. 242. Boner 37. Stainhöwel 33. Waldis 1, 27. Renner, bl. 30; 5441. Eyring 2, 671. Wolgemuth 36. Esopus 33. Freitag 9. Acc. Zucch. 33. Tuppo 34. Ysopo 33. Ysopet I, 33; Rob. 1, S. 76. Haudent 138. Corrozet 27. Desprez 20. Benser. 18; 19. Le Noble 35. Lafont. 1, 18.

7, 30. Von einem fuchs, der ein raben betrog. (Käse.) Mola Dschami Beharistan, Vienn. 1778, F. 20. Vartan. Aesop. Korai 204, S. 131; Hauptm. S. 311; Furia 216. Nevelet. 208. Babrios 77. Gabrias 10; Kor. 204, S. 132. Tzetzes, Chiliad. 10, 352. Phaedrus 1, 13, S. 127; Burm. S. 49; Dressl. S. 41. Apulejus, Florid. 23. Horat. sat. 2, 5, 56; epp. 1, 17, 50. Jac. Pontan. 2, 2, 1, S. 64. Anonym. 15. Aphthon. 29. Romul. 1, 15; 6, 17. Cognatus 36. Nilant, no. 13, S. 82; no. 15, S. 11. Vincent. Bellovac. spec. hist. 3, 3; spec. doctr. 4, 117. Bromyard, G, 2, 15. Scala celi 6. Neckam 27. Dialog. creaturar. 61. Cyrill. 2, 15. Joh. de Capua 1, 4. Pontanus, S. 66. Dorpius A3. Pant. Candid. 93. Faern. 25, S. 37, 38. Walch 7. Acc. Zuccho 15. Ces. Pavesio 26. Tuppo 15. Guicciard. S. 231. Verdizz. 62. Doni, praefat. nov. Porret. 50. Lucanor 26. Puisbusq. 5, S. 194. Keller 26, S. 136. Hita 1411. Ysopo 15. Rom. du Renard 7187; Rob. 1, 6. Marie de France 14, 51, 94. Ysopet I, 15; Rob. 1, 9. Ysopet II, 26; Rob. 1, 11. Méon 3, 53. Mer des hist. 6. Jul. Mach. 5. G. Haudent 122. Corroz. 11. Perret 4. Desprez 67. Benserade 12. Boursault, fabl. 4, 3. Le Noble 69. Lafontaine 1, 2; Rob. 1, 5. Farce de Pathelin et Coustellier,

S. 31. Rollenhagen, Kij. Stainhöwel 1, 15. Keller, Erzähl. S. 523. Boner 18. Renner 2, 456. Waldis 1, 11. Luther, Fabeln 14, bl. 272. cf. Grimm, Reinh. Fuchs CCLXVI, no. 8; CCLII, 358. Kanzler, Hagen 2, 398. Wolgemuth 7. Alberus 9. Abr. a S. Cl. Lauberhütt. 72; Etwas für Alle 2, 395. Laßberg 2, 169. Lessing 2, 15. Hagedorn 2, 16 J. Gleim. Esopus 15.

7, 31. Von bald glauben. (Storch und fuchs bringen frösche und mäuse in streit.) Cognatus 77.

7, 32. Ein fuchs entlauffet dem hencker. (Als die hasen zuzuschauen kommen.)

7, 34. Ein fuchs ist geistlich worden. (Schiedsrichter zwischen hasen und vogel.) Pantschatantra 3, 2; Dubois, S. 152; Benfey 2, S. 271; 1, S. 350. Wolff 1, 197. Knatchbull 226. Sim. Seth 60. Joh. de Capua, h6[b]. Ulm 1485, O4[b]. Holland, S. 105. Span. übers. 36[b]. Doni 38. Anvar-i-Suhaili, S. 322. Livre des lum. 251. Cab. des fées 17, 442.

7, 34. Ein eygennütziger schmeichler bekompt sein lohn. (Fuchs hetzt zwei hirsche auf einander, und wird beim kampfe getödtet.) Pantschatantra 1, 4; Benfey 2, 37, 1, 138. Dubois, S. 73. Wolff, S. 29. Knatchbull, S. 104. Sim. Seth, Athen, S. 13. Joh. de Capua c. Ulm, 1483, C8[b]. Holland, S. 31. Span. übers. 12. Firenzuola 29. Doni 51. Anvar-i-Suhaili 103. Livre des lumières 77. Cab. des fées 17, 195. Rob. fabl. inéd. CXXVI. cf. XCVIII. Fab. 10. Loiseleur. essai 33. Reinh. Vulpes, Mone 1, fab. 3. Rothe, rom. du Renard 148. Grimm, Reinh. Fuchs CCLVI. Weber, Ind. Stud. 3, 366.

7, 35. Von friedmemmen. (Tauben wollen zwischen raubvögeln frieden stiften.) Phaedrus 1, 31; Burm. S. 103. Dressl. 1, 33, S. 51. Anonym. 22. Galfr. 22. Abstemius 96. Camerar. 257. Stainhöwel 22. Romulus 2, 2. Pant. Candid. (del. poet. germ.) 2, 168. Desbillons 7, 17. Pantal. Candid. 136. Ysopo 22. Acc. Zucch. 22. Tuppo 22. Ysopet I, 21. Guill. Haudent 359. Lafont. 7, 8. Waldis 3, 22. Ogilby 20. Esopus 22.

7, 36. Von dreyen hirschen. (Verschiedenen characters; der langsame wird gefangen.) cf. 1, 86.

7, 37. Gewalt geht für recht. (Wolf und lamm am bache. Bereits 1, 57.

7, 38. Von demselbigen. (Hirsch und schaf im streite; Wolf und hund als zeugen.) Phaedrus 1, 16. Anonym. 31. Romulus 2, 11. Camerar. 184. Dorpius, Bij. Robert 2, 465; 525. Le Noble 1, 164. Guicciard. 282. Boner 35. Luther, Fabeln 4, S. 271. Waldis 1, 25. Wolgemuth 76.

7, 39. Wolff und schaff kriegen mit einander. (Hunde als geiseln entfernt, schafe gefreßen.) Pauli 447. Aesop. Kor. 237; Nevelet. 241. Aphthon. 21. Libanius, Kor. S. 155. Hugo Grot. poem. farrago 3, 308; Hauptm. 333; Vita Aesopi ap. Hauptm. 316. Plutarch, Demosth. 33. Isidor. origg. 1, 40. Babrios 93. Theon 2. Phaedrus 7, 21. App. Burm. 16. Romulus 53. Nilant 32. Anonym. Nil. 43. Dorpius, B5. Bromyard, F, 1, 18. Cognatus 15. Desbillons 3, 9. Neckam 4. Galfr. 53. Dialog. creatur. 8. Holkot 55. Gritsch 39. F. Abstem. 124. Pant. Candid. 81; 82. Freitag 11. Acc. Zucch. 53. Capacc. 174. Pavesio 210. Tuppo 53. Guicciard. 159; 77. Ysopet 1, 49; Rob. 1, S. 202; 2, 5; Rob. 1, S. 204. Haudent 149. Corrozet 38. Microscom. embl. 67. Desprez 2. Benserade 176. Ysopo 53. Stainhöwel 53. Waldis 1, 88. Wright 2, 15. Camerar. 190. Barth 4, 20. Pontan. 1, 2, 21, S. 73. Enxempl. 364. Keller, Erzähl. 496. Boner 93. Eyb, Spiegel 128. Schupp 1, S. 780. Wolgemuth 69. Esopus 53.

7, 40. List eines wolffs. (Blöckt wie eine ziege.) Aesop. Camerar. 206. Phaedrus, Burm. app. 27; 32. Romulus 2, 10. Anonym. 29. Barth 8, 15. Dorpius, Bij[b]. Stainhöwel 2, 9. Nilant, no. 61, S. 56. Camerar. 184. Desbillons 3, 8. Neckam 42. Galfr. 29. P. Candid. 79. Ysopo 29. Acc. Zucch. 29. Tuppo 29. Marie de France 90. Ysopet I, 29; Rob. 1, 278. Ysop. II, 40; Rob. 1, 280. G. Haudent 135. Corrozet 24. Desprez 23, 78. Benserade 27. Le Noble 15. Lafontaine 75, 4, 5. Boner 33. Reinh. Fuchs 346. Alberus 12. Eyring 1, 470. Waldis 1, 24. Wolgemuth 75. Haltrich 33. Grimm, Kinderm. 5; 3, S. 15. Ogilby 72. Esopus 29.

7, 41. Allen worten nicht zu glauben. (Wolf soll unartiges kind holen.) Pauli 90, cf. 81. Eyring 3, 406. Abr. a S. Cl. Huy, F.

7, 42. Von einem wolff und kranch. (Knochen im rachen.) Aesop. Furia 94; 102; Kor. 144; Nevelet. 144; Camerar. 149; Babrios 94. Gabrias 39. Cognatus 69. Phaedrus 1, 8, S. 122; Burm. S. 32; Dressl. S. 38. Romul. Nilant. 8. Anonym. Nil. 64, S. 59. Anonym. 8. Romulus 1, 8. Stainhöwel 1, 8. Anonym. Nevelet. 8. Fabl. rythm. 1, 8. Baldo 25. Dorpius, Aij. Aphthon. 25. Odo de Cerington, no. 41. Neckam 1; Robert 1, 194. Vincent. Bellov. spec. doctr. 4, 116; specul. histor. 3, 2. Posth. 126. Freitag 15. Dialog. creaturar. 117. Hart. Schopp, Vulpecula 3, 11. Ysopet I, 8; Robert 1, 195. Ysopet II, 1; Robert 1, 196. Faernus, S. 94. Guicciard. 47. Bellefor. 49. Federm. 70. Ens 59. Gatos 2. Marie de France 7. Lafontaine 3, 9. Haudent 117. Corrozet 6. Desprez 51. Benserade 7. Le Noble 8. Zucch. 8. Tuppo 8. Ces. Pavesio 52. Guicciard. 47. Verdizz. 54. Ysopo 8.

Barth 3, 25. Waldis 1, 6. Alberus 29. H. Sachs 4, 3. 104. Renner. bl. 13 (1976). Boner 11; 31. Stainhöwel 8. Luther, Fabeln 9, bl. 272 Eutrapel. 1, 740. Grimm, Reinh. F. 346. Reineke 3, 11. Goethe 40, 176. Esopet 8.

7, 43. Ein wolff wil ein arts seyn. (Wird vom esel geschlagen.) cf. 4, 138. Aesop. Kor. 250; Furia 134; 140; Camerar. 199 Babrios 122. Galfr. 42. Phaedrus, Dressl. 8, 3. Romulus 3, 2. Aphthon. 9, 2. Stainhöwel 3, 2. Nilant, no. 26, S. 105. Dorpius, B4. Neckam 24. Anonym. 42. Faernus 26. Pant. Candid. 92; 76. Barth, lyricae 2, 24. Desbillons 5, 21. Freitag S. Aesop. 96. Ysopo 42. Zucch. 42 Capacc. 73. Pavesio 14. Tuppo 42. Verdizz. 60. Rom. du Renard; Rob. 1, 310. Ysopet I, 41; 2, 23. Tardif 12. Bellegarde 36. Corrozet 32. Haudent 12; 143. Est. Perr. 11. Desprez 19. Lafontaine 5, 8. Boner 50. Waldis 1, 32. Wolgemuth 39. Eyring 1, 234. Hagedorn 29; 2, 26. Hans Sachs 4, 3, 224; 2, 4, 70. Ogilby 64. Esopus 42. Grimm, Reinh. Fuchs CCLXIII; 423, 429. Goethe 40, 128. Mone, Anz. 5, 452.

7, 44. Friß all, bezahl. (Wolf und fuchs in der fleischkammer., Mola Dchami Beharistan. Aesop. Kor. 158; S. 95; 350. Nevelet. 161. Hauptm. 119. Gabrias, Kor. S. 95; Furia 12. Camerar. 223. Dorpius B7. Desbillons 6, 9. Horat. epp. 1, 7, 29. Faernus, Greg. Tauris. 4. Guicciard. hore 60. Bellefor. 40. Federm. 60. Verdizz. 67. Renart 4. 318; Reineke 1452. Goethe 40, 50. Haudent 155. Benserade 47, 100. Boursault, fabl. 1, 2. Le Noble 85. Lafontaine 3, 17. Robert 1, CCVI. Alberus 38. Abr. a S. Cl. Judas 2, 67; Gehab dich wohl 248. Eutrap. 1, 719. Grimm, Kinderm. 73; 3, S. 124.

7, 45. Ein wolff und fuchs seynd burßgesellen. (Wolf hinterm zaune erschlagen.) Grimm, Kinderm. 3, S. 124.

7, 46. Knechtschafft ein hartes joch. (Lieber mager und frei, als fett und gebunden.) Pauli 433.

7, 47. Ohne zwang am besten. (Vogel entflogen; lieber mäßig und frei, als reichlich und gefangen.) cf. 7, 46.

7, 47. Hoffahrt eines ziegenbocks. (Sieht sein bild im waßer.) cf. 7, 49. Aesop. Kor. 181, S. 111; 364; Nevelet. 184. Hauptm. S. 318. Aphthon. 18. Gabrias 17. Furia 66. Notic. et extr. 2, 728 Syntipas 15. Babrios 43. Phaedrus 1, 12. Burm. S. 45. Dressl. S. 40. Anonym. 47. Camerar. 156. Romulus 41. Nil. 29. Galfr. 47. Vinc. Bellov. 11. Stainhöwel 47. Dorpius, D2. Ysopo 47. Mar. de France 32. Ysopet I, 44; II, 32. Haudent 147. Corrozet 36. Desprez 5 Benserade 112. Lafontaine 6, 9. Zuccho 47. Ces. Pavesio 108. Tuppo 47. Verdizz. 13. Geiler, Narrenschiff 27b. Ogilby 28. Esopus 47.

7, 49. Mehr von hoffahrt. (Hirsch ebenso.) cf. 7, 48.

7, 50. Von einer fliegenden schildkröten. (Zwei vögel tragen die schidkröte durch die luft.) Bereits 1, 227.

7, 51. Schönheit ohn verstand nichtig. (Fuchs und steinbild; kein hirn.) Aesop. Kor. 11, S. 9; 286; Nevelet. 11. Rimicius 14. Alciati 189, S. 808. Valla 4. Cognatus 42. Romulus 2, 14. Dorpius, Biij. Camerar. 79; Furia 11. Phaedrus 1, 7; Burm. S. 81; Dressl. S. 37. Anonym. 34. Nilant, S. 134. Galfr. 34. Albert. 76. Faernus S, 66. Baldo 64. Posthum. 11. Ysopo 34. Ysopet 1. 60. Tardif 16. Haudent 16; 189. Corrozet 28. Desprez 76. Benserade 21. Boursault, fabl. 1, 3. Le Noble 99. Lafontaine 4, 14. Zuccho 84. Tuppo 35. Pavesio 62. Boner 38. Stainhöwel 34. Waldis 1, 28. Erasmus, adag. 8, 95; chil. 3, 40. Alberus 13. Barth 2, 18. Brant, H3[b], deutsch 155. Esopus 34. Wolgemuth 37. Eyring 1, 395. Hagedorn 86; 2, 68. Lessing 2, 14. Daum 28. Paulin. 18. Chrytraeus 38.

7, 52. Der hoffahrt ein mercklich exempel. (Krähe schmückt sich mit fremden federn.) cf. 2, 137[b]. Bidpai, Cardonne 3, 323. Aesop. Kor. 188, S. 116—119; S. 367; Furia 78; Nevelet. 191. Camerar. 160. Anonym. 35. Babrios 72. Aes. Tyrwhitt. Aphthon. 31. Gabrias 26. Libanius, Kor. 118. Theon sop. prog. 3. Theoph. Simoc. ep. 34. Niceph. Basilac. 5; Kor. 367. Horat. epp. 1, 3, 18. Plaut. Aulul. 2, 2. Phaedrus 1, 3. Romulus 2, 15. Stainhöwel 2, 15. Nilant, S. 22, no. 26. Vincent. Bellov. spec. hist. 3, 4; spec. doctr. 4, 119. Bromyard, A, 12. 35. Scala celi 80[b]. Dialog. creaturar. 54. Neckam 12. Odo de Cerington. no. 37. Dorpius, B3. Pant. Candid. 125; 142. Cognatus 17, cf. 16. J. Posth. 86. Hita 275. Ysopo 35. Acc. Zucch. 35. Tuppo 35. Pavesio 124; 148. Verdizz. 76. Marie de France 58; Rob. 1, 248; 99. Renard le contref. 129; Rob. 1, 249. Jul. Mach. 55. Le Febvre de Ther. fol. 33. Haudent 53; 140; 228. Corrozet 29. Sousnor 225. Microscom. embl. 68. Desprez 25. Benserade 30; 177. Boursault, fab. 1, 6. Ysopet I, 34; Rob. 1, 251. Ysop. II, 12; Rob. 1, 253. Lafontaine 4, 9. Le Noble 89. Boner 39. Renner, bl. 12. Waldis 1, 29. Kanzler 2, 388. Esopus 35. Barth 5, 18. Wolgemuth 67. Renner 1768. Eyring 1, 75. Lessing 2, 6. Gleim 2, 18. Abr. a S. Cl. Gehab dich wohl 355; Huy 146.

7, 53. Hoffahrt, was sie letzlich zuwegen bringt. (Aufgeblasener frosch.) Aesop. Kor. 420; Furia 378. Babrios 28, 41. Phaedrus 1, 24. Horat. Sat. 2, 3, 314. Martial 10, 71. Anonym. 41. Nilant, S. 27, no. 33. Romulus 2, 20. Dorpius, B4. Camerar. 188. Pantal. Candid. 2, 158. Cognatus 112. Galfr. 40. Alan. insul. 5, 2. Dialog. creaturar. 42. Vincent. Bellovac. spec. hist. 3, 5; spec. doctr. 4, 119.

Bromyard, S, 14, 15. Jul. Mach. 40. Barth 1, 8. Chrythraeus, Del. poet. germ. 2, 407. Manlius, S. 181. Acc. Zucch. 41. Tuppo 41. Pavesio 107. Verdizz. 38. Ysopo 40. Marie de France 65. Ysopet I, 39; Rob. 1, 14. Haudent 142. Corrozet 31. Satire Ménip. 109. Baïf 24. Desprez 4. Benserade 34. Boursault, fabl. 4, 3. Le Noble 2, 15. Lafontaine 1, 3; Rob. 1, 13; 1, CCXXIV. Geiler, Granatapfel 5, aa5ᵇ. Boner 46. Stainhöwel 40. Murner, Hagen, M. S. 2, 244. Keller, Erzähl. 405. Luther 6, 208. Waldis 1, 31. Rollenhagen, Rr5. Alberus 46. Wolgemuth 38. Esopus 40.

7, 54. Hoffahrt eines reisigen hengst. (Dem esel gegenüber; kommt elend aus der schlacht.) cf. 7, 56. Aesop. Kor. 58, S. 85; 68; 311. Nevelet. 58. Furia 151. Plutarch, de sanit. 25. Babrios 7. Suidas, ὄνεια. Phaedrus, Burm. app. 17. Anonym. 43. Romulus 3, 3. Nilant, S. 35. Dorpius, B4, D2. Desbillons 3, 32. Scala celi 186; 135. Vincent. Bellov. spec. hist. 3, 5; spec. doctr. 4, 120. Bromyard, J, 4, 4. Abstemius 47. Barth 1, 16. R. Steph. 60. Rochefort 10; Not. et extr. 1, 2. Le Noble 1, 28. Hita 227. Faernus 84. Seb. Franck, Sprichw. 1, 122. B. Waldis 1, 33; 77. Boner 51. H. Sachs 4, 3, 320. Eyring 1, 312. Egenolf, Sprichw. 367b. Alberus 26; 47. Daum 77. Wolgemuth 40, 109.

7, 55. Saumroß und esel. (Ungefälliges saumroß muß außer der ladung des esels auch noch dessen haut tragen.) Aesop. Kor. 125, S. 68; 327; Nevelet. 125; Camerar. 138; Furia 24; 133. Not. et extr. 2, 707. Babr. 7; 2, 465. Plutarch, praec. sanit. Camer. 479. Haupts 828. Phaedr. Burm. app. 14. Romul. Nil. 34. Faernus 67. Posth. 108. Vincent. Bellov. spec. hist. 2, 5. Bromyard, A, 14, 17. Knoch, fragm. 81. Dorpius, B8ᵇ. Cognatus 11. Desbillons 2, 18. Brant, E8, deutsch 139. Abstemius ap. Nevel. 601. Valla 9. Ces. Pavesio 23. Verdizz. 17. Tardif 21. Haudent 21. Corrozet 48. Est. Perr. 8. Desprez 66. Lafont. 6, 16. Waldis 1, 52; 3, 31. Wolgemuth 87. Gleim 2, 13. Ogilby 48.

7, 56. Schmeichlers biß gifftig. (Esel schmeichelt dem streitroße.) cf. 7, 54.

7, 57. Gott mißfellet hoffahrt. (Cameel will hörner haben; ohren ab.) Aesop. Kor. 197; Nevelet. 200; Furia 152; 281. Gabrias 34. Camerar. 163. Syntipas 59. Schultze 109. Jac. Pontan. S. 76. Aphthon. 15. Avian. 8. Stainhöwel 7. Arigonius ap. Schultze 107. Pant. Candid. ibid. Cognatus 36. Desbillons 3, 7. Dorpius, D5. Barth 1, 10; lyricor. 2, 30. Basile, Pentamerone, Liebr. 2, 166. Schupp 2, S. 31. Rollenhagen, Rr3ᵇ. Waldis 1, 93. Benfey, Pantschat. 1, 303. Wolgemuth 124.

7, 58. Hoffahrt und demuht. (Eiche und rohr.) cf. 7, 52.

Pauli 174. Manlius, S. 182. Âbr. a S. Cl. Huy, D2.

7, 59. Vom selbigen. (Tannenbaum und dornbusch.) vgl. 7, 58. Aesop. Kor. 180; Furia 268. Camerar. 208. Babrios 64. Schultze 117. Pant. Candid. 2, 174. Avian. 19. Stainhöwel 15. Faernus 50; ap. Schultze, S. 38. Pant. Candid. 117. Dorpius, D6^{b}. Florian 1, 15. Du Méril, S. 275. Boner 86. Waldis 2, 3. Wolgemuth 138.

7, 60. Hoffahrt bespottet. (Wiedehopf auf adlers hochzeit.) Abstemius 45. Waldis 2, 76. Zachariä 69. Wolgemuth 240.

7, 61. Eygen lob verdächtig. (Birn- und apfelbaum streiten; dornbusch dazwischen.) Aesop. Kor. 50; Furia 176. Camerar. 102. Nevelet. 50. Rimicius 92. Pant. Candid. (del. poet. german. 2, 175.) Waldis 3, 78.

7, 62. Von unnütz rhümen. (Hengst mit schellen.) Aes. Kor. 210; Furia 291. Camerar. 206. Babrios 104. Schultze 106. Avian. 7. Stainhöwel 6. Dorpius, D4^{b}. Bromyard, M, 8, 33. Desbillons 7, 8. Arigonius, ap. Schultze 106. Boner 69. Waldis 1, 92. Wolgemuth 123.

7, 63. Ein entlehnter hoffahrt. (Perücke des kahlkopfes vom winde fortgerißen.) Aesop. Kor. 283, S. 185; Nevelet. 288; Furia 326. Camerar. 169. Avian. 10. Boner 75. Stricker in Haupt's zeitschr. 7, 374. Brant, D5^{b}; deutsch 132. Waldis 1, 95. Wolgemuth 255.

7, 64. Naturen ungleich. (Wachs und thon streiten; wachs zerfließt.) Abstemius 54. Camerar. 245. Manlius, S. 203. Desbillons 5, 20. Albertus 58. Capaccio 29. Baldi 16. Lafontaine 9, 12. Waldis 2, 81. Zachariä 22.

7, 65. Von geben und nemen. (Meer und flüße.) Aesop. Kor. 371, S. 240. Syntipas 4. Abstemius 57. Camerar. 246. Desbillons 5, 16. Waldis 2, 83. Wolgemuth 268.

7, 65^{a}. Von danckbarkeit. (Ameise von taube gerettet.) Aes. Kor. 41; Nevelet. 41; Camerar. 96; Furia 107. Dorpius, D. Remicius 68. Stainhöwel 11. Pantal. Candid. 146. J. Posth. 41. Barth 3, 20. Daum 70. Paulinus 24. Ysopo-Rem. 11. Desbillons 2, 24. Haudent 171. Corrozet 62. Benserade 88. Boursault, Es. 4, 2. Le Noble 1, 208. Lafontaine 2, 12. Waldis 1, 70. Wolgemuth 102. Zachariä 6. Esopus, Rem. 11.

7, 66. Von danck zu verdien. (Die tochter keysers Augustus läßt sich die grauen haare ausreißen.) Pauli 504.

7, 67. Hiervon noch eins. (Mann mit zwei frauen; die eine reißt ihm die weißen, die andere die schwarzen haare aus.) Benfey, Pantschat. 1, 602; 2, 552. Avadânas 2, 138. Bidpai 3, S. 187. Aesop. Kor. 162, S. 98; 352. Furia 199. Nevelet. 165. Robert 1, 73; 74. Babrios 22. Phaedrus 2, 2. Camerar. 159. Pant. Candid. 11; 2, 109.

Remicius 100. Stainhöwel 16. Lafontaine 1, 17. Haudent 254. Corrozet 100. Baïf 123. Le Noble 2, 154. Benserade 92. Bourn. fab. 5, 5. Ysopo-Rem. 16. Waldis 3, 83. H. Sachs 2, 4, 214.

7, 68. Angebotten dienst selten angenem. (Henne befindet sich wohl, wenn der fuchs weiter geht.) cf. Plutarch, de fratr. amic. 19. Loqman 33. Aesop. Kor. S. 92, note; Furia 14, 157. Gabrias 45. Nevelet. 2, 2. Dositheus 13. Romulus 4, 15. Stainhöwel 4, 14. Nilant, S. 141. Camerar. 197; 225. Phaedrus, Dressl. 8, 9; Janelli 1, 18. Rimicius 82. Candid. 92. Stainhöwel 2, 4. Neckam 21. Guicciard. 4. Bellefor. 12. Federmann 25. Daum 230. Eutrapel. 1, 77. Vorrath, no. 17. Barca 1, 47. Lyrum larum 13.

7, 69. Undanckbarkeit findet ihren lohn. (Drei männer aus einer grube gerettet; der goldschmidt undankbar.) Pantschatantra I, Anhang 2. Benfey 2, S. 128; 1, 193; Dubois, S. 121. Calila und Dimna, Silv. de Sacy, cap. 17. Wolff 2, 99. Knatchbull 346. Sim. Seth. 11; Athen. 101. Joh. de Capua 14, n3. Ulm 1483, Y5. Holland, S. 172. Span. übers. 54, 6. Raimond de Beziers 16. Silv. de Sacy, (Notic. et extr. 10, 2, 16.) Nasr. Allah 15. (Silv. de Sacy, notic. 10, 1, 124.) Anvar-i-Suhaili, S. 596. Cab. des fées 18, 189. Baldo 18 (Du Méril, S. 244). Gesta Roman. lat. 119, germ. 74. Enxempl. 136.

7, 70. Mehr hiervon. (Undankbarer floh fällt ins waßer.)

7, 71. Straff der undanckbarkeit. (Maus und frosch besuchen einander; zusammengebunden.) Bidpai 3, 87. Aesop. Kor. 245. Nevelet. 249. Furia 307. Planudes 249. Phaedrus, Burm. app. 6. Dositheus 12. Odo, Ms. Donae 88, 19. Romulus 1, 3. Romul. Nil. 4. Anonym. Nevelet. 3. Camerar. S. 57. Dorpius, A. Wright 1, 3. Galfr. 3. Neckam 6. Vincent. Bellov. spec. doctr. 4, 114; spec. hist. 3, 2. Bromyard, P, 13, 37. Dialog. creaturar. 107. Scala celi 73. Pantal. Candid. 108. Enxempl. 301. Acc. Zucch. 3. Tuppo 3. Ces. Pavesio 129. Verdizz. 83. Ysopo 3. Hita 397. Marie de France 3. Ysopet I, 3; II, 6; Rob. 1, 259; 261. Haudent 114. Corrozet 3. Desprez 68. Benser. 3. Le Noble 98. Merlin 51. Lafontaine 4, 11. Deschamps 196. Waldis 1, 3. Barth 1, 13. Alberus 2. Boner 6. Stainhöwel 3. Luther, Fab. 3, S. 270b. Esopus 3.

7, 72. Von demselben. (Habicht raubt zwei streitende hähne.) Aesop. Kor. 145, S. 86, 343; Nevelet. 145; Camerar. 149; Babrios 5; fragm. Kor. S. 86. Heusinger, S. 117. Aphthon. 12. Syntipas 7. Furia 119. Notic. et extraits 2, 702. Phaedrus, app. 2. Romulus 6. Posth. 126. Pant. Candid. 121. Aesop. 104. Abstemius 160. Romul. 5, 2. Rimicius 66. Paulinus 27. Loqman 35. Daum 210. Barth 2, 20; lyricor. 2, 21. Abstemius ap. Nevel. 602. Desbillons 9, 23; 24. Benserade

158. Haudent 286. Lafont. 7, 18. Waldis 8, 67. Abr. a S. Cl. Huy 156. Wolgemuth 208.

7, 73. Von einer schlange und bawren. (Schlange im busen.) Pantschatantra, Dubois, S. 49–55. Anvar-i-Suhaili 209. Livre des lum. 156. Cab. des fées 17, 373. Benfey, Pantschat. 1, 113. Aesop. Kor. 170. Furia 130. Syntipas 25. Nevelet. 173. Gabrias 42, S. 379, 642. Nilant, S. 8, no. 11. Cognatus 42. Phaedrus 4, 19. Burm. 4, 18. Dressl. S. 95. Anonym. 10. Romulus 15. Galfr. 10. Nic. Pergam. 24. Gritsch 13, R; 16, P. Pant. Candid. 22. Dorpius, Aij. Vincent. Bellov spec. mor. S. 885. Camerar. 165. Petr. Alph. 7, 4. Scala celi 86. Bromyard, G, 4, 17. Bareleta 43. Reisner, Emblem. 2, 22, 81. Odo von Cerington 33. Acc. Zucch. 10. Tuppo 10. Ysopo 10. Ysopet 1, 10. Castoiem. 3. Desbillons 2, 42. Corrozet 7. Haudent 118. Despres 49. Benserade 8. Le Noble 13. Lafont. 6, 13. Boner 13. Stainhöw. 10. Waldis 1, 7; 4, 99. Eyering 2, 440. Alberus 14. Franck, Sprichw. 2, 28^{b}. Schupp 1, 784. Abr. a S. Clara, Gehab dich wohl, S. 74. Hagedorn 44 (2, 88). Barth 4, 3. Ogilby 16. Esopus 10.

7, 74. Noch eins von undanckbarkeit. (Igel bei der schlange zu gaste.) Aesop. 1781, S. 359, no. 2. Nilant, S. 75, no. 9. Justin. 43, 4. Phaedrus 1, 19. Anonym. 9. Neckam 28. Dialog. creatur. 117. Pant. Candid. (del. poet.) 2, 153. Romulus 1, 9. Desbillons 1, 5. Guicciard. 276. Bellefor. 161. Federmann 280. Abstemius 72. Camerar. 173; 251. Wright 1, 9. Pontanus, S. 84. H. Sachs 2, 4, 30. Ursinus 91, S. 135. Marie de France 8. Lafont. 2, 7. Robert 1, 115. Waldis 2, 98. Luther, Fabeln 10, bl. 272. Boner 12. Acerra 6, 26. Wolgemuth 247. Abr. a S. Cl. Gehab dich wohl 382. Esopet 9.

7, 75. Weiter von undanck. (Alter jagdhund wird schlecht gehalten.) cf. 1, 60.

7, 76. Ein newe gevierdte gesellschafft. (Fuchs, hase, katze und maus; in gefahr untreu.) Bidpaï 2, S. 62. Lafontaine 8, 22.

7, 77. Von einer andern gesellschaft. (Rabe, maus, hirsch und schildkröte; der gefangene hirsch wird befreit.) 7, 78. Weiter von dieser gesellschafft. (Auch die schildkröte wird befreit.) Pantschatantra, buch 2; Dubois 138. Benfey 2, 156; 1, 304. Hitopadesa, cap. 1. Calila und Dimna, Silv. de Sacy, cap. 7. Sim. Seth, cap. 3. Joh. de Cap. c. 4. Die alten weisen, 4. Holland, S. 82. Span. übers. 4. Doni, tratt. diversi, c. 1. Nasr-Allah, c. 4, de Sacy, notices 10, 1, 124. Anvar-i-Suhaili 8. Livre des lum. 3. Cab. des fées 17, c. 8. Bidpaï 2, 262. Lafontaine 12, 15.

7, 79. Frieden suchen in der noht von seinen

feinden. (Gefangener maushund und maus unter vielen feinden.) 7, 80. Unter dreyen feinden mit einem frieden zu machen. (Maus macht mit der katze frieden.) 7, 81. Hiervon weiter. (Verspricht das netz zu zerbeißen.) 7, 82. Erinnerung. (Fortsetzung.) 7, 83. Der mauß weißlich bedencken. (Die maus hält ihr versprechen; beide entkommen.) 7, 84. Weiter von dieser gesellschafft. (Schluß.) Mahâbhârata 12 (3, 539) bei Benfey, Pantsch. 1, S. 545. Calila und Dimna, Silv. de Sacy, c. 11; Wolff 2, 8; Knatchbull 278. Sim. Seth. c. 8, S. 87. Joh. de Capua, c. 8, 25. Ulm, 1483, R5. Holland, S. 132. Span. übers. 44, 6. Doni, S. 70. Raim. de Bezièrs 10. (Notices et extr. 10, 2, 16.) Nasr-Allah 9. (Notices 10, 2, 124.) Anvar-i-Suhaili 7, S. 417. Cab. des fées 18, 43. Baldo 17; bei Du Méril, S. 243. Lafontaine 8, 22.

7, 85. Erinnerung. (Ohne fabel.)

7, 86. Versöhneten feinden nicht zu vertrawen. (Weißer Fuchs.) Bereits 4, 104.

7, 87. Merck ein anders. (Hund und katze in frieden.) Eignes erlebnis.

7, 88. Aber eine erinnerung. (Ohne fabel.)

7, 89. Freundtschaft einer katzen und mauß. (Hört auf, sobald der herr befichlt.) Joh. de Capua, n, 6. Ulm, 1483, Z3. Holland, S. 187. Span. übers. 66. (cap. 16.) Raim. de Bezièrs, cap. 18. (Notices 10, 2, 18.)

7, 90. fehlt.

7, 91. Untrew einer schlangen. (Bauer füttert schlange mit milch.) Aesop. Kor. 141, S. 83, 338; 1658, S. 80; Furia 42, 155. Phaedrus, Dressler 7, 28; Burm. opp. 33. Gabr. 11. Anonym. 30. Nilant, S. 60, no. 65. Ugobartus 30. Romulus 2, 10. Galfr. 30. Nic. Pergam. 108. S. Posth. 123. Pant. Candid. 21; 2, 114. Camerar. 140, 267. Aesop. 126. Bromyard 6, 4, 15. Morlino, nov. 58. Dorpius, Bij. Pantschatantra 3, 5; Loiseleur, hinter 1001 jours, S. 624; Benfey 2, 244; 1, 359. Bidpaï 3, 93. cf. Loiseleur, essai, 47. Du Méril, S. 160, nota. Holland, S. 83. Gesta Roman. lat. 141, germ. 86; Viol. 118. Hammer, S. 455. Acc. Zucch. 30. Tuppo 30. Ysopo 30. Enxempl. 2, 134. Marie de France, bei Le Grand 4, 389. Marie de France 63, Roquef. 2, 267. Ysopet 1, 39. Haudent 137; 241. Corrozet 26. Le Noble 2, 74. Baïf 121. Benserade 29; 186. Lafont. 10, 12. Rob. 1, 390. cf. Senecé, La confiance perdue. (Elzevir. 1855, S. 119.) Boner 34. Stainhöw. 30. H. Sachs 2, 4, 42b. Waldis 1, 26. Mone, anz. 1837, S. 174. Grimm, Kinderm. 105; 3, S. 184; 397. Deutsche sagen 1, 220. Rhein. Museum 1847, 5, 472; 669. Wolgemuth 77. Ogilby 25. Esopus 30. Woycicki,

Poln. märch. no. 105. Zisca, S. 51.

7, 92. Vom gefangenen storchen. (Unter kranichen; bittet als ein nützliches thier um die freiheit.) Aesop. Kor. 172, S. 105; 358. Nevelet. 175. Aphthon. 14. Gabrias 31. Babr. 13; ap. Suid. νέος. Knoch, fragm. 35; Furia 76; 147. Not. et extr. 2, 710. Camerar. 161. Dorpius C3. Remicius 43; Stainhöwel 9. Cognatus 33. Barth 1, 8; lyricor. 2, 28. Cognatus 33. Pantal. Candid. (del. poet.) 2, 119. Desbillons 3, 2. Le Noble 1, 100. Waldis 1, 60; 1, 80. Schupp 1, S. 486.

7, 93. Von einem gefangenen trompeter. (Bittet um die freiheit; seine trompete ist auch eine waffe.) Aesop. Nevelet. 142; Kor. 142. Fur. 81; Heusinger 113. Camerarius 148. Brant, F5b, deutsch 144b. Dorpius, Cb. Pant. Candid. (Del. poet. germ.) 2, 113. Desbillons 3, 39. Waldis 1, 55. Wolgemuth 90. Zachariä 3.

7, 94. Alter haß unversöhnlich. (Zwei feinde im seesturme; welcher theil des schiffes wird zuerst sinken?) Avadânas 1, 207. Aesop. Kor. 27; Furia 58; Camerar. 88. Rimicius 36. Pant. Candid. (del. poet. germ.) 2, 129. Guicciardini, detti, 52. Waldis 3, 55.

7, 95. Von wetterhanen. (Waldesel und fuchs; bei gutem wetter traurig, bei schlechtem frölich.) cf. 1, 426b; 4, 294; 7, 148.

7, 96. Gleich zu gleichen am besten. (Schwarzfärber will beim weißbinder wohnen.) Aesop. Kor. 12; Fur. 27. Camerar. 79. Novelet. 12. Dorpius, C. Desbillons 5, 4. Luscinius 58. Waldis 1, 83.

7, 97. List über stärcke. (Tiger vom jäger verwundet.) Babrios 1. Schulze 115. Baldo 28, S. 258. Avian 17; Stainhöwel 13. Camerar. 226. Dorpius, D6b. Boner 3. Ignatius, Bibl. impér. Par. 2991, A. Keller, Erzähl. no. 520. Waldis 2, 2. Wolgemuth 132. Haltrich, no. 30. Kobel, oberbayr. Ged. S. 81. Grimm, Kinderm. 72; 3, S. 123; 376. Kölle, no. 9.

7, 98. Von einem rappen und einer schlangen. (Schlange vergiftet die jungen raben; fuchs räth, ein gestohlenes kleinod in das loch der schlange zu werfen.) Pantschatantra 1, 6; Dubois, S. 75; Benfey 2, S. 57; 1, S. 167. Wolff, S. 40. Knatchbull, S. 113. Joh. de Capua 64. Ulm, 1483, D4b. Holland, S. 25. Span. übers. 13, 6. Firenzuola 38. Doni 57. Hitopadesa, M. Müller, S. 91. Anvar-i-Suhaili, S. 116. Livre des lum. 91. Cab. des fées 17, 220. Baldo 15, bei Du Méril, S. 236, note. 1001 Nacht, Weil 3, 916. cf. Gesta Roman. lat. 37; Viol. 36; dazu Plinius, hist. nat. 37, 10; 17, 10. Solinus 50. Holkot 26. Rosarium 2, 74, Z. Destructorium 4, 66. Gallensis 2, 2, 1.

Berchorius, Reduct. mor. 7, 2, 2, S. 462; 11, 70, S. 760.

7, 99. **Mannheit wächst, wagen hat glück.** (Räuberischer wolf vom maushunde bestraft.) Joh. de Capua, n7. Ulm, 1483, Z7; Holland, S. 184. Span. übers. 67. Raimond de Bezièrs, cap. 18. Notices et extr. 10, 2, 19.

7, 100. **Große drawung nicht allezeit zu fürchten.** (Fuchs und schelle am baume.) Pantschatantra 1, 2; Dubois, S. 5. Benfey 2, S. 21; 1, S. 182. Somadeva 1, 2. Wolff, S. 22. Sim Seth, Athen, S. 10. Possinus, S. 567. Joh. de Capua, c1. Ulm, 1483. C6. Holland, S. 29. Span. übers. 11. Raimond de Bezièrs, bei Du Méril, S. 226, note 6. Anvar-i-Suhaili 99. Livre des lum. 72. Cab. des fées 17, 188. Du Méril 228. Baldo und Livre des merv. bei Du Méril 227. Firenzuola, opp. 1763, 1, 23. Doni, S. 45. Aesop. Furia 90; Korai 87.

7, 101. **Von einer tauben königin.** (Gefangene tauben fliegen mit dem netze davon.) Avadânas 41, S. 154. Upham, Sacred and historical books of Ceylon 3, 289. Mahâbhârata 5, 2, 180. Pantschatantra 2, Rahmen; Dubois, S. 138; Benfey 2, 156; 1, 305. Hitopadesa 1. Calila und Dimna, de Sacy, c. 7. Sim. Seth, cap. 3. Joh. de Capua, c. 4. Ulm 1483, cap. 4. Holland, S. 82. Span. übers. cap. 4. Doni, tratt. div. 1. Nasr-Allah 4. (Silv. de Sacy, Notices 10, 1, 124.) Anvar-i-Suhaili, c. 3. Livre des lum. c. 3. Cab. des fées, c. 3. Baldo 10, bei Du Méril, S. 229. Lafontaine 12, 15. Loiseleur, essai 44, note 2.

7, 102. **Mehr folgt von dieser königin.** (Als die maus das netz zerbeißt, will die königin die letzte sein, die frei wird.) Schluß von 7, 101.

7, 103. **Uneinigkeit ein folgend leidt.** (Der baum beklagt sich, daß der keil aus seinem eignen holze gemacht wird.) cf. 1, 23.

7, 104. **Viel regenten schädlich.** (Zaunkönig, storch und kranich wollen nicht darein willigen, daß dem adler coadjutores gegeben werden.) Abstemius 59. Camerar. 247. Waldis 2, 85. Wolgemuth 180.

7, 105. **Raht und that ungleich.** (Der katze schellen anhängen.) Pauli 684. Odo von Cerington 26. Barth 5, 19. Chytraeus 72. Daum 238. Mosen. Palaestr. orator, S. 324. Eyring 3, 546. Egenolf 340. Schupp 1, 781. Convival. sermon. 1, 312.

7, 106. **Ochsen verbergen einen hirschen.** (Wird vom herrn gefangen.) Phaedrus 2, 8. Burm. S. 140. Dressler, S. 59. Anonym. 58. Romulus 3, 19. Nilant 48. Dorpius, B6. Galfr. 59. Candid. 73. Acc. Zuccho 59. Tuppo 59. Ces. Pavesio 10. Guicciard. S. 197

Ysopo 57. Bromyard, T, 3, 5. Stainhöwel 59. Camerar. 192. Ysopet I, 55. Haudent 153. Corrozet 42. Desprez 26. Lafontaine 4, 21. Eutrapel. 1, 333. Ogilby 37. Esopus 59. Guicciardini 319. Waldis 1, 42.

7, 107. Erinnerung. (Ohne fabel.)

7, 108. Von unmäßlicher liebe und zorn. (Eines königs in Indien, seiner gemahlin und concubine.) Calila und Dimna, Silv. de Sacy, cap. 14. Wolff 2, S. 55. Knatchbull, S. 314. Sim. Seth, S. 78. Joh. de Capua 10, 13. Ulm 1483, S6. Holland 142. Span. übers. 46. Doni, tratt. 6, S. 78. Raimond de Bezièrs 12, notices et extr. 10, 2, 16. Nasr-Allah 14, notic. 10, 1, 124. Anvar-i-Suhaili 550. Cab. des fées 18, 148. Shakespeare, Wintermärchen.

7, 109. Jeher zorn richtet nichts guts an. a. (Alphabet im zorne sprechen.) Anvar-i-Suhaili 582. Cab. des fées 18, 174. 1001 Tag, 4, 274—306. Benfey, Pantschatantra 1, S. 598. Plutarch, Caes. August. 7: Apophth. reg. Pithsanus 8, 3. Dialog. creaturar. 6. Seneca de benefic. 2. Hammer, S. 444. Ursinus 571. b. (Kind, hund und schlange.) Pauli 257. Stephan. de Borbone; Quetif 1, 193.

7, 110. Von einem hund und dieb. (Der ihm freßen zuwirft.) Phaedrus 1, 23. Burm. S. 84. Dressler 1, 25, S. 47. Romulus 2, 3. Anonym. 23. Nilant, S. 19, no. 23: S. 95, no. 20. Vincent. Bellov. spec. hist. 3, 4; spec. doctr. 4, 115. Wright 2, 3. Camerarius 183. Bromyard, J, 13, 35. Dorpius, B. Marie de France 28. Ysopet I, 22; Rob. 2, 457. Barth 1, 5. Boner 27. Waldis 1, 19. Wolgemuth 66. Hans Sachs 4, 3, 235. Alberus 44.

7, 111. Erinnerung. (Ohne fabel.)

7, 112. Guter raht wird veracht. (Vogel nistet in einer hecke, statt im hohen baum.)

7, 113. Von goldammern und sperling. (Vergebliche warnung vor dem netze.)

7, 113. Warumb die schwalben in der stadt nisten. (Die schwalbe ermahnt die andern vögel, den hanfsamen aufzulesen, da aus dem hanf netze gestrickt würden.) Pantschatantra 1, anhang 5. Benfey 2, S. 139; 1, S. 246 ff. Aesop. Kor. 285; 331; 332. Aesop. Furia 327; 385. Dio Chrysost. Orat. 12, 72. Phaedrus 7, 12. Dressler 7, 10. Burm. app. 12. Bromyard 6, 11, 20. Romulus 1, 20. Nilant, S. 47, no. 20; 88, no. 17. Babrios 88. Camerar. 181. Dorpius, A4. Dialog. creaturar. 119. Pant. Candid. 181. Neckam 18; bei Du Méril, S. 190. Conde Lucanor 6, S. 376; Keller 27. Puibusque 6. Hita 720—730. Robert, fabl. inéd. 1, 40—46. Desbillons 14, 1. Guicciard. 143. Bellefor. 80. Federmann 126. Ens 108. Acc. Zucch. 20. Pavesio 180,

Tuppo 20. Verdizz. 81. Marie de France 18; 84. Ysopet I, 25; Rob. 1, S. 42; II, 27; Rob. 11. Haudent 127, 261. Corrozet 16. Benserade 17. Le Noble 59. Lafontaine 1, 8. Robert 1, 41. Wright 1, 18. Boner 22. Waldis 1, 16. Keller, Erzähl. 566. Rollenhagen, Bbij. Wolgemuth 65. Esopus 20.

7, 115. Schäffer gasterey. (Wolf und fuchs beklagen sich, daß die menschen schafe verzehren dürfen, sie aber nicht.) Aesop. Kor. 318, S. 211. Hauptm. 255. Plutarch, Aratus; VII sap. conviv. c. 13. Abstemius 9. Aesop. 99. Marie de France 88. Haudent 276. Phil. Hegem. 26. Lafontaine 10, 6. Pauli 587.

7, 116. Ein ander gleichnus. (Kapaunen verspotten die hühner; werden geschlachtet.) Abstemius 10. Camerar. 238. Desbillons 8, 39. Waldis 2, 41. Wolgemuth 156.

7, 117. Von schmarotzen. (Der habicht bittet kleine vögel zu gaste.) Phaedrus, Dressl. 8, 7. Romulus 4, 14. Camerar. 197. Stainhöwel 71. Dorpius, D2b. Pant. Candid. (del. poet. germ.) 2, 168. Le Noble 2, 94. Waldis 1, 79. Wolgemuth 111.

7, 118. Naschen, leer taschen. (Ziege auf dem felsen, wolf in der ebene.) Aesop. Kor. 189, S. 81; cf. 230. Nevelet. 139; 234. Camerar. 146, 202. Furia 75. Hauptm. 329. Gabrias ap. Kor. S. 81. Thyrwitt ibid. Babrios ap. Suid. Τρυχὸς, πρίων. Baldo 22. Extravag. 6. Schultze 124. Avian 26. Stainhöwel 19. Boner 90.

7, 119. Des gewißen spielen. (Junger hecht bittet den fischer, ihn frei zu laßen, bis er größer geworden sei.) Aesop. Korai 124; S. 67; 326. Furia 20. Nevelet. 124. Camerar. 138. Babrios 6. Avian. 20. Desbillons 3, 3. Dorpius, D3; D7. Stainhöwel, no. 16. Nic. Pergam. 46. Posth. 107. Schultze 118. Pant. Candid. 37. Ysopo-Av. 16. Guicciard. S. 73. Bellefor. 72. Federmann 112. Ysopet-Avion. 12. Tardif 20. Haudent 20. Corrozet 70. Benserade 111. Le Noble 68. Lafontaine 5, 3. Stainhöwel-Av. 16. Barth 3, 6. Esopus-Av. 16. cf. Dialog. creatur. 48. Alberus 24. Waldis 1, 83.

7, 120. Von übel haußhalten. (Hunde wollen von einem hofe fort, auf dem nützlichere thiere, als sie, schlecht behandelt werden.) Aesop. Kor. 23. Furia 41. Nevelet. 23. Desbillons 14, 5. Camerar. 86. Dorpius, C2. Hans Sachs 4, 3, 236. Waldis 1, 57. Wolgemuth 92.

7, 121. Noht lehrt parthieren. (Durstige krähe wirft steinchen ins trinkgeschirr.) cf. 7, 29. Aesop. Kor. 120, S. 66; 324. Nevelet. 120. Furia 160. Camerar. 210. Aelian. hist. nat. 2, 48. Plutarch, Terrestriane, Wattenb. 4, 2, 354. Avian 27. Stainhöwel 20. Syntipas 8. Romulus 4, 13. Dositheus 8. Pantal. Candid. ap. Schultze 126.

Arigonius, ibid. Cognatus 75. Dorpius, D7b. Schultze 125. Desbillons 3, 23. Ysopet-Avionn. 15; Rob. 2, 513. Stricker, altd. wäld. 3, 232. Waldis 2, 7. Simplicissimus 2, 12. Wolgemuth 257.

7, 122. Faulheit bringt armuht. (Verschwender verkauft seinen letzten mantel, als die schwalben kommen.)

7, 123. Von einem andern schmackbraten. (Mußte statt reicher mahlzeit die vorher verachteten birnen eßen.) Hubertus 19. Abstemius 46. Odo de Cerington Ms. Douce 169, 68. Camerar. 242. Desbillons 5, 21. Waldis 2, 77. Zachariä 72. Wolgemuth 241.

7, 124. Was nachläßigkeit schadet. (Der hausherr ist zu träge, einen dieb zu verjagen.) Calila und Dimna, Silv. de Sacy, 3, 3. Wolff XXIX. Knatchbull, S. 51. Sim. Seth, S. 28. Possinus, S. 553. Joh. de Capua a2. Ulm 1483, A3b. Holland, S. 3. Span. übers. 3. Doni, S. 6. Baldo 4, bei Du Méril, S. 220. Raim. de Beziers, ibid.

7, 125. Iedermanns, zuletzt niemands. (Ieder soll den esel einen tag lang haben.) Pauli 575. Luther, Tischr. 16.

7, 126. Von einem betrieglichen bawren. (Die hälfte den armen; behält die kerne und giebt den armen die schalen gefundener mandeln.) cf. Pauli 462. Aesop. Kor. 47. Nevelet. 47. Furia 156. Valla 29. Camerar. 100. Cognatus 49. Pantal. Candid. (del. poet. germ.) 1, 129. Brant, E3b, deutsch 135. Waldis 3, 38. Hondorff 327 (Luther).

7, 127. Von deßgleichen. (Wachskerze geloben.) Pauli 304.

7, 128. Von ein pferd und hirschen. (Neidisches pferd bestraft.) Aesop. Kor. 313, S. 206. Hauptmann, S. 250; 334. Gabrias 3. Aristotel. Rhetor. 2, 20. Plutarch, Aratus 38. Apophth. Rom. 4. Konon, διηγήματα, 42. Niceph. Basil. myth. 2. Leo Allat. S. 127. Horat. epp. 1, 10, 30. Dav. Parcus, epigr. 15, S. 148. Phaedrus 4, 4. Burm. 4, 3. Dressl. S. 84. Romulus 46, 69. Nilant, S. 291. Neckam 26. Cognatus 28. Galfr. 46. Abstem. proem. Hartm. Sch. 3, 9. Brus. 52. J. Regn. 2, 56. Rosarium 2, 203, A. Walch 10. Barth 1, 1. P. Candid. 70. Dorpius, B7. Ysopo 46, 69. Acc. Zucch. 46. Tuppo 46. Capaccio 38. Doni 2, 1. Verdizz. 40. Ysopet I, 48; 2, 25. Haudent 156. Corrozet 77. Baïf 122. Sat. Ménipp. S. 225. Desprez 7. Benser. 13. Le Noble 64. Lafontaine 4, 13. Baldo 26. Boner 55. Stainhöw. 46; 69. Waldis 1, 45. Brant, A8. Camerar. 158. Esopus 46, 69. Rincke 3, 8.

7, 129. Ein hund und sein stück fleisch. (Hund und schatten.) Bereits 2, 35.

7, 130. Hund in der krippen. (Gönnt dem ochsen das heu nicht.) Lucian, Timon 1, 14; ἀπαιδ. 30. Aesop. Kor. 334; Furia 404; Hauptm. 267. Camerar. 204. Extravag. 11. Cognatus 104. Abstem.

ap. Nevel. 604. Bartol. a Saxoferrato, tract. quaestionis inter virg. Mariam et diabolum. Hanov. 1611, 3. Dorpius, C3b. Pant. Candid. (del. poet.) 2, 152. Desbillons 3, 5. Waldis 1, 64. Wolgemuth 97.

7, 131. Fünfferlei reichen. (Ohne fabel.)

7, 132. Ein geitziger wird betrogen. (Als er einen goldenen eimer aus dem waßer holen will, werden ihm die kleider gestohlen.) Pantschatantra 1, 4. Dubois, S. 68. Benfey 2, S. 34; 1, S. 337. Calila und Dimna; Wolff, S. 29; Knatchbull, S. 104. Joh. de Capua, c, 6. Ulm 1483, C7b. Holland, S. 31. Span. übers. 12. Firenzuola 27. Doni 50. Cardonne 2, 58. Ysopet-Avionn. 14; Rob. 2, 511. Abr. a S. Cl. Bescheid-eßen, S. 281; Huy, B. Dorpius, D8. Camerar. 209. Waldis 2, 9. Anvar-i-Suhaili 103. Sim. Seth, Athen 13. Livre des lum. 76. Cab. des fées 17, 197. C merry tales, no. 91, S. 148. Avian 25. Stainhöwel 18. Schultze 123. Arigonius ap. Schultze 123.

7, 133. Von fast deßgleichen. (Knabe erbettelt geld unter dem vorgeben, eine summe verloren zu haben.) Casseler geschichte.

7, 134. Von eim verwegenen buben. (Knabe giebt vor, das bein gebrochen zu haben, bis er es wirklich bricht.) cf. 7, 136. Franck, Sprichw. 2, 181. Egenolf 143.

7, 135. Ein andere, noch größere büberey. (Krüppel lockt leute an, um sie tu ermorden.) Casseler geschichte.

7, 136. Ein lügner betreugt sich selbs. (Ein hirt bittet so oft um hülfe gegen den wolf, daß niemand ihm hilft, als er wirklich kommt.) cf. 7, 134. Aesop. Kor. 266; Nevelet. 270; Furia 166. Camerar. 204. Rimicius 53. Stainhöwel 10. Desbillons 2, 6. Dorpius, C3a. Le Noble 1, 193. Waldis 1, 62. Wolgemuth 95. Tscherning 280. Goedeke, deutsche dichtung, 1, 286b.

7, 137. Untrew bringt rehw. Zwei streiten so lang um den besitz des esels, bis er entläuft.) Barland 2, E5. Camerar. 228, 462. Erasmus, Apophth. 3, 4. Dorpius, E3. Democrit. rid. S. 140. Sermon. convival. 1, 34. Desbillons 9, 21. P. Candid. 60. J. Posth. 39. Lange, Pavesio 121. Haudent 37, 257. Corrozet 103. Est. Perr. 3. Baif 23. Desprez 13. Benserade 125; 143; 210. Lafont. 1, 13. Bellegarde 95. Robert 1, S. 66. Hagedorn 85 (2, 63). Waldis 2, 24.

7, 138. Von einer nachtigall. (Will dem habicht ein lied vorsingen.) Phaedr. Burm. app. 19. Romul. 35. Anonym. 45. Nilant. S. 34, no. 39; S. 109, no. 128. Vincent. Bellovac. spec. hist. 3, 6; spec. doctr. 4, 114. Bromyard, N, 4, 1. Scala celi 73. Camerar. 189. Wright 2, 11. Gatos 41. Abstemius 89, 92. Pant. Candid. 133 ff. J. Posth. 3. Boner 54. Odo de Cerington. 5. Marie de France 49; 57. Haudent 209; 355. Desprez 48. Benserade 136. Lafontaine 9, 18.

7, 139. Genügen han das beste gut. (Affe stiehlt eine handvoll linsen und läßt eine fallen.) Calila und Dimna, c. 14. Wolff 2, 77. Knatchbull 332. Sim. Seth 88. Joh. de Capua, m1b. Ulm 1483, U2b. Holland, S. 153. Span. übers. L. Doni 86.

7. 140. Natur mehr, denn gewonheit. cf. 4, 168. (Nüße unter tanzende affen geworfen) Lucian, Piscat. 36. merc. cord. 5. Aesop. Furia 405; Kor. 355. Erasmus, Adag. Dorpius, E3. Camerar. 227, 462. Eutrapel. 2, 447. Sinnersberg, no. 654.

7, 141. Affen fürwitzig. (Wollen mit glühwürmchen feuer anzünden.) Pantschatantra 1, 17; Benfey 2, S. 111; 1, S. 269. Somadeva; Calila und Dimna, Wolff 1, 91; Knatchbull 150. Sim. Seth 31. Joh. de Capua, e. Ulm, 1483, G4. Holland, S. 55. Span. übers. 20. Firenzuola 70. Doni 98. Anvar-i-Suhaili 170. Cab. des fées 17, 329. Schupp 1, 779. Grimm, Kinderm. 3, S. 277. Walch, Decas fabular. 9.

7, 142. Fürwitz ursacht und findet unglück. (Affe klemmt sich die hoden ein.) Pantschatantra 1, 1. Dubois, S. 33. Benfey 2. S. 9; 1, S. 105. Somadeva, Hitopadesa, M. Müller, S. 67. Wolff, S. 8. Knatchbull, S. 88. Silv. Cal. et Dimn. S. 82, noten. Sim. Seth, Athen, S. 5. Possinus, S. 564. Joh. de Cap. a13. Ulm, 1483, C1. Holland, S. 23. Span. übers. 10. Doni, S. 33. Anvar-i-Suhaili, S. 86. Livre des lum. S. 61. Cab. des fées 17, 152. Baldo 8. Du Méril, S. 225. Lancereau, Hitopad. S. 225. Schupp (Luther, Psalm 101) 1, 779. Pauli 18.

7, 143. Von einem affen, der ein doctor war. (Verordnet dem löwen speisen, die nicht anzuschaffen sind; wird geprügelt.)

7, 144. Verachtung der artzney. (Krankem affen wird eine schlangenhaut verschrieben.) Joh. de Capua, n6b. Ulm, 1483, Z6b. Holland, S. 182. Span. übers. 66b. Raimond de Beziërs, cap. 18. Notices et extr. 10, 2, 17.

7, 145. Von wanckelmütigkeit und fürwitz. (Affe wirft die nuß fort, als er die grüne schale schmeckt.) Ähnlich 1, 129.

7, 146. Fürwitz der tauben. (Habicht als beschützer vor den weihen.) Phaedrus 1, 31; Burm. S. 103; Dressl. 1, 33, S. 51. Romulus 2, 2. Anonym. 22. Nilant, S. 18, no. 22; S. 94, no. 19. Camerar. 182. Odo de Ceringtonia 2. Wright 2, 2; stories 52. Marie de France 27. Bromyard, A. 14, 6. Vincent. Bellovac. spec. mor. 1286. Boner, 26. Dorpius, B. Waldis 1, 18. Pant. Candid. 2, 167. Desbillons 8, 18. Alberus 17. Rollenhagen, Ppj. Eyring 1, 158.

7, 147. Gutdünckender esel. (Zum hirsch und wildschwein.) Phaedrus 1, 29. Burm. S. 98. Dressl. 1, 31, S. 50. Camerar. 174.

Dorpius, Aij. Anonym. 11. Romulus 1, 11. Nilant 12. Galfr. 11. Zuccho 11. Verdizz. 64. Tuppo 11. Ysopo 11. Mar. de France 76. Ysopet 1, 11. Corrozet 8. Haudent 119; 317. Desprez 15. Luther 5, 406b. Boner 14. Stainhöw. 11. Waldis 1, 8. Barth 1, 20. Ogilby 11. Esopus 11. Wolgemuth 73. Alberus 22. Eyring 1, 411. Hagedorn 36, 2, 32. Luther, Fabeln 12, bl. 272.

7, 148. Eim esel schmeckt kein arbeit. (Sehnt sich im winter nach dem sommer, im sommer nach dem winter.) cf. 1, 426a; 4, 294; 7, 95. Abstemius, Ab. Camerar. 248. Desbillons 13, 25. Waldis 2, 98; vgl. 1, 75. Wolgemuth 185. Pfeffel 2, 93.

7. 149. Ein esel willköret. (Von einem dienst zum andern.) Aesop. Kor. 45, S. 29; 304; Nevelet. 45. Camerar. 99. Furia 132. Alb. 1, 88. Posth. 45. Abstemius ap. Nev. 557. Desbillons 3, 30. Faernus 69, S. 115. Dorpius, Db. Ces. Pavesio 65. Haudent 175. Corrozet 65. Garon 5, 54. Desprez 83. Benserade 149. Le Noble 74. Lafont. 6, 11. Stricker, altd. wäld. 3, 187. Rollenhagen, Hh3a. Eyring 2, S. 164; 1, 299; 132; 3, 568. Waldis 1, 75; 2, 93. Franck, Sprichw. 125. Wolgemuth 107. Ogilby 68.

7, 150. Wechseln macht fehlen. (Ameise mögte mit den bienen leben, aber nicht im bienenkorbe.)

7, 151. Fürwitziger leut exempel. (Vogelsteller und neugierige lerche.) Aesop. Kor. 46; Nevel. 46; Furia 146. Valla 28. Camerar. 99. Exilium 170. Guicciard. 190. Bellefor. 172. Federm. 300. Waldis 3, 37. Wolgemuth, 274.

7, 152. Fürwitz geräht selten. Krähe brütet adlersei; ebenso grasmücke kukuksei ausbrütend.) Bromyard, S, 9, 6. cf. Odo de Ceringt. 38, 39. Wright 54.

7, 153. Fürwiz eines ziegenbocks. (Arzt des löwen, verordnet ein fuchsherz.) cf. 1, 84.

7, 154. Unzeitig raht geben. (Als der kranke beerdigt wird.) Aesop. Kor. 31. Furia. 224; Nevelet. 31; Camerar. 90. Rimicius 50. Pant. Candid. (del. poet. germ.) 2, 111. Waldis 3, 62; vgl. 1, 72. Wolgemuth 286.

7, 155. Von zweyen reisigen. (Der alte setzt über den fluß, wo das waßer braust, der junge, wo es still fließt.) Abstemius 5. Camerar. 231. Ens, Epidorp. 2, 36. Wolgemuth 153. Anast. Grün die dicken und die dünnen.

7, 146. Von eim jäger und bawren. (Bauer will sich an einem hasen rächen, kennt ihn aber nicht mehr.)

7, 157. Vom frosch könig. (Erst balken, dann storch.) Aesop. Kor. 167; Nevelet. 170; Hauptm. 126; 305; Furia 37. Phaedrus

1, 2. Burm. S. 11. Dressl. S. 34. Valer. Max. 2, 2. Romulus 2, 1. Anonym. 21. Nilant. S. 17, no. 21; 90, no. 18. Camerar. 182. Wright 2, 1. Dorpius B. Galfr. 21. Dialog. creatur. 118. Hollen 97b. Cognatus, 41. Odo 2b; Ms. Douce 169, 7. Servius, Georg. 1, 378. Barth 5, 9. Beersm. Del. poet. Germ. 6, 637. Pant. Candid. ib. 2, 159. Pant. Candid. 114. Acc. Zucch. 22. Tuppo 22. Ces. Pavesio 9. Ysopo 21. Marie de France 26. Ysopet 1, 19; Rob. 1, 182. Haudent, 128. Corrozet 17. Desprez 22. Benserade 20. Le Noble 41. Lafont. 3, 4. Keller, Erzähl. S. 582. Boner 24, 25. Stainhöwel 21. Marner, Hagen, Minnes. 2, 244. Müglin 9. Luther, Altenb. 3, 669. Freidank 141, 23 —142, 4. Waldis 1, 17. Alberus 5. Hans Sachs 2, 4, 104. Wolgemuth 34. Franck, Sprichw. 1, 143. Lessing 2, 13. Esopus 21.

7, 158. Von haasen und fröschen ein fabel. (Hasen wollen die gegend verlaßen, bis sie sehen, daß die frösche noch schlimmer daran sind.) Aesop. Kor. 57, S. 33; 310. Furia 89; 150. Nevelet. 57. Hauptm. S. 46. Babrios 25. Gabrias 2, 10. Aphthon. 23. Camerarius 104. Pantal. Candid. 104. Desbillons 2, 3. Phaedrus, Burm. app. 2. Romulus 28. Galfr. 28. Stainhöwel 2, 8; Nil. no. 24, S. 100. Scala celi 52. Anonym. Nevel. 28. Aesop. 44. Neckam 34. Vincent. Bellov. spec. histor. 3, 4; spec. doctr. 4, 118. Dorpius, B2. Hita 1419. Ysopo 28. Acc. Zucch. 28. Ces. Pavesio 149. Capacc. 91. Tuppo 28. Marie de France 30. Ysopet I, 38; Rob. 1, 140. Ysopet II, 33; Rob. 1, 142. Mer des hist. 12. Jul. Mach. 29. Haudent 134. Corrozet 23. Desprez 29. Benserade 26; 160. Le Noble 61. Lafont. 1, 14. Boner 32. H. Sachs 1, 490. Alberus 20. Chytraeus 42. Eyring 1, S. 318; 2, S. 235; 3, 529. Exilium 121, 71. Wolgemuth 83. Esopus 28.

7, 159. Hiervon weiter. (Dieselbe fabel.)

7, 159. Flucht ohne rucht. (Frösche entfliehen einem vermeintlichen Franzosen, und fallen dem hechte zur beute.)

7, 161. Von einer laus und flohe. (Am feisten prälaten.) Pantschatantra 1, 9; Benfey 2, S. 71; 1, S. 222. Wolff 1, 59. Knatchbull 126. Sim. Seth, S. 22. Joh. de Capua, db. Ulm 1483, E5. Holland, S. 41. Span. übers. 16. Firenzuola 49. Doni 75. Agricola 199.

7, 162. Von zweyen bösen weibern. (Ich bin so gut, wie du.) Bereits 1, 375.

7, 163. Unart böser weiber. (Heiße steine.) Pauli 143.

7, 164. Von einer listigen ehebreherin. (Barbierfrau; nase ab.) und

7, 165. Von dergleichen. (Schluß von 7, 164.) Pantschatantra 1, 4. Kosegarten, S. 33. Benfey 2, S. 40; 1, S. 140. Calila und Dimna; Wolff, S, 31. Knatchbull, S. 106. Sim. Seth, Athen, 14; 15.

Joh. de Capua, c2ᵇ. Ulm 1483, D1ᵇ. Holland, S. 32. Span. übers. 12ᵇ. Firenzuola 30. Doni 33. Anvar-i-Suhaili 106. Livre des lum. 98. Cab. des fées 17, 197. Vetâla panchavinsati 4ᵇ; in Lassen, anthol. sanscr. S. 23, übers. v. Brockh. Sächs. Gesellsch. der Wissensch. philol.-histor. Cl. 1853, S. 198. Französ. bei Lancereau, 3ᵇ, S. 383. Somadeva, cap. 77, bei Brockh., S. 202; übers. von Benfey. Petersb. Acad. 1858, 5: Ausland 1858, S. 398. Vedala Cadai 6ᵇ, Babington, S. 44. Siddhi-kür, no. 10. Jülg, S. 100. Petersb. Acad. 1858, 7. Tutinameh, Jken, 18, S. 79; Rosen 2, 96. Wickerhauser, S. 212. Bahar Danush 2, 83. Le Grand 2, 99; 105 (2, 18; 340). C. nouv. nouv. 38. Boccaccio 7, 8. Malespini 2, 40. Campeggi, no. 1. Timoneda, Patrañ. 10. Hagen, Ges.-Abent. no. 43; cf. 31. Domenichi, S. 71. Conviv. sermon. 2, 99. Incogneti 23, S. 168. Geiler, Narrenschiff, 77. Vorrath 126. Dunlop-Liebr. 243.

7, 166. Von einer geschwinden bulerin. (Mann unter dem bette getäuscht.) Pantschatantra 3, 11. Benfey 2, S. 258; 1, 370. Somadeva, Wolff 1, 214. Knatchbull 240. Sim. Seth 65. Joh. de Capua i3ᵇ. Ulm 1483, P2ᵇ. Holland, S. 113. Span. übers. 38. Doni 47. Anvar-i-Suhaili 340. Livre des lum. 264. Cab. des fées 17, 453. Hitopadesa, M. Müller, S. 117. Sukasaptati 24, cf. 30. Tutinameh, Rosen, 2, 202. Lancereau, zu Hitop. S. 235, Verboquet. Millot, Hist. des Troubadours 3, 296. Hagen, Ges.-Abent. 27.

7, 167. Von geilheit alter weiber. (Zwei vögel in Indien, Mosam und Holgot; das weibchen vom fuchs verlockt.) Joh. de Capua, n6. Ulm 1483, Z6ᵇ. Holland, S. 180. Span. übers. 56ᵇ. Raimond de Beziérs 16 (notices et extr. 10, 2, 17). Benfey, Pantschat. 1, 607.

7, 168. Wundergeburt eines soldaten. (Gebiert einen knaben; 1601.) Mündlich. Meteranus 2, 22. Schiebel 2, S. 10. cf. Fincelius 3, G8. Happel 1, 549. Viverius, Abendstund. 1, 12.

7, 169. Von einem vogel und fischen. (Giebt vor, sie in einen andern teich tragen zu wollen, frißt sie auf; dann tödtet der krebs den vogel.) Upham, Sacred and historical books of Ceylon 3, 292. Benfey 1, 175. Pantschatantra 1, 7. Dubois 76. Benfey 2, S. 58; 1, S. 174. Somadeva. Bidpaï 1, 357. Wolff 1, 41. Knatchbull 114. Sim. Seth (Athen) 16. Joh. de Capua, c4ᵇ. Ulm 1483, D5ᵇ. Holland, S. 35. Span. übers. 13, 6. Firenzuola 39. Doni 59. Anvar-i-Suhaili 117. Livre des lum. 92. Cab. des fées 17, 221. Hitopadesa 4, 7; M. Müller 158. Baldo 15. Liv. des merveilles 35. Baldo, S. 238. 1001 nacht, Weil 3, 915. Lafontaine 10, 4. Lancereau 238.

7, 170. Von einem vogel und maußhund. (Der dem vogel helfen soll, aber ihn frißt.) Pantschatantra 1, 20. Benfey 2.

S. 118; 1, S. 2, 276, 279. Sim. Seth, S. 72, Joh. de Capua, e2. Ulm 1483, G7. Holland, S. 57. Span. übers. 21ᵇ. Anvar-i-Suhaili 174. Livre des lum. 132. Cab. des fées 17, 339. Hitopadesa 4, 5; M. Müller, S. 155. Firenzuola 76. Doni 108. Loiseleur, essai. 42, note 1. Lancereau zu Hitop. S. 288.

7, 171. Verrähterey ein verhaßt laster. (Rebhuhn will andere vögel ins garn locken.) Aesop. Kor. 164; Furia 172; Nevelet. 167. Syntipas 26. Rimicius 86. Desbillons 8, 9. Waldis 3, 75.

7, 172. Von einer betrieglichen katzen. (Liegt still, bis die maus kommt.) Avadânas 2, 153. Abstemius 67. Camerar. 247. Morlino 4. Desbillons 3, 5; 10, 4. Waldis 2, 92. Wolgemuth 184. Rollenhagen, H3ᵇ. Lichtwer 3, 17.

7, 173. Ein adler wirdt von einer krohen betrogen. (Schildkröte auf einen felsen stürzen.) Aesop. Kor. 61; Furia 193. Phaedrus 2, 6; Burm. S. 134; Dressl. 2, 7, S. 58. Anonym. 14. Nilant, S. 80, no. 12. Camerar. 178. Wright 1, 18. Romulus 1, 13. Odo de Ceringtonia 44. Desbillons 10, 25; 2, 5. Dorpius, A2, D4. Abstemius 108. Cognatus 36. Marie de France 13. Gatos 1. Boner 17. Alberus 28. Stricker, altd. wäld. 3, 215. Abr. a S. Cl. Gemisch 214. Benfey, Pantschatantra 1, 241. Waldis 1, 10. Barth 2, 6; 4, 17. Wolgemuth 55.

7, 174. Ein schweins mutter und wolff. (Der hebammendienste thun will.) Phaedrus Jan. 1, 18, S. 107; Dressl. S. 17, S. 123. Anonym. 24. Nilant, S. 51, no. 54; S. 96, no. 21. Camerar. 183. Romulus 2, 4. Wright 2, 4. Dorpius, B. Marie de France 29. Le Noble 1, 123. Robert 2, 455. Guicciard. 6ᵇ. Boner 28. Waldis 1, 20. Alberus 41. Wolgemuth 258.

7, 175. Von einem höfflichen betrieger. (Meint, die zeche werde dem gaste ausbezahlt; erschwindelt sich einen gulden.)

7, 176. Von einem andern. (Band von einem ohr zum andern.) Pauli, anhang 20.

7, 177. Des teuffels und eines diebs verbündnis. (Gegen den einsiedler.) Pauli 88.

7, 178. Eygner nutz nicht zu suchen etc. (Mantel auf dem pferde des gesellen.) cf. 1, 306.

7, 179. Ein blindenleiter selbst nicht vorsichtig. (Fällt selbst in die grube, zu der er tückisch den blinden führt.) Holland, S. 3.

7, 180. Zanck zweyer blinden. (Werfen sich gegenseitig ihr unglück vor.)

7, 181. Ein raab ist kranck. Läßt gott um seine gesundheit bitten.) Pauli 288.

7, 183. Von gewontem diebstal. (Dieb beißt der mutter das ohr ab.) Pauli 19. Eyring 1, 94; 2, S. 157; 3, S. 47. Hammer. S. 66.

7, 184. Böse sitten schwerlich vermitten. (Alte atzel will der jungen das stehlen abgewöhnen.)

7, 185. Von einem listigen diebstahl. (Der eine hat es nicht, der andere hat es nicht gestohlen.) Aesop. Kor. 26. Furia 60. Camerar. 87. Dorpius, B8. Cognatus 48. Pant. Candid. (del. poet. germ.) 2, 132. Waldis 1, 46.

7, 186. Von träumen. (Steinerner löwe mit schlange im rachen.) Aesop. Kor. 246; Nevelet. 268; Furia 186. Brant, E8ᵇ. Valla 31. Waldis 3, 40. Scherz m. d. warh. 75ᵇ. Acerra 1, no. 12, S. 21.

7, 187. Übel ärger machen. (Faule mägde stechen dem hahn die augen aus, müßen um so früher aufstehen.) Aesop. Kor. 79, S. 47, 316; Furia 44. Dorpius, Dᵇ. Babrios fragm. IX. Posthum. 65. Pant. Candid. 55. Desbillons 2, 4. Ces. Pavesio 135. Haudent 62. Corrozet 66. Benserade 164. Lafontaine 5, 6. Waldis 1, 76. Alberus 38. Wolgemuth 108. Zachariä 7. Gellert 2, 76.

7, 188. Erinnerung. (Ohne geschichte.)

7. 189. Weitere erinnerung. (Die thiere sprechen nicht; ohne fabel.)

7, 190. Ein hundt redet. (1540 in Friede.) Hessische geschichte.)

7, 191. Von einer redenden atzeln. (1545 in Nürnberg. Eignes erlebnis.

7, 192. Von einem papagayen. (Der deutsch und französisch sprach.) Eignes erlebnis.

7, 193. Ein berg ist schwanger. (Parturiunt montes.) Lucian, Quemodmodo oporteat historias conscr. Athenaeus 14, 1, S. 616. D. Casaub. Aesop. Guill. Can. aug. 21. Horat. art. poet. 139. Phaedr. 4, 23. Burm. 4, 22, S. 304. Dressler 4, 23, S. 98. Romulus 2, 5. Stainhöwel 2, 5. Nilant, no. 22, S. 97. Dorpius, B. Anonym. Nevelet. 25. Pant. Candid. 152. Vincent. Bellov. spec. hist. 3, 4; spec. doctr. 4, 118. Neckam 35. Camerar. 183. Cognatus 7. Hemmerlin, de rustic. 117ᵇ. Erasmus, adag. 1, 9, 14. Marie de France 29. Ysopet I, 23; Robert 1, 327. Ysopet II, 34; Rob. 1, 328. Mer des hist. 11. Jul. Mach. 25. Rabelais 3, 24. Haudent 182. Corrozet 21. Boursault, fab. 5, 4. Le Noble 81. Baif 44. Boileau, art. poet. 3, 274. Lafontaine 5, 10. Acc. Zucch. 25. Tuppo 25. Guicciard. 13. Bellefor. 77; Federm. 123; Ens 104. Ysopo 25. Boner 29. Stainhöwel 25. Alberus 16.

Waldis 1, 21. Eyring 3, 357. Barth 4, 16. Wolgemuth 50. Rollenhagen, Dd. Hagedorn 92, 2, 78. Gleim 2, 6.

7, 194. Erinnerung. (Ohne geschichte.)

7, 195. Ferner Erklärung. (Ohne geschichte.)

7, 196. Nichtige und närrische wettung. (Ein pfund blei oder federn schwerer?) Eignes erlebnis.

7, 197. Nützliche betrachtung der stunden- und schlaguhren. (Ohne geschichte.)

7, 198. Hanenschrey. (Stundenrufer; ohne geschichte.)

7, 199. Von der stadt- oder bürgerglocken. (Ohne geschichte.)

7, 200. Vom hochzeitlichen kleid. (Ohne geschichte.)

7, 201. Beschluß dieses buchs. (Ohne geschichte.)

REGISTER

(nach stichworten geordnet).

WÖRTERVERZEICHNIS.

abbert 4, 356, 6 v. u.
albrunieret 2, 226, 13.
almerey 3, 61, 2 v. u.
ancker 1, 324, 15.
andten 2, 486, 6.
angster 1, 299, 4 v. u.
ansiegtisten 4, 113, 5.
arnt 2, 365, 6.
asperlein 3, 462, 10 v. u.
auffsetzler 1, 355, 3.
auffstützet 2, 376, 5 v. u.
auffwegig 1, 455, 15 v. u.
aur 2, 197, 3.
außgehelligt 2, 497, 17.
außsurpflen 2, 390, 13.
baschen 2, 57, 7.
basten 2, 130, 13.
beiten 1, 323, 2.
bekem 1, 279, 19.
bekobern 1, 34, 13.
bemasen 1, 87, 3.
bemassigen 1, 370, 9 v. u.
berieß 2, 122, 2.
beschnellt, 2, 451, 1.
besefler 1, 539, 12.
betädingt 1, 21, 8.
betagt 2, 376, 15 v. u.
betthstollen 1, 118, 1 v. u.
betratst 1, 93, 15.
betzlein 1, 192, 7.
beuler 1, 161, 5.
bezwangnus 4, 120, 6 v. u.
blest 2, 175, 16 v. u.
bletzschmülen 1, 182, 11.
blick 2, 254, 5.
bötzen 1, 414, 16.
bomharten 2, 275, 13.
bonhart 4, 325, 11 v. u.
brast 2, 499, 10.
bremen 2, 468, 4.
breuwen 1, 93, 14 v. u.
brüttelt 1, 328, 3 v. u.
brugeb 4, 244, 19.
bünen 1, 376, 7.
bursch 2, 317, 10.
butzen 2, 448, 9.
camehu 3, 56, 13.
cammesierer 1, 354, 7 v. u.
dautzen 1, 470, 8.
demmen 3, 260, 9.
desser 2, 45, 14.
dremmel 1, 391, 5.
durchächtet 1, 51, 9.
duppeler 1, 332 18.

ehehafften, 1, 198, 14.
einist 1, 18, 11 v. u.
enhindern 2, 441, 13.
entgentzet 2, 337, 7.
enthaltet 1, 86, 9 v. u.
entwehreten 2, 380, 18.
entwerden 2, 503, 1.
eräffert 1, 536, 5 v. u.
erforen 1, 552, 2 v. u.
erglast 2, 324, 1 v. u.
eröset 4, 79, 9.
erwinden 4, 272, 13 v. u.
eselns 1, 286, 1.
eyterbießiger 2, 478, 18 v. u.
facilet 2, 234, 9 v. u.
fantzen 1, 441, 17.
fatzerey 1, 265, 17.
feibel 1, 481, 4 v. u.
felles 2, 111, 14.
fesel 1, 363, 14.
fettung 2, 289, 7.
feuser 1, 330, 18.
fischerplauten 1, 548, 6.
flämming, 2, 197, 12.
flannend 1, 211, 16.
fortun 3, 158, 10.
fretten 2, 525, 8 v. u.
fretterer 3, 340, 13.
freydigen 1, 15, 18.
freyhart 1, 242, 5 v. u.
fried nemen 2, 310, 14 v. u.
fronick 2, 531, 5 v. u.
fürnen 2, 435, 12.
gallerzwilch 2, 365, 11.
gatzet 1, 243, 16.
geantet 3, 276, 12.
geficks 1, 134, 11 v. u.
gegengad 3, 249, 18 v. u.
gehaß 2, 53, 2.
gehelligten 1, 343, 16.
gehelstarrigt 2, 145, 11 v. u.
gehündt 1, 306, 11.
gekreischtem 1, 479, 14.
gelaustert 4, 270, 4.
gelettern 2, 394, 3 v. u.
gelffen 1, 69, 1 v. u.
genieten 2, 488, 7 v. u.
gepleuwet 1, 504, 13 v. u.
gereiß 4, 273, 16 v. u.
gereume 1, 403, 6.
geschnerr 3, 249, 8.
getackelt 2, 242, 10 v. u.
geturnsten 1, 405, 3 v. u.
getzt 3, 256, 5 v. u.
geucherey 1, 586, 1.
geucht, 1, 466, 3.
geudig 1, 13, 14.
ginlöffeln 1, 58, 4.
ginmeulen 2, 378, 21.
gippen 4, 241, 9 v. u.
girtzel 1, 419, 5 v. u.
glast 2, 65, 7.
glotzet 1, 243, 16.
glützen 1, 415, 15.
gnapt 1, 170, 15.
gnatzig 1, 445, 4 v. u.
gnauwraufft 2, 225, 15 v. u.
gneip 1, 184, 3.
gnipp 1, 120, 7.
gögkel 1, 309, 1 v. u.
golter 1, 533, 18.
gorcken, 4, 189, 6 v. u.
grammschaft 4, 356, 10 v. u.
grannig 3, 175, 4.
grimlet 3, 383, 10 v. u.
grummens 1, 439, 14.
grumpt 4, 190, 14 v. u.
grünhart 2, 166, 12 v. u.
grunen 4, 190, 11.
gugel 1, 459, 18.
gumpt 1, 170, 14.
gurren 1, 87, 5.

BERICHTIGUNGEN.

1, 4, 3 statt an lies on.
1, 20, 10 statt soll lies solt.
1, 45, 15 v. u. statt bringt lies bringe.
1, 47, 16 statt förneme lies fürneme.
1, 95, 17 statt seye lies seyn.
1, 112, 6 statt jurat lies juvat.
1, 113, 8 statt entzohn lies entzohe.
1, 177, 21 statt leicht lies leiht.
1, 194, 2 statt darfft lies dorfft.
1, 194, 13 v. u. statt alt lies all.
1, 208, 2 statt fantasieen lies fantasiren.
1, 287, 5 v. u. statt knechs lies knecht.
1, 323, 16 statt lichten lies tichten.
1, 339, 9 statt dises lies (wahrscheinlich) dibes.
1, 339, 10 statt lougen lies loupen.
1, 353, 1 statt [212b] lies [312b].
1, 394, 2 statt undackbar lies undanckbar.
1, 401, 13 statt erbündigung lies erkündigung.
1, 428, 2 statt Weimnar lies Weinmar.
1, 438, 4 statt schößlein lies schlößlein.
1, 438, 3 v. u. statt sprach lies sprich.
1, 449, 20 statt pfaffens lies pfaffen.
1, 461, 7 v. u. statt 1446 lies 1546.
2, 15, 8 statt gürtel lies gürtel.
2, 19, 19 v. u. statt mit lies (wahrscheinlich) nit.
2, 30, 14 statt zücht lies z̄ucht (und so häufiger statt ů u.)
2, 39, 12 v. u. statt charecteres lies characteres.
2, 47, 4 statt fallstrich lies fallstrick.
2, 100, 2 statt temporiren lies temperieren.

2, 116, 4 statt truncken lies trucken.

2, 119, 6 statt stunst lies sunst.

2, 141, 19 statt lage lies lagen.

2, 215, 10 v. u. statt wrd lies ward.

2, 221, 10 v. u. statt Ung lies Und.

2, 301, 3 v. u. statt schweiß lies schmeiß.

2, 311, 7 statt sergentinlein lies serpentinlein.

2, 377, 11 statt krecht lies knecht.

2, 420, 8 v. u. statt uuß lies auß.

2, 547, 7 v. u. statt ga lies gar.

2, 555, 8 statt iss lies ists.

2, 559, 11 statt tockenladen lies todtenladen.

3, 38, 12 statt wüden lies würden.

3, 309, 1 v. u. statt evargeliste lies evangeliste.

3, 477, 20 v. u. statt schagen lies schlagen.

4, 32, 6 v. u. statt hoth lies noth.

5, 74, 18 l. Plut. Pyrrh. 20.

5, 111, 12, l. Boccaccio 10, 10.

5, 165, zu 7, 61[a]. (Nos poma natamus.) Waldis 4, 48. Melander 1, 63.

5, 172, zu 7, 117[a]. (Ehrner und irdner topf.) Eccles. 13. Aesop. Kor. 290, S. 190. Nevel. 295. Camerar. 207. Avian 11. Faern. 8. Stainhöw. Av. 9. Schulze 1. Bromyard, A, 14, 38. Boner 77. Waldis 1, 96. Herm. D5. Alciati, embl. 166, S. 698. J. Mach.-Av. 9. Haudent 189. Bruscamb. 140. Benserade 102. Lafont. 5, 2. Le Noble 39. Pavesio 4. Verdizz. 15. Ysopo-Av. 9. Esopus-Av. 9.

INHALT.

Anzahl der actien im 21sten verwaltungsjahre:

einzelactien 307.
lebenslängliche 6.

Von mitgliedern sind mit tod abgegangen:

Seine majestät der kaiser Maximilian von Mexico.
Herr freiherr von Bremken in Erpernburg.
Herr Dr Kläden, prediger in Berlin.
Herr Dr Lappenberg, archivar in Hamburg.

Neueingetretene mitglieder sind:

Herr Dr Eberhard in Berlin.
Herr Dulau u. Cie, buchhändler in London.
Herr Dr Milner, in Tübingen.
Herr Gropius, buchhändler in Potsdam.
Herr Dr Martin, professor in Freiburg.
Herr Dr Springer, professor in Bonn.
Herr Dr Gisi, archivar in Bern.
Herr Dr Moriz Hartmann in Wien.
Herr Dr Beer in Frankfurt am Main.
Herr Dr Scheffel, hofrath in Karlsruhe.
Herr John Gossler, bankier in Hamburg.
Die cantonsbibliothek Frauenfeld.
Herr K. F. Köhler, buchhändler in Leipzig.
Herr Dr Bamberger, zollparlamentsabgeordneter, in Paris.
Herr Szarvady in Paris.
Herr Dr Eidenbenz, bibliothekar in Überlingen.

Tübingen, 17 Januar 1869.

der kassier des litterarischen vereins
Professor Dr Kommerell.

Die richtigkeit der rechnung bezeugt
der rechnungsrevident
Oberjustizrevisor Sautermeister.